姜建 著

中國現代文學
名家傳記叢書

完美的人格——朱自清

陳信元
張堂錡 策劃

文史哲出版社 印行

國家圖書館出版品預行編目資料

完美的人格：朱自清 / 姜建著. -- 初版. -- 臺北市 :文史哲, 民 90
面: 公分. -- (中國現代文學名家傳記叢書 ; 5)
ISBN 957-549-351-6(平裝)

1. 朱自清 - 傳記 2.中國文學 - 傳記

782.886 90000227

中國現代文學名家傳記叢書 ⑤

陳信元・張堂錡策劃

完美的人格：朱自清

著　者：姜　建
出版者：文史哲出版社
登記證字號：行政院新聞局版臺業字五三三七號
發行人：彭正雄
發行所：文史哲出版社
印刷者：文史哲出版社
臺北市羅斯福路一段七十二巷四號
郵政劃撥帳號：一六一八〇一七五
電話 886-2-23511028・傳真 886-2-23965656

實價新臺幣三〇〇元

中華民國九十年六月初版

ISBN 957-549-351-6

書系緣起

陳信元
張堂錡

法國詩人兼批評家聖伯甫（Sainte Beuve，1803-1860）曾說：「在批評學上，我覺得使人讀之生快感而增見聞的，最好是替偉大的作家生動而詳實的傳記。……鑽入作家的身心、懷抱，用各種方式使其活動，並觀察他的時代、習慣及生活，這樣，才算得上是個眞正的批評家。」也就是說，一個批評家如果不能進入作家的心靈世界，與作家進行一種心領神會的交流，感知其情意，認知其思想，同時對其所處時代、社會、環境種種有深刻的理解，則很難能對作品有剖析精闢的評論。因此，要理解作品，應該先了解作家，而文學傳記正是我們理解作家的重要門徑之一。一部傑出的傳記，理應是融合了作家論、作品論、歷史論、鑑賞論、批評論、創作論等多種功能、技巧或條件於一身的產物。

一個優秀的傳記文學作家，應該是傳主的眞正知己，能把傳主的整個人格呈現出來；一部優秀的傳記文學作品，除了文字引人入勝外，更要使傳記中人栩栩如生，散發出動人的力量，透射出豐富的智慧。這除了要靠資料搜羅求其完備的眞實性講究之外，善於運用文學技巧進行剪裁、安排、刻劃的藝術性追求，也是不可或缺的基本條件。如果能找到許多位優秀的傳記文學作家，寫出一部部兼具可讀性、史料性、藝術性的傳記文學作品，我們相信對文學研究的深化、作品的廣爲流傳，甚至於創作經驗的傳承、熱情的點燃，都將會是極具正面性的嘗試與貢獻。

這是我們的心願，也是我們長期關懷文學發展的理想追求。如今，這個心願與理想，透過《中國現代文學名家傳記叢書》的企劃推出，得到了彌足珍貴的落實。說「彌足珍貴」是眞的，學術作品的出版一向不受主流市場的青睞，作家傳記雖然已較通俗可讀，但和那些政治人物、影劇明星內幕八卦的「傳記」轟動上市、旋即再版的「盛況」相比，文學作家傳記確實是有些寂寞，何況相關作家的傳記在市面上已有許多不同版本在流傳，我們能推出這套叢書，若不是文史哲出版社社長彭正雄先生不計成本的支持，以及對這套叢書的內容品質，撰稿群的學養功力深具信心，這個心願是很難達成的。

打開中國現代文學史，魯迅、巴金、郁達夫、曹禺、冰心、朱自清、錢鍾書、林語堂等一連串的名家，他們的人生際遇、生命抉擇、生活型態、創作追求，構築起一座座豐盈、迷人的心靈園林，讓後人流連；他們在時代變動中所發出的光與熱、情與意，也同樣令後人仰望、懷想。他們以自己的生命、作品、藝術理想，為逝去的二十世紀刻鏤下最深刻、也最華麗的印記。他們的傳記，既是二十世紀文學史的縮影，也是現代中國知識分子心路歷程的曲折呈現。認識這些作家，不僅認識了文學，也認識了現代中國，認識了自己。

這些現代文學名家的傳記，在撰稿者秉持設身處地、還原情境、正視後果、多面探掘等原則，並採宏觀與微觀兼具、大歷史與小歷史並重的寫作態度，篇幅不求其厚長，內容卻力求其豐實生動，人物刻劃力求其準確有度的要求下，如今已呈現在讀者的面前。我們澆灌現代文學園圃的用心深意，看來已有了纍纍碩實的成果。

值此世紀回眸之際，我們祈盼新世紀的作家身影不再寂寞，文學可以迎回另一個世紀的璀璨風華。從這個角度看，這套叢書，既是回顧，也是前瞻；既是總結，也是一個好的開始了。

感謝所有的撰稿者，以及為這套書奉獻過心力的朋友。

二〇〇一年元月序於臺北

自序

提起朱自清，人們總習慣於冠以詩人、散文家、學者和民主戰士的頭銜。確實，這些都沒錯。朱自清早年寫過詩，他的抒情長詩《毀滅》是五四詩壇的一枚碩果，被譽爲中國新詩史上的《七發》和《離騷》；他後來也寫過散文，他的《槳聲燈影裡的秦淮河》、《背影》、《荷塘月色》等衆多散文名篇，以其高超的表情狀物的能力和圓熟的技巧，顯示了新文學小品散文的成熟和成就，被人們歷久傳誦而不衰；他也是個治學勤勉而謹嚴的學者，他對中國文學批評的研究，對中國歷代詩歌的研究，辨析精微，觀點獨到，他對中國新文學史的研究，對這門學科的形成更具有開創的意義；朱自清的晚年，奮然投身民主運動，抗議國民黨暴政，在知識界享有很高威望。此外，我們還可以說他是一個傑出的教育家。他對語文教育投注了很大的精力，有許多深刻的論述，他服務於教育界幾十年，誨人不倦，桃李滿園，培養了許多著名的作家和學者。他的學生，浙江一師時代的有汪靜之、潘漠華、魏金枝、柔石、馮雪峰、曹聚仁、張維祺等，溫州十中時代的有金溟若、馬星野、朱維之等，清華大學和西南聯大時代的學生有蕭滌非、余冠英、李健吾、吳組緗、林庚、張清常、華忱之、王瑤、季鎭淮、馮契、陰法魯、劉泮溪、孫昌熙、吳宏聰、朱德熙等……類似的名目我們還可以找出許多，只是，所有這些名目加在一起，是否就等於一個朱自清呢？

隨著對朱自清生平事蹟、言論思想了解得越深入，我越來越感覺到，如果僅就以上幾個方面著筆，固然可以敷衍成篇，但總覺得缺少一條融貫朱自清一生活動的內在線索。文章沒有氣韻無法生動，人缺少精氣神就死氣沉沉，同樣，研究朱自清，如果不把握他內心的情感衝動慾望與追求，不把握他心靈的律動，是很難深入的。那麼，構成貫穿朱自清一生的心靈律動是什麼呢？我的理解是：對完美的人格的不懈追求。

中國古代的賢哲們很看重對人格的修養，從吾日三省吾身，吾養吾浩然之氣，到修齊治平，有一套完整的理論。這套理論，略去時代變遷所帶來的人格標準的差異，倒是在教導人們如何改過遷善、見賢思齊，做一個高尚的眞正意義上的大寫的人。不能肯定朱自清人格追求的動力即源於古代賢哲的浸潤，但可以肯定的是，他的一生都在堅持不懈地追求著人格的自我實現與完善。朱自清不僅早年就提出人格教育的主張，而且身體力行，律己極嚴，有著很強的自審自省意識。每當他覺得某事處置得未盡如人意，他總會設法彌補，並爲此自責不已。讀過朱自清日記的人，相信都會對此留下深刻印象。非常人所能及的是，他常把自己的痛苦和矛盾，把自己對心靈的解剖無保留地公之於世。這份堅毅坦誠和勇氣，使得朱自清能夠畢生追求完美的人格而不輟。

從這種人格追求著手，可以比較清晰地理出朱自清一生的思想情感和人生活動的內在脈絡。

這種人格追求在他的人生態度上，即表現爲他始終以認眞嚴肅、求眞求善的精神面對生活，面對心靈的欲求和人生的挑戰。無論是早年宣稱要一步一個腳印地踏在泥土上，還是晚年自勉要加快步伐，緊跟上時代，這種態度都反映了他追求人生眞諦的努力。正因爲如此，他的人生道路儘管有曲折，卻始終是嚴肅認眞、積極進取的。

這種人格追求在他的文學活動中，即表現爲他始終以眞性情去反映生活，表現自我，不虛飾，不矯情，不夸誕，不無病呻吟，建立了純正樸實健康積極的「立誠的文學」。他總努力追尋著能表現生活傳達情感的最佳文體和風格，他的從詩到散文到雜文的文體嬗遞，他的從清麗縝密到樸素眞摯的風格變化，都說明了這一點。他的寫作態度極其認眞，從布局謀篇到煉句煉字，總是苦心經營，一毫不苟，那篇八百字的小品《談抽煙》，讀來輕鬆有趣，朱自清卻花了兩個下午的時間。

這種人格追求在他的工作中，即表現爲他始終勤勤懇懇，鞠躬盡瘁，只計耕耘，不論收穫，最大限度地貢獻自己的光和熱，直至生命的最後一刻。他對時間抓得極緊，捨不得浪費每一分鐘，一輩子都似在匆忙趕路。這種生命的緊迫感在他的散文詩《匆匆》中表露得非常充分。他的好友葉聖陶曾用「匆匆的旅人的顏色」來形容他，並且斷定，他一輩子也改不掉這種顏色。

這種人格追求在他的生活中，即表現爲他待人接物的誠摯實在。這正如李廣田所說：「佩弦先生對人處事，無時無地不見出他那坦白而誠摯的天性，對一般人如是，對朋友如是，對晚輩，對青年人，尤其如此。凡是和朱先生相識，發生過較深關係的，沒有不爲他的至情所感的。你越同他交情深，你就越感到他的毫無保留的誠摯與坦白。你總感覺到他在處處爲你打算，有很多事，彷彿你自己還沒有想到，他卻早已在替你安排好了。他是這樣的：既像一個良師，又像一個知友，既像一個父親，又像一個兄長。」但在大是大非面前，他則堅持原則，界限分明。「小無町畦大知方，不茹柔亦不吐剛」，朱自清贈葉聖陶的這兩句詩，正可以用來形容他自己。

正是對完美人格的不懈追求，使朱自清在風雲變幻的時代，在艱苦卓絕的生活中，威武不屈，貧賤不移，一步一個腳印，最終走向了人民。

當然，我無意把朱自清說成是一個道德主義者。他的氣質性格和修養，決定他並不屬於那種遺世獨立、我行我素的人，而那個戰禍連綿、國勢日敝、人民水深火熱的動亂時代，更不具備讓一個人不問世事、專心修身養性的條件。社會的一切，都在朱自清身上留下了深深淺淺的烙印。不過，惟其如此，朱自清對完美人格的追求才顯出他不尋常的意義。哲人說過，了解一個人也就是了解一部歷史。我對這句話的理解是：人的一生固然就是一部歷史，而這部歷史的形成，又與整個社會的歷史發展相生相應，只有把人放入他生活的那個具體的歷史環境中，放入各種社會潮流、思想潮流、文學潮流的消漲起伏轉換變遷中，去考察人與歷史的互動關係，在理解歷史中理解人，通過對人的理解加深對歷史的理解，才是完整的。用這種歷史的觀點去考察朱自清，就可以發現，他對完美人格的追求經歷了從「君子有所不爲」的「狷」到「洗盡書生氣味酸」的正義感和責任感的發展過程，前者是執著沉潛的，偏於消極，後者是發揚進取的，更加積極，富於鬥爭性。這種變化恰是由人與歷史的互動關係形成的。

於是，對於本書的寫作，我確立了兩個基本點，一是以對完美人格的不懈追求作爲貫穿朱自清一生活動的內在線索，在展現他由多重社會角色家庭角色所帶來的情感和生活的豐富性、深刻性和複雜性的同時，著力揭示他的性格特徵和精神風貌；二是把朱自清放入他的生活的那種歷史環境，考察社會人生加諸給他的各種壓力和他對這些壓力的回應，以揭示他的存在和成長的社會歷史因素，和他的人生道路對於中國近現代知識分子的意義和啓示。我覺得，只有通過這種方式，才能立體地、完整地、動態地而不是平面地、零碎地、靜止地理解朱自清。至於這種意圖究竟實現了多少，評判權是在讀者手中。

吾生也晚，未能趕上朱自清生活那個年代，只能遺憾於對那種生活缺乏直觀的感情的認識。但與此同時，我又慶幸自己獲得了因時代的隔絕而造成的距離感，使我能以新的眼光和思路去重新打量前輩的生活，與他們對話。我所採取的方法是一方面通過發掘爬梳史料，盡可能地貼近朱自清，用心地理解他的思想邏輯和生活邏輯，再現他的人生道路，另一方面，用現代人的眼光對他的生活作出適當的評判。對於前者，我投入的精力要比寫這本書本身多得多，自信對於他的生平尙無大的出入，對於後者，我也盡了力，只是限於經歷才力學識修養，做得能否差強人意，筆者不敢自誇。如果讀者讀了這本書尙不致太過失望，則筆者幸甚。

最後，向對本書的寫作提供過幫助和關心的所有師長朋友們，致以深深的謝意。

二〇〇一年三月于金陵

完美的人格——朱自清　目錄

書系緣起……一
自　序……五
第一章　文峰塔下——少年時代……九
第二章　風雨北京——求學生涯……二九
第三章　旅路匆匆（上）——西子湖歲月……五一
第四章　旅路匆匆（下）——白馬湖春秋……八三
第五章　水木清華（上）——徬徨與執着……一一七
第六章　水木清華（下）——家事與國事……一五一
第七章　流亡大學（上）——蝸居報恩寺……一八九
第八章　流亡大學（下）——燈火司家營……二一一
第九章　重返清華——走出象牙塔……二四五
第十章　魂歸荷塘——不息的生命之火……二六九

第一章 文峰塔下

——少年時代

一

京杭大運河逶迤千里，縱貫中國大陸。在江淮平原南端靠近長江的地方，有一條古運河，一端與大運河相接，另一端經瓜洲古渡注入長江。

蜿蜒的河道中，一葉葉船帆南來北往，拉縴的縴夫們喊著號子拖著沉重的貨船。偶爾，一隻小油輪冒著黑煙「突突突」地開過，打破古運河的寧靜，灑下一路的洋油臭。

一座巍峨的古塔矗立在古運河邊，挺秀的塔尖凌雲高聳，直指蒼穹，在夕陽的映照下閃爍著鐵青色的光澤。塔下的土地便是「天下三分明月夜，二分無賴是揚州」的千載古城。

從春秋末年吳王夫差建邗城始，揚州已有了近兩千五百年的歷史。在漫長歲月中，揚州曾經極盡繁盛。隋唐時期，揚州成爲江南漕糧和淮南鹽運中心，成爲對外交往的國際性商業大都會。一時間，八方輻輳，五達砥平，帝王流連，商賈雲集，騷人墨客更是連翩而至。「夜橋燈火連星漢，水郭帆檣近斗牛」，「二十四橋明月夜，玉人何處教吹簫」，無數華美的辭章，寫不盡揚州的富貴繁華。清代康熙乾隆年間，借助於皇帝的幾次巡幸，揚州的昌隆更是達於極致，以至乾隆忍不住驚嘆：「廣陵繁華今倍昔」。

然而，滄海桑田，斗轉星移，十九世紀中葉以後，竹西歌吹，瑩苑迷樓早已成了歷史的陳跡，錦帆十里，殿腳三千的景象再也看不到了。揚州褪盡六朝金粉之色，成了個破落的舊家子弟，失神地蜷伏在江北的一隅。只剩下古運河邊那座孤零零的寶塔，忍受著歲月的寂寥，也冷眼旁觀著歷史的興廢，人間的寒暑。

塔叫文峰塔，始建於明代萬曆年間。取名「文峰」，意在希冀這座高塔鎮住揚州的風水，保佑這方土地的子民們在科場仕途中出頭冒尖，功成名就，湧起一個個「文峰」。然而，塔的命運也和揚州城的命運一樣，那斑駁的塔身、殘缺的檐鈴和那飛檐上的蓑草瓦松，告訴人們的，只是一個有著輝煌的過去而如今幾乎什麼也沒有剩下的古老故事。在踏進科舉制度已被廢除的二十世紀之後，塔的神威還在嗎？這塊大運河水滋潤的古老土地還蘊藏著青春活力嗎？

揚州城和文峰塔相對應的地方，有一座城門叫天寧門，長滿青苔的古城樓威嚴地俯視著門外的千年古刹天寧寺和門裡窄窄的天寧門街。

在可以望見城門的地方，有一座揚州典型的三合院。以寬大的門樓往裡看，是八扇古色古香的雕花屏門，顯得非常氣派。門裡住著幾戶人家，都姓朱，是同宗，其中包括剛從邵伯搬來的朱鴻均家。從厚厚的大門裡，經常傳出一陣陣清朗的讀書聲，有時又可見到一個胖胖的小男孩，蹦蹦跳跳地跑出來，騎在高高的門檻上，好奇地往門外張望，看看南來北往的行人商販和到天寧寺進香、到瘦西湖遊玩的人。

他叫朱自華，是剛搬來的那家人的孩子，才五歲。大大的腦袋，寬寬的前額，圓圓的臉上嵌著一雙亮晶晶的眼睛，透著靈氣，厚厚的嘴唇，顯得憨實。小自華的祖父和父親都是做官的，儘管官不大，卻也不必為衣食柴米犯愁，所以自華的日子過得無憂無慮，每日裡跟著私塾先生念詩書，其他時間便在院裡院外自由玩耍。房東的院子不大，但拾掇得很雅致，繁茂的薔薇爬滿牆頭，一株紫藤花架遮陰蔽日，太湖石堆成的洞門玲瓏剔透。小自華經常跟著一個頑皮的少年僕人在院裡捉迷藏、撲蝴蝶，追逐嬉戲。開心的笑聲穿過屏門，飛上街頭。

朱家本姓余，是浙江紹興人，自華的高祖余月笙當時在揚州做官，住在甘泉衙門樓上。一次他酒後墜樓不幸身亡，隨之夫人也跳樓殉夫，遺下孤兒余子擎便由當時的顯宦、山陰同鄉朱氏收養，遂改姓朱。後來朱子擎隨朱家去蘇北漣水，在那裡娶了當地首富喬家之女，並獲得女方陪嫁的花粉田八百畝。朱子擎得子後，為讓孩子知道自己的本姓，特起名「則余」（字菊坡），「則」是「即」或「乃」的意思，「則余」，即表示不忘「余」的本姓。他就是自華的祖父。

則余一家儘管從父輩起便已姓朱，但在紹興老家朱姓族人眼中，仍然是異類，認為他們沾了朱氏的光，分了朱氏的肥，於是族中的刁頑無賴之徒便不斷到他家「打秋風」。為了躲避族人的騷擾糾纏，則余藉做官而遠離故鄉紹興，並把兒子鴻均（字小坡）和兒媳周綺桐都帶在身邊。光緒年間，則余在江蘇海州做了十幾年的承審官，一直到離官養老，再也沒回過老家。而紹興的朱氏同宗，則乘機霸占了則余家的房屋田產，終於弄得他們無家可歸。

一八九八年十一月二十二日（農曆十月初九），海州承審官的府邸內熱鬧非凡，全府上下都在爲則余先生新添男孫而忙碌不已。朱鴻均儘管不是第一次做父親，卻顯得格外頂眞愼重，特地請了算命先生來給孩子推算吉凶禍福，然後根據算命先生算卦的結果，給這個嬰兒取名叫「自華」，又起了個號叫「實秋」。這一是取《顏氏家訓・勉學》中「春華秋實」之意，二是因算命先生說他五行缺火，所以在他的名字中央夾了個帶「火」的「秋」字。

自華的出世，喜壞了他的祖父和父母，把他當成了掌上明珠。自華本有兩個哥哥大貴和小貴，但在他出世前都不幸夭折了，他便成了朱家的長子長孫。眼前這個根苗可不能再有什麼閃失，父母便按民間舊俗給他取了個乳名叫「大囡」，給男孩取女孩名，爲的是便於養活，閻王爺即使派小鬼來勾魂也會找錯人。痴心的母親還不放心，又給他穿了耳洞，在左耳上佩戴了金質的鐘形耳環。

自華在海州生活了三年，那時他畢竟太小了，對那裡沒有什麼印象，只是對海州話感到親切，因爲在父親的揚州腔裡還來雜了不少海州口音。

三歲時，父親到蘇北高郵的邵伯鎭做管理鹽稅的小官，便將自華帶到了那裡。

邵伯是蘇北里下河地區連接長江的咽喉。里下河地區地勢低窪，一遇洪水常常澤國千里，全靠大運河調節水位。自華一家在邵伯時，住在鎭邊的萬壽宮裡，門口便沖著運河。萬壽宮院子很大，很靜，是小自華玩耍的好地方。可官宦人家的孩子，是周圍的村夫頑童不太敢招惹的，因而小自華沒有玩伴，頗爲孤單。父親忙於公務，沒有時間陪他玩，他便纏著父親的聽差。

在離萬壽宮不遠的地方，有一個鐵牛灣，那裡河道曲折，是個容易決口的地方。清朝康熙年間，官府鑄了條鐵牛，鎮在那裡，用以測量水位。父親的聽差便常常帶著自華去那裡玩耍，小小的人兒在黝黑冰冷的大鐵牛身上爬上爬下，忽而叫聽差念鐵牛背上的銘文：「維金克木，蛟龍永藏，土能制水，永鎮此邦」，忽而望望運河裡來來往往的帆船，忽而向河裡扔一塊瓦片，看瓦片像蜻蜓點水一樣在河面上跳躍，激起一串圈圈，便也覺得十分有趣。

父母對這個獨生兒子非常獨愛，但對他的教育卻絲毫不敢大意。四歲時，父母決定給他啓蒙。

陽春五月，江南正是鶯飛草長的時節教育親書房的書桌上安置好了筆墨紙硯，小自華端坐在桌前，父親研好墨，濡了筆交給他，把著他的手寫下「清和」兩個字，然後又寫下他的名字「朱自華」。他的讀書生涯，就從這個簡單而嚴肅的儀式後開始了。父親在家時，總抽出時間教他認字，但父親在家的時間不多，啓蒙課讀的事便由母親承擔。母親是紹興人，與新台門周樹人（魯迅）是本家。她父親是當地一個有名的刑名師爺，或許是受「女子無才便是德」的影響罷，沒讓女兒讀什麼書。但她頗爲要強，經過努力自學，看書寫信算帳都能勝任。母親常常找一些名人傳記或小說中的故事講給他聽，並給他識「字方」，從常見的實物開始。自華從小愛靜，不多說話，他能聽母親講故事，或獨自翻弄一些畫片，一坐就是半天。後來，父母把他送入鎮上一家私塾，由先生教他認字念書。不過，私塾給他的最大收穫，倒不在於會背幾首千家詩，會念幾個漢字，而在於他結識了兒時的第一個朋友江家振。自華和他很要好，經常去他家玩，在他家荒園裡捉蟋蟀，採野花，坐在橫倒的枯樹幹上說悄悄話，到了傍晚時分還戀戀不捨，不想回家。可惜他未成年就病死了，讓小自華非常難過。

自華在邵伯住了差不多兩年，在這裡，他又添了個弟弟物華。五歲時，祖父從海州辭官，由於不願回紹興，而依官場習慣，又不便於到兒子的住所同住，這時就需要另找一個穩定的可以安度晚年的住所。於是鴻均把家安置到了揚州，住進了天寧門街的這所院子。

朱家搬到揚州後，就此定居下來，儘管房子調過幾次，但再也沒有離開揚州。在這裡，自華又有了二弟國華和一個妹妹玉華。家裡熱鬧多了，自華也有了玩伴。

不過，自華玩的時候並不太多。作爲長子長孫，父親對他寄寓了很大的期望，希冀他能學有所成，將來有朝一日光耀門庭，因而對他督教甚嚴。那時，科舉初廢，學校方興，父親對當時新式學校的教學方法和讀書效果頗爲懷疑，便把他送到中過秀才或舉人的私塾先生那裡，學習經籍，古文和詩詞。放學歸來，父親總要把他的作文卷子一篇篇讀過。晚飯時分，自華吃了飯，便搬個小板凳靜靜地坐在父親身旁，父親一邊喝著老酒一邊搖晃著腦袋低吟著自華的作文，看到先生給以好評，字句邊又有肥圈密點，就點頭稱好，欣欣然喝酒，順手獎給兒子幾粒花生米或一塊豆腐乾。若是看到文章的評語不好，字句被刪去太多，父親忍不住就要發火，斥責兒子不用功，順手一把將卷子扔進爐膛。受到這樣的斥罵，自華常常忍不住哭起來。在父親的嚴格督教下，幾年間，自華對經史國文等國學的基本典籍有了相當的根基。當時他的一位塾師叫戴子秋，國文功底很好，自華跟著他，在十三歲的時候，就做通了國文，直到若干年後，回憶起那一段生活，他還滿懷感情地說：「我的國文是跟他老人家學著做通了的。那是辛亥革命之後在他家私塾裡的時候。」①

一九一二年，自華進入安徽旅揚公學高等小學讀書。在此之前，他也曾進過雙忠祠初等小學，但爲時不長，沒有畢業。他主要還是在私塾接受「詩云子曰」的薰陶。直到這時，他才算開始接觸了「聲光化電」等現代西方科學文化，並開始學習英語。他的英語老師有兩位，講解英文非常清楚，這一方面激發了他的學習興趣，同時也幫助他打下了紮實的英語基礎。自華成年之後仍對這兩位老師銘感於懷。

時代不斷進步，此時已是辛亥革命之後，新式學校逐漸遍布各地，比起私塾，它已顯示出無可爭辯的優越性。父親看到兒子學到了許多私塾裡學不到的東西，成績又很好，於是對新式教育欣然首肯。高小畢業後，父親支持他考入了揚州兩淮中學。這個學校不久改名爲江蘇省立第八中學，後又改名爲江蘇省立揚州中學。

在第八中學，自華是個品學兼優的好學生。他個頭不高，總坐在教室門口的第一個座位上。在課堂上，他緊閉著厚厚的嘴唇，撲閃著好奇的眼睛，專心捕捉著老師嘴裡吐出來的那個陌生而又新鮮的世界。課外，他喜愛讀書，儘管家中藏書不多，但經史子集都有一些，像

《論語》、《孟子》、《易經》、《詩經》、《史記》、《漢書》、《韓昌黎集》、《柳河東集》等等，他雖然不能全看懂，但囫圇吞棗地啃的滿帶勁。對於重要部分他反覆閱讀，隨時寫下學習心得，遇到一些疑難問題，他則提出來和同學們共同研討。大家暢言無忌，互相啓發，自華從中獲益不少。

上學後，家裡每月給他一塊錢零用，因爲愛讀書，錢大都報效了書局，換回些雜誌新書。離家不遠之處，有個廣益書局，老板姓張，人挺好，肯給他們這班孩子賒帳，每到節下，自華總要欠他一塊多錢。有時候想要的書揚州買不到，他便轉請賢良街志成書局代向上海訂購，至於跑腿的事則由弟弟國華代勞。

少年人求知欲強，什麼都感到新鮮，什麼都愛讀，從《佛學易解》到《文心雕龍》，逮什麼讀什麼。最使他醉心的是《聊齋志異》和林譯小說，那些英雄豪傑大馬金刀、叱吒疆場的壯舉，才子佳人的悲歡離合，書生與孤仙的纏綿緋惻和異國風光異域情調，都不停地撩撥著他，使他沉醉著迷。他自封爲文學家，開始了最初的創作。第一次寫了篇《聊齋志異》式的山大王的故事，文筆和結構都模仿林譯小說，寫了八千字。小說寫好後，自華興沖沖地寄給了《小說月報》，可不久便退了回來。但自華並不洩氣，集合了一些朋友同學，辦了個《小說月報》，用文言寫作，用有光紙油印。他把父親那兒聽來的一個俠客的故事寫成一篇《龍鐘人語》登在上面。少年人的熱情和衝動來的快去的也快，《小說月報》只出了三天就停了。

青春歲月，如夢年華，少年人愛用各種玫瑰色的夢來編織自己的未來。他再也沒有想到有朝一日他的文學家之夢竟會成爲現實。

二

天寧門往東行不遠，有一城門叫廣儲門。門外城壕的北岸上，有一座梅花嶺。嶺上遍植梅樹，樹幹掩映中，便是史可法的衣冠塚和祭祀史可法的史公祠。二百七十年前，明朝兵部尙書史可法率領親軍四千人，堅守揚州孤城，抵禦大兵壓境的淸軍，誓死不降，終於兵敗被捕，慷慨就義。這一段歷史，記載在史書中，更記載在揚州人民心中。揚州的翁嫗婦孺，有誰不知道史閣部這個人，有誰不能說點史閣部的事蹟呢。

自華對史可法，自然也是無比崇仰。其實，不獨史可法，凡中國史籍中所載的那些威武不屈的民族英雄和他們千秋不朽的光輝業績，都叫自華心儀不已。很小的時候，他便知道了文天祥、史可法等抵禦異族入侵、身殉社稷的民族英雄。他喜愛文天祥的《正氣歌》，經常抄錄誦讀，對「人生自古誰無死，留取丹心照汗青」的千古名句，更是反覆朗吟，連年幼的弟妹都耳熟能詳了。也許是史可法就義於揚州的緣故吧，自華對史可法除了尊崇之外，更增添了一份親切。作爲揚州人，自華爲本城歷史上出過這樣一位英雄而感到驕傲。史公祠，成爲自華經常留連忘返之處。

辛亥革命那一年，每當倦鳥投林，游人斂蹤之時，梅花嶺畔總能見到自華的身影。那時，自華的父親得了傷寒，借寓史公祠西廂養病。每天，自華探望過父親的病後，便獨自一人在周圍信步，或步入餐堂，默誦著「生來自有文信國，死而後已武鄉侯」的楹聯，凝望著史可法的畫像，或靜靜地坐在史公墓旁讀書，或登上梅花嶺，在樹下徘徊。梅樹虬勁的枝幹在夕陽的映照下發出古銅般的色澤，清冽絕俗的梅花透出淡淡的幽香，自華彷彿領略到了前輩肝膽照人、堅貞不屈的品格氣節。餐堂前有兩株數丈高的銀杏，枝葉在微風中颯颯作響，好像是當年戰場上人馬的嘶殺，刀槍劍戟的擊打，又好像是史可法嚴辭拒降的怒斥。每當這時，朱自華便獨自出神，如痴了一般。他眞恨不早生三百年，好鞍前馬後追隨史閣部左右。他寫了不少憑弔史可法的詩，可惜如今都已散佚了。自華一生正直不阿的骨氣和認眞執著的處世精神，恐怕正得益於家鄉先烈英魂的哺育吧。

也許正因從先烈處汲取了強烈的正義感和社會責任感，自華對風雲變幻的現實政治非常關心。辛亥革命爆發後，他迅速剪去了髮辮，並力勸他的表哥也剪去辮子。表哥勉強剪掉，但仍戀戀不捨，用網絡兜著掛在腦後。自華趁其不備，一把抱過，扔出門外，惹得大家大笑一場。次年，國民黨領袖宋教仁在上海火車站被刺，朱自華聞訊悲憤不已，寫了一首長歌《哭漁父》，以表自己的哀悼之情。一九一五年，袁世凱不顧民意，悍然恢復帝制。消息傳來，自華心情沉重，經常和同學好友譏評時政，毫無忌憚。他弟弟回憶這樣一幕場景：「我記得有一天，前面大廳東北隅炕床上，大哥和同學七八人團團圍坐著低聲討論，我恰從後廳走近，只聽大哥講：『兩年前宋教仁遭暗殺，現在又要一手遮盡天下耳目，帝制自爲，眞是太不顧民意了！語云『物極必反』，我想凡是順從民意的，必然取得最後成功，而那些倒行逆施違反時代潮流的獨夫行動，一定不會長久的。』」②

在袁世凱的賣國政策下，日本侵略者趁第一次世界大戰之機，出兵山東，並且威逼袁世凱接受了喪權辱國的「二十一條」。消息傳來，舉國憤慨，掀起了抗議示威的怒潮。朱自華利用暑假和同學們積極籌備展開抗日救國活動，他們成立宣傳大隊到處講演，呼籲民衆奮起抗日。當時市場上日貨充斥，民脂民膏大量外流，爲了喚起群衆進行抵制，他一面和同學進行宣傳，一面組織大批青少年從事義賣國貨活動，連尙在高小讀書的二弟朱國華，也在他的鼓動下參加了義賣國貨活動。

一九一六年夏，朱自華從第八中學畢業，獲得了校長頒發的品學兼優獎狀。同時，他考入了國立北京大學預科。那一年，他十八歲。

就要離開家鄉了，對這座度過了他整個童年和少年時代的地方，朱自華不禁生出一絲留戀。從五歲搬到揚州，到十八歲中學畢業，這中間，除九歲時隨父親去江西石港一年外，朱自華在揚州生活了十多年。揚州給他留下了深刻的印象。幽深靜寂的小巷，讓人即使在酷暑中也能感到一絲涼意。石板鋪成的路面，黃包車的大輪子發出轟隆隆的聲響。夏日的清晨，鄉下姑娘走街串巷叫賣梔子花。自華很喜歡梔子花那暈黃的顏色、肥肥的個兒和濃而不烈、清而不淡的香味，所以每當聽見那清脆爽利的「賣梔子花來」的聲音，他總要買上幾朵。

「青燈有味是兒時，其實不止青燈，兒時的一切都是有味的。」③隨著時光的流逝，兒時的一切，包括那些頑皮淘氣的事情，都變得那麼可愛。

記得有一年春天，還是在他上高小的時候，他和一群同學商議好要到鈔關外文峰塔邊的福緣庵去要桃子吃，而且是白吃。於是一群娃娃浩浩蕩蕩地城外開去。到了那兒，卻見枝頭桃花盛開，一個桃子也沒有。喪氣之餘，他們又哄到「方丈」裡討茶喝。待一人喝過一大杯茶，氣也平了，乏也解了，於是又說說笑笑地進城去。多少年後，自華回憶起這件往事，仍覺得那麼醰醰有味，彷彿齒隙舌底依然留著那茶的清香。

揚州留給自華的印象，也不全是美好可愛的。朱家是客籍，父親又多在外省當差，在揚州並無勢力，因此吃了不少苦頭。辛亥革命爆發後，鎮江有了新政府，原滿清的揚州鎮守使徐寶山搖身一變也成了革命黨，在揚州成立軍政分府，自任司令。這徐寶山是個出了名的惡霸，被老百姓稱之為「徐老虎」。他搜刮有術，專找舊日滿清政府的官吏，以逮捕和殺頭作要挾，進行敲詐。祖父做了一輩子官，退休時積蓄頗豐，父親自一九一〇年從江西調任寶應釐捐局長，這又是一個肥缺，於是朱家便成了徐老虎的俎上之肉。

祖父為了家人的安全，為了自己的老面子，只得以「協餉」的名義，捐出了一大半家財，但他終因心力交瘁，不堪忍受軍閥的逼迫和勒索而辭世。父親在驚懼交加的氣氛中辦完喪事也累倒了，得了傷寒，大病四個月。一家之主死的死，病的病，祖母和母親為求徐老虎不抓人，只得花錢消災，將銀子大把地撒將出去，就這樣掏空了家底，僅剩下彌陀巷那座空空蕩蕩、大而無當、買下還不到五年的舊宅。民國二年五月，徐寶山在揚州被參加二次革命的革命黨炸死，朱家才鬆了一口氣，可家道卻已經中落了。不過經歷了由殷實人家而敗落的變故，倒使自華看清了世人的眞面目，可以比較客觀冷靜地看待這個度過少年時代的地方了。

多少次滄桑變遷，戰亂兵燹，揚州早已凋零殘破，失去了「夜市千燈照碧雲，高樓紅袖客紛紛」的繁華熱鬧。可許多人還沉浸在歷史的殘夢中，虛張聲勢，忘其所以地耍氣派，幾不知天多高地多大。自華對此有切身的感受。他說：

在中學的幾年裡，眼見所謂「甩子團」橫行無忌。……他們多數是紳宦家子弟，仗著家裡或者「幫」裡的勢力，在各公共場所鬧標勁，如看戲不買票，起哄等等，也有包攬詞訟，調戲婦女的。更可怪的，大鄉坤的僕人可以指揮警察區長，可以大模大樣招搖過市——這都是民國五六年的事，並非前清君主專制時代。自己當時血氣方剛，看了一肚子氣；可是人微言輕，也只好讓那口氣憋著罷了。④

揚州一些人的「虛勁」和「甩勁」，使自華感到好氣又好笑。不過，揚州歷代留下的古蹟和自然風光是還是叫人流連不捨的。在自華讀書的第八中學向北不遠的地方，就有古老的木蘭院石塔，四望亭，文津橋和座落在橋上的文昌閣等等。當然自華對這些興趣不大，他喜歡的是水。那流動著碧綠的漿液的小河，彎彎曲曲，幽雅靜寂。那蜿蜒的城牆，在水裡倒映著蒼黝的影子，小船悠然地撐過去，岸上的喧擾像沒有似的。

小時候，父親常帶他出去玩。從天寧門外下街碼頭上船，畫舫便在夾岸的翠柳中悠然而行。沿岸茶肆、庭園比鄰錯落，香影廊，冶春花社，餐英別墅，綠揚村，一個接一個。那香影廊面河水閣數間，朱欄一曲，一半在岸上，一半伸入水中，湖水掩映，花木扶疏，清風徐來，水波不興。畫舫經過這裡，父子總要向臨河的茶肆要一兩種小籠點心，在船上邊吃邊玩。從香影廊向西，過問月橋便是瘦西湖。穿過條石砌成的大虹橋，沿著綠柳飄拂的長堤，便可以爬上小金山。在山頂的風亭，可以眺望瘦西湖全景，那伸入湖心的吹台，水面上映著蓮花般倒影的五亭橋和在藍天白雲下襯得格外素潔的白塔，都歷歷在目。不過稍大之後，自華常常不在這裡下船。他不喜歡「瘦西湖」那「雅得這樣俗」的名字，也不喜歡衆多的遊客所帶來的喧囂的市聲。他寧願坐船繼續前行，穿過七八里曲曲折折的河道，到遊人較少的平山堂去。登上平遠樓，望著遠山淡淡的輪廓，聞著山野的清新氣息，自華便會靜靜地想自己的心事，或和同學好友吟詩作文，指點山河。

朱自華的籍貫雖是浙江紹興，但他在揚州度過了最珍貴的童年少年時代，以後又在揚州娶妻生子，同揚州的關係可以稱得上是「生于斯，死于斯，歌哭于斯」了，所以他把揚州當作自己的故鄉，稱自己「我是揚州人」。

三

一九一六年十二月十五日，時令已近臘月，揚州城裡城外都顯出一種繁忙的景象。古運河裡船隻來來往往，加緊運送年貨，大街上店家也在忙忙碌碌地收拾舖面，準備迎接一年一度的新春佳節。

靠近運河邊的瓊花觀街東口的朱家，今天顯得格外熱鬧。大門口披紅掛彩，門上貼著大紅的「囍」字，滿面春色的小坡公忙裡忙外，不停地招呼著前來賀喜的親朋好友，一群孩子興高采烈地跑進跑出。左鄰右舍們都知道，朱家今年交了好運，接連有喜事，一件是秋天小坡公的長子朱自華考入了全國最高學府北京大學的預料，另一件是眼下的娶媳婦，新郎官便是春風得意的朱自華。

夏天，朱自華從揚州第八中學畢業後，不負父親的厚望，順利考入北京大學，這對朱家來說，眞是天大的喜事。彷彿作爲對兒子的嘉獎似的，父親決定給兒子完婚。媳婦是現成的，只要一頂花轎抬過來便成。於是寒假自華從北京一回來，父親就立刻忙乎起來。

經歷了辛亥年間的變故之後，朱家賣掉了彌陀巷的舊宅，幾經搬遷，終於在這前一年，搬到了瓊花觀街東首，租了一張姓大戶的西宅。張家這處住宅頗大，門朝南，通過門內的門樓，進入屛門，是一長方形院子，向北穿過院門，是一大果園，植有果樹幾十株，果園北面東西並排兩處住宅，東宅住房東，西宅便是朱家。進入朝東的八角門，穿過花圃，便是一座朝南的大廳，後面有兩進房屋，皆爲揚州典型的三間西廂式結構。眼下，這院裡院外，堂屋門樓，都已裝扮一新，慶賀朱家娶媳婦的盛大慶典。

其實，認眞說來，家裡爲自華娶媳婦，早在八年前便開始忙乎了。

中國人素有早婚的習俗，因爲中國人把傳宗接代、延續香火當作一個家族的頭等大事，這自然是遲婚不如早婚，早結婚早得子，早抱兒子早享福。經常鞭炮聲響處，卻見兩個稚氣未脫的孩子在拜天地。自華是長子長孫，於是傳宗接代的任務就責無旁貸地落在他肩上。在他還不到十歲的時候，家人就給他張羅起媳婦來。

最初說的是自華曾祖母的娘家人，住在蘇北漣水的鄉下。自華對此事印象頗深，成年之後還頗有風趣地說起這件往事：

祖母常常躺在煙榻上講那邊的事，提起這個那個鄉下人的名字。起初一切都像只在那白騰騰的煙氣裡。日子久了，不知不覺熟悉起來了，親暱起來了。除了住的地方，當時覺得那叫做「花園莊」的鄉下實在是最有趣的地方了。因此聽說媳婦就在那裡，倒也彷彿理所當然，毫無意見，每年那邊田上有人來，藍布短打扮，銜著旱煙管，帶好些大麥粉，白薯兒之類。他們偶然也和家裡人提到那位小姐，大概比我大四歲，個兒高，小腳；但是那時我熱心的其實還是那些大麥粉和白薯乾兒。⑤

自華十一歲那年，那邊捎過話來，說小姐得癆病死了。家裡倒並不嘆惜，只是小自華可惜以後再也吃不著大麥粉和白薯乾兒了。接著，母親又開始忙乎起來，托一個經常來做衣服的裁縫物色人家。不久，那裁縫便說了一個錢家的姑娘，於是有一天，母親給自華裝扮一新，由裁縫帶著去相親。看相貌，看走路，看學識，看了半天，自華被人家相中了，可母親沒有相中人家的小姐。於是這兒子的婚姻大事又擱淺了。

第三次，母親在牌桌上相中了一個牌友的女兒。那女孩蹦蹦跳跳的，透著聰明伶俐，於是她又托人去說親。事情已成了九成九，後來一個偶然的機會聽說那女孩不是親生是抱來的，害怕以後生出麻煩事，母親的心又涼了。

自華已經十三歲了，親事經歷了幾次周折，還是沒有著落，這可急壞了做娘的，於是她張羅得更加起勁。辛亥年，父親得了傷寒，請了許多醫生，都看不好，最後，請到了揚州城的名中醫武威三先生。在診治中，常常去請醫師的聽差和武醫師的轎夫閑聊，無意中了解到武醫師夫人已故，只留下愛女一人，視若掌上明珠。父親既在病中，自華的婚事顯得尤爲迫切。母親得悉此事，立刻追問下去，了解到武家小姐端正賢淑，和自華同齡，尙未許多。這眞是天上掉下來的喜事，於是母親便立刻托人提親，然後又派親信的老媽子去相親，最後總算定了下來。那一年，自華十三歲，還在私塾讀書。

如今，朱自華和武家小姐都已年滿十八歲，自華又考進大學，給他們完婚的時候終於到了。

嗩吶鞭炮聲中，朱自華全身吉服，身披新郎官的紅綬帶，迎來了一頂花轎。新娘頭蓋紅綢，在伴娘和全福太太的陪伴下，步入喜堂。然後一對少男少女拜天地、拜祖先、拜尊長，在親友們的簇擁之中步入洞房，完成了延續一個家族血脈的法定程序。

新房設在朱家第二進住房的西屋。新房裡陳設一新，迎門牆上懸掛著玻璃鏡屏，上面是挺拔的蒼松和枝頭上跳躍的松鼠，左右是一副對聯「吉席和鳴陳敬仲，書成博議呂東萊」，都是朱自華揚州八中的同學所送。從此，朱自華有了自己的妻子，自己的家，有了人生道路上的一個伴侶和大後方。可是，在揭下蓋頭之前，朱自清對妻子容貌是妍是蚩，性情是溫是火，都沒一點底，家庭生活，夫妻之間，到底該怎麼樣，心裡也一片空白。那時候，娜拉小姐還沒走到中國來，也很少有人知道一個叫易卜生的外國人。因此，在一般人的心目中，婚姻大事遵從父母之命、媒妁之言，似乎是天經地義、順理成章的，朱自華也不覺得有什麼不妥。況且，他性情沉靜溫和，事親至孝，更不會拂逆父母的好意。於是，一個年輕人的終身大事，就在他自己似懂非懂，尚未理解其全部內涵的時候，便被這樣糊裡糊塗地安排了。

幸運的是，月老似乎特別眷顧自華，給了他一個好妻子。妻子武鍾謙，原籍雖爲杭州，卻和自華一樣，在揚州長大，故鄉一次也沒有去過。她身材不高，長得也不算漂亮，但端正賢淑，溫和開朗，多少年來一直是父母心中的太陽。朱自華不禁暗自慶幸老天爺待他不薄。蜜月裡，小兩口卿卿我我，說不盡的恩愛甜蜜。那時，父親在徐州榷運局長的任上，「家裡錢是不缺的；大家都歡歡喜喜的過著。」⑥結婚滿月後二十天，朱自華回北京繼續讀書，把新婚妻子留在家裡。

一九一七年歲末，父親的榷運局長差事被迫交卸。父親小坡公，頭腦聰明，做事能幹，卻有著舊式讀書人和官僚的通病，愛講排場，除了結髮妻子而外，總要討幾房姨太太。他在寶應釐捐局長的任上討了幾個姨太太，後來還把一個淮安籍的姨太太潘氏帶回揚州家中，這就是自華在作品中提到過的「姨娘」和「庶母」。這是一個既精明又跋扈的舊式女子，比自華母親大四歲，很會弄權，常搞得家裡不得安寧。小坡公在徐州榷運局長的任上，又收了幾房姨太太，她得悉此事，趕去大鬧一場，弄得滿城風雨。結果，小坡公不得不花很多錢把姨太太一個個打發掉了，最後仍然被上級怪罪下來，丟了這份好差事。小坡公一向是老爺作風，不善理財，又爲姨太太的事花了許多錢，所以辦交卸時，不僅沒有剩下錢，反而虧空五百元。他只好讓家裡變賣首飾，補上這一窟窿。屋漏偏遭連夜雨，沒幾天，年邁的祖母不堪承受這一家庭變故而辭世，小坡公借錢才把喪事辦了。

在那個時候，靠俸祿過日子的人家正常情況下還可以維持生計，如迭遭變故，小康生活就難以爲繼了。經過這兩件事後，家裡的生活每況愈下。父親賦閑，斷了經濟來源，後來即使找到工作，也入不敷出，家裡常以典當借貸過日子。長此以後，家中樂融融的氣氛再也不見了。父親由於老境頽唐，脾氣變得暴躁，其他人也常爲一點小事而怒目相向。鍾謙本來愛笑，在疼愛她的祖母的呵護下，日子過得頗爲輕鬆，但此刻，那無憂無慮、開心爽朗的笑聲再也聽不見了。偶爾一笑，便會招來無端的指責和冷眼，於是只好掩門長嘆，暗自垂淚。久而久之，鍾謙變得十分抑鬱，以至於聽到別人的笑聲反覺得十分刺耳。自華經常來信勸解，但畢竟鞭長莫及。

妻子性情的這種變化給自華刺激很大，幾年後，他以這段生活爲藍本，以妻子爲主角，寫了短篇小說《笑的歷史》。小說通過主人公由愛笑，到不敢笑，不想笑，以至於討厭別人笑的情感歷程，表現了舊家庭對人性的壓抑和扭曲。那時，正是五四運動之後，新文學文壇上正在大張旗鼓地反封建，描寫舊式婚姻的痛苦和宗法家庭對人性束縛的作品層出不窮，贏得大量讀者。自華的小說筆觸細膩婉曲，情調纏綿悱惻，很有詩的氣息。因而在《小說月報》

發表後，很受社會的注意和好評。不少讀者著文評論，說這種「使讀者讀了血淚迸流的作品，一定是作者心血的結晶，是從受了深刻創痕的心底深處放射出來的。」⑦不過這已是後話。

【附註】

① 朱自清：《我是揚州人》。
② 朱國華：《對大哥朱自清青少年時期的回憶》，《揚州文史資料》第七輯，一九八八年七月。
③ 朱自清：《我是揚州人》。
④ 朱自清：《說揚州》。
⑤ 朱自清：《擇偶記》。
⑥ 朱自清：《笑的歷史》。
⑦ 善行：《朱自清君的〈笑的歷史〉》，《小說月報》第十四卷第十二期，一九二三年十二月。

第二章　風雨北京

——求學生涯

一

北京，在一個未出過遠門的江北少年的眼裡，該是一個多麼神奇的地方啊。在那皇皇都城之中，遼、金、元、明，歷代王朝上演過多少出興衰更替的歷史悲喜劇。李闖王率領農民軍東奔西突，最後滅了大明，占領北京。接著吳三桂降清，清兵入關，李闖王戰敗，北京又成了大清天子的下榻之處。過了兩百年來，洋鬼子的兵艦直通北京城下，統治者只好一次又一次地簽訂城下之盟。不久，那裡興起了變法維新，結果譚嗣同等六君子喋血菜市口。緊跟著又鬧起了義和拳，燒教堂，殺洋人，於是八國聯軍入了京，一把火燒掉了慈禧太后耗費巨資興建的萬園之園——圓明園。這些事情，朱自華早從老師的口中，從歷代詩文史籍中略知大概。再往後，清帝遜位，南北統一，袁世凱改洪憲又一命嗚呼，這些剛剛發生的事，都是自華親身經歷了的。只是身居江北一隅的古城，對京都發生的歷史震盪，感受畢竟隔了一層。

北京還有一個最能夠吸引自華的地方，那就是中國的最高學府——國立北京大學。

北京大學的前身是京師大學堂。上個世紀末，鑒於中國外侮日烈，國勢日頹，以康有爲、梁啓超、譚嗣同、嚴復等爲代表的改良派，發動了一場變法圖強的維新運動。維新運動的一項重要內容就是廢科舉、興學校、創辦京師大學堂。辛亥革命後，京師大學堂正式改稱爲北京大學，後又冠以「國立」二字，嚴復擔任了第一任校長。從那時到現在，北京大學已有了很大的發展，教員和在校學生數不斷增加。到一九一六年時，在校學生達一千五百人，教員人數達一百四十八人，占當時全國大學教員總數的三分之一強。此外，還有藏書數十萬冊的圖書館和各種新式試驗室。這樣一所高等學府，自然使朱自華夢魂縈繞，心嚮往之。於是，中學一畢業，他立即報考了國立北京大學預科，結果一箭中的，如願以償。

考慮到國內各中學程度不齊，北京大學在三年本科之外，又設三年預科（蔡元培擔任北大校長後，改爲四年本科，兩年預科）。學生先考入預科，預科讀完後，再考本科。預科則分爲第一類和第二類，分別作爲升入文法商科和理工科的準備。

一九一六年初秋，朱自華告別了家人，告別了哺育他長大的江北古城，來到了他心儀已久的北京城。

北京大學的預科座落在北河沿，校舍原是京師大學堂的譯學館，一九一三年譯學館停辦後，就改成了大學預科。譯學館是座兩層樓的洋房，用作預科學生的宿舍，每個房間有十來張床位，學生都用蚊帳和書架把自己小天地圍成一個房間模樣。教室離宿舍不遠，是西式平房，建了沒幾年，還相當新。

朱自華第一年的課程主要有國文、文學史、本國史、西洋文明史、本國地理、英語及體操等。其中，沈尹默教國文，他著重指導學生研究學術的門徑。教學生讀莊子的《天下篇》、荀子的《非十二篇》和韓非子的《顯學》篇等。他認爲先秦諸子百家學說的概況及其互相攻訐之大要，讀了這三篇就夠了。至於文學方面，沈先生教學生讀魏文帝的《典論·論文》、陸機的《文賦》、劉勰的《文心雕龍》等。教本國史的是陳漢章。他是前清舉人，經學大師兪曲園的弟子，章太炎的同學。此人早就大名鼎鼎，在京師大學堂時代就被聘爲教授。但當時大學堂章程中有一條規定，畢業後可欽賜翰林，這可是他夢寐以求的事。於是他放著教授不做，寧願改做學生，從一年級讀起。可在他畢業前一年，清王朝被推翻，他的翰林夢終於沒有做成，於是又回頭去做教授。但他博覽群書，學問是相當不錯的。沈尹默的弟弟沈兼士教文字學，以許愼的《說文解字》爲課本。他跟著章太炎學過古文字，在北大和他哥哥一樣有名。但學生最怕他的考試，他常考冷僻篆字，稍不留意就有吃零蛋的危險。教本國地理的是一位叫桂蔚丞的老先生，是朱自華的同鄉。他頭腦陳舊，有點迂腐，但會說笑話，加上一口揚州土音，說起話來，常叫人發噱。朱自華來到這裡，彷彿進入了一個新的天地，他感覺那麼新鮮，那麼有趣，但他很少流露出來。他只是默默地、卻又貪婪地吸收著各種新知識，像春天裡一株剛出土的幼苗。

北大預科功課甚爲嚴緊，因爲是爲升入大學本科作準備，所以非常重視語文訓練及各種基本知識的培養。預科還特別重視英語，有些課程直接用英語講授，如教西洋文明史和演說學的就是兩個英國人。西洋文明史用邁爾的《世界通史》爲教材，從古埃及、兩河流域、希臘、羅馬一直貫通下來。演說學選讀短篇英語演說。英國教授不僅要學生背誦演說辭，而且在背誦時還必須配上優雅的表情和姿勢。此外還有英國文學課，講笛福的《魯賓遜漂流記》、司各特的《艾凡赫》和莎士比亞的故事，如《哈姆萊特》、《威尼斯商人》等。自華在中學時就已打下很好的英語基礎，如今通過這樣高強度大密度的訓練，英語水平又迅速提高。

下課之後，自華常常來到校園前的小河邊，或背誦課文，或朗讀英語，或默默地獨自徜徉。

這條小河叫北河沿，以前是漕運的最終停泊處，清朝中時還可見到帆牆林立的景象，後來逐漸淤塞了。不寬的河面，兩岸參差種了許多柳樹。樹身歪向河心，兩邊柳枝飄拂，似乎要在河的上空握手。清清的河水，始終注滿河床，帶著一股沁人的芬芳。三兩隻白鵝，悠閑地在水中游來游去。夕陽下，小河泛著金色的波紋，不遠處的東安門橋也鑲上了一道金邊。這一切，總叫自華想起他的故鄉，那小橋拱繞流水不斷的古揚州。

繁忙緊張的學習生活，使得日子過得飛快，轉眼間，預料已讀滿一年。暑假到了，朱自華回到家中，同家人團圓，也同久別的妻子相聚，自是十分高興。不過望著日漸長大的弟妹，想著長年在外奔波的父親，卻又感到一絲沉重。作爲長子長孫，他比別人早熟；儘管此時他自己學業才剛剛起步，卻得開始考慮如何挑起生活的重擔了。父親雖還在榷運局長的任上，尚能維持家計，但肯定無法持久。看來自己很難按步就班地讀完預科兩年、本科四年了。朱自華思前慮後，決定跳級投考北京大學本科。

那時的北大，新事物方興未艾，而舊事物尚未鏟除，官僚習氣還十分濃厚。儘管課堂所學的已是和「舉業」不相干的新學問，但大多數學生，繼承了京師大學堂老爺式的作風，思想上還是科舉的一套，仍把上大學當作升官發財、獵取功名利祿的門徑，因而投考法政科的多，投考文科的少。爲了解決文科生源問題，這一年北大將開方便之門，降格以求，允許報考文科的學生免交預科畢業文憑，而以同等學歷報考。這個規定恰巧方便了自華，於是他改名「自清」，字「佩弦」，報考了文科中國哲學門。由於他少年時代就打下了紮實的國學根底，預科一年又刻苦勤奮，因而和一年前考預科時一樣，再發再中，順利錄取。

一九一七年初，剛從歐洲返國的蔡元培擔任了北京大學校長。蔡元培早年科場得意，秀才、舉人、進士一路連捷上去，直至擔任翰林院編修。戊戌變法失敗後，他意識到教育的重要，於是脫離官場去紹興、上海等地從事新式教育，後來又自費到德國萊比錫大學留學，學習哲學、倫理學和文學等。辛亥革命後，他奉孫中山之召回國擔任南京臨時政府的教育部長，南北統一後繼續擔任北京政府的教育總長。在此期間，他著手改革封建教育制度，仿照西方資產階級教育制度，建立起我國現代的教育體制。他主張廢去清末學部制度的忠君、尊孔、尙武、尙公、尙實五項爲封建統治服務的宗旨，改成爲軍國民教育、實利教育、公民教育、世界觀和美育五項。在這五項新的教育宗旨中，他強調以公民道德教育爲中堅，並以法國資產階級革命時期提出的自由、平等、博愛作爲公民道德教育的綱領。同時，蔡元培還主持改革學制，修訂課程，改正不合共和宗旨的教科書，小學廢止讀經，實行男女同校等。他還積極推行義務教育和社會教育，希望把教育事業從學校擴大到整個社會。由這樣一位對新式教育有理論有實踐、思想進步開明的著名教育家來執掌北大校柄，自然最為理想。

蔡元培掌校後，全力施展他的抱負，對學校進行了大刀闊斧的改革。他趨時更新，提倡思想自由、「兼容並包」，為新文化、新思想的傳播搭橋鋪路。他容納不同學派，網羅各派學者，促進了學術民主、百家爭鳴的風氣。他改革學校體制，破除學生的舊觀念，倡導德、智、體全面發展。朱自清能跳級進入本科，便是受惠於他的改革措施。在蔡元培的積極推動下，北京大學一改過去腐敗沉悶的風氣，變得充滿生機和活力。

朱自清考入本科後，從北河沿搬到了漢花園北大一院（在今天的沙灘）。這裡是北大校總部和文科的所在地。一九一八年八月，後來成為五四運動策源地的新教學樓紅樓落成後，朱自清便在這裡上課，聽教師授業解惑，提要勾玄，傳播新思想新學術。這時，創辦並主持《新青年》、大力鼓吹「德先生」和「賽先生」的陳獨秀已擔任文科學長，剛回國的清華留美學生胡適也被聘為文科教授。胡適在前不久的《新青年》雜誌上發表了《文學改良芻議》一文，提出了反對封建主義文學的「八事」。接著，陳獨秀又發表《文學革命論》，對文學革命問題闡述了更為激進的主張。這兩篇文章，以及他們所寫的其他一系列文章，在當時的社會上引起極大的反響。由這樣的人來領導北大文科和哲學門，學生們都非常高興。胡適到校後，給朱自清這一屆學生講授「中國哲學」和「中國哲學史」。他用資產階級學術觀點和研究方法去重新考察中國哲學史，確實使人耳目一新。以前朱自清一直浸潤在傳統的學術氛圍之中，此刻宛如進入了一個新的天地。

由於北大實行兼容並包的方針，一些思想陳舊保守但學有根底的人在北大也有一席之地。在國學門中，有劉師培、黃侃、陳漢章等國粹的信徒，在英文學門中有辜鴻銘這樣拖著小辮，滿嘴春秋大義的保皇黨，在哲學門中，則有梁漱溟。梁漱溟是個二十多歲的青年講師，給學生開「印度哲學」課程。他思想保守，是個突出的孔教衛道士。在陳獨秀、胡適等人高喊「打倒孔家店」的時候，他公開表示對孔教「嘆服之無窮」①，在課堂上大講孔子儒家學說。他成立孔子研究會，又與劉師培、黃侃、陳漢章等人成立《國故》月刊社。新舊兩派成員的同處一校，甚至同處一系，使課堂內外經常出現兩軍對壘以至短兵相接的情形。紅樓的一個大教室裡，擠得滿滿的學生在傾聽穿西裝打領帶的胡適侃侃而談新思想新學術，另一個大教室裡，同樣擠得滿滿的學生在聽一襲藍布長衫，頭戴瓜皮帽的梁漱溟慷慨激昂地力陳儒家學說的精華要義。鼓吹新潮的《新潮》社和崇尚國故的《國故》社社址都設在紅樓，兩個刊物的主要編輯人員又同在國文系，因而雙方經常唇槍舌劍，筆鋒相向，「上班時冤家相見，分外眼明，大有不能兩立之勢。甚至有的懷裡還揣著小刀子」②。這樣熱烈的氣氛，這樣激烈的對壘，使朱自清興奮異常，感受到許多過去聞所未聞的東西。

話說回來，儘管許多教授思想有趨時與守舊、叛逆與衛道之分，但他們都有紮實的學問。胡適的「中國哲學史」和「西洋哲學史」，陳大齊的「哲學概論」和「心理學」，楊昌濟的

「倫理學」，蔣夢麟的「教育學」等，使朱自清領略了現代西方資產階級學術思想的概況，梁漱溟的「印度哲學」，馬敘倫的「中國哲學」等也使朱自清獲益匪淺。新舊兩派教授各以其所長滋潤著朱自清，爲朱自清以後從事學術研究打下了深厚的基礎。

課餘，朱自清最愛逛書店，儘管由於經濟不寬裕，買書很克制，但常逛書店的人都有這種體會，有時並不一定要買什麼書，只要進去轉轉，隨意翻翻，領略一下那種氛圍，便也覺得其樂融融，心滿意足。那時，除了課堂上所學的西方新學術而外，朱自清還愛讀佛經。佛經一般書店裡沒有，得到西城城根下臥佛寺街的鷲峰寺去，佛經流通處設在那兒。朱自清在那兒買過不少佛經，像《因明入正理論疏》、《百法明門論疏》、《翻譯明義集》等等。

買書是樂趣，不過有時候也得下狠心。大學畢業那一年初春，朱自清在琉璃廠華洋書店看見新版韋伯斯特英語大辭典，訂價十四元。他很想得到這本書，可囊中空空，到那兒去找這十四元錢呢？這可不是個小數目啊，它相當於朱自清一個學期的學雜費加宿費。欲待不買，又心癢難熬。思前想後，朱自清咬咬牙脫下身上穿的紫毛水貂領大氅，跑到後門口一家當鋪當了十四元錢，買下了辭典。這件大氅是結婚時父親給他做的，儘管是布面子，土式樣，領子又小，毛又雜——原是用兩雙「馬蹄袖」拼起來的，但當初父親爲做這件大衣，頗費了一些張羅，這可是父親的拳拳愛子之心呵。幾年來這件大衣一直陪伴著他度過了北京的隆冬嚴寒，如今卻不得不分手了。送進當鋪時，朱自清打算過後再設法贖出來，可他終於沒有湊足這筆錢。若干年後，朱自清想起這件事，心裡還感到遺憾。

二

北大校內新舊兩派、兩種思潮的激烈鬥爭，和新文化運動的蓬勃興起，極大地活躍了學生的思想，提高了學生對政治的敏感和愛國熱情，也提高了北大在國人心目中的地位。因而在一九一九年爆發的五四愛國運動中，以及後來爆發的歷次愛國學生運動中，北大學生自然而然地成爲主力軍和領導核心。

一九一八年底，第一次世界大戰結束，美、英、法、日、意等二十七個戰勝國在巴黎召開「和平會議」。中國儘管作爲戰勝國之一參與和會，但貧窮積弱的地位使中國仍不免成爲帝國主義瓜分勢力範圍的俎上之肉，蒙受任人宰割的恥辱。一九一九年四月，中國在「巴黎和會」上外交失敗的消息傳至國內，頓時，「舉國悲憤，痛哭呼籲。工商輟業於市廛，弦歌失聲於學校，販夫走卒俱有哀聲」③。然而，賣國的北京軍閥政府卻準備在巴黎簽字，接受這個喪權辱國的和約！人民悲而且憤了，「收回山東、青島主權」、「拒絕在和約上簽字」的吼聲，響徹全國。五月二日，蔡元培在北大飯廳召集學生班長和代表一百餘人開會，號召大家奮起救國。五月一日，蔡元培在北大飯廳召集學生班長和代表一百餘人開會，號召大家奮起救國。五月三日晚，北大全體學生及北京高師、高等工專等十二所學校的學生代表齊集北大三院禮堂召開大會，決定於次日各校學生在天安門廣場舉行愛國大示威。

四日是星期天。午飯後，北大學生在紅樓後面的空場上集合排隊，浩浩蕩蕩地走出學校，沿北池子大街往天安門進發。隊伍前面，是一幅輓聯似的白布對聯，上面濃黑大書：

賣國求榮，早知曹瞞遺種碑無字；

傾心媚外，不期章惇餘孽死有頭。

落款是「北京學界挽賣國賊曹汝霖、章宗祥遺臭千古」。

下午一點多鐘，十三所學校的三千多名學生齊集天安門。他們揮舞著白色小旗，高舉著「取消二十一條」、「寧爲玉碎，勿爲瓦全」的標語牌，呼喊著「打倒賣國賊」，「外爭主權，內懲國賊」的口號，聲嘶力竭，慷慨激昂。在大會上，同學們紛紛發表演說，痛斥帝國主義的侵華罪行和曹汝霖、章宗祥、陸宗輿簽訂二十一條的賣國行徑，並通過了北大中文系學生許德珩起草的《北京學生界宣言》。會後，全體學生舉行了示威遊行，前往東交民巷使館區和趙家樓曹宅，並演出了一幕火燒趙家樓、痛打賣國賊的有聲有色的活劇。在五四愛國學生運動中，朱自清始終是個積極分子，據《北京大學月刊》所載「文科本科學生請假曠課表」，五四前後，朱自清請假明顯增多，還出現了曠課。一貫惜時如金，用功讀書的朱自清在五四期間不惜請假，甚至曠課，這從一個側面反映了他參加五四運動的熱情。

五四這一天，朱自清也在集會遊行的隊伍中。儘管他沒有像國文系同學鄧中夏、黃日葵、傅斯年，和哲學系同班同學譚平山，低班同學羅章發、張國燾、劉仁靜那樣在遊行集會中擔任組織領導工作，但他和同窗楊晦、江紹原以及國文系同學許德珩、楊振聲、孫伏園等人都是其中的活躍分子。遊行隊伍中，他和大家一道慷慨激昂地揮白旗、呼口號，過後也和數千名同學一道爲釋放在火燒趙家樓的革命行動中被軍警抓走的同窗潘菽、江紹原，以及許德珩、楊振聲等三十二名同學而奔走呼籲。五月六日「北京中等以上學校學生聯合會」成立後，朱自清又參加了一個股的具體工作。廣大學生在五四運動中爆發出來的強烈的愛國熱情和不屈不撓的鬥爭精神，對朱自清是一個很好的教育，給他一生的文學活動和愛國思想留下了深刻影響，他自己也在鬥爭中得到了很好的鍛鍊。

從個人性格氣質上說，朱自清屬於忠厚樸實、平和中正、少年老成的那一類。他原來埋頭讀書，不愛多說話，對校園裡的各種學生社團和活動不很熱心，在同學中也不太引人注目。有一個學期，他和後來成爲淺草社主要成員的楊晦同坐一張課桌，卻彼此很少交談，也沒有多少交情。後來，朱自清意識到，這種「生性謹斂，事事後人」的秉性，對個人的全面發展進步有弊無利，必須痛下決心加以改變。《韓非子·觀行》中說：「西門豹之性急，故佩韋以自緩，董安于之性緩，故佩弦以自急。」意思是說，性子急躁的人應在身邊佩帶皮條，以提醒自己增強韌勁，而性子緩慢的人，應在身邊佩帶弓弦，以警策自己緊張振奮起來，激流勇進。當初他自己取字「佩弦」的用意不就在此嗎？在北大生氣勃勃的環境中，在各種學生活動和社會活動中，朱自清逐步改變了自己，他變得越來越活躍，尤其是經過五四愛國學生運動，他的社會活動才能得到很大的鍛煉和提高。這一年年底，他加入了在新思想文化傳播和五四運動中起過重要作用的平民教育講演團。

平民教育講演團是同年三月由鄧中夏、許德珩、廖書倉、康白情、羅家倫、周炳琳等人發起的北大學生課外社團，其宗旨是「增進平民知識，喚起平民自覺心。」講演團在北大校役夜班給工友講解時政，宣傳愛國道理，傳授文化科學知識。節假日時，他們則走上街頭，深入農村進行講演活動，海甸、長辛店、豐台、蘆溝橋、通縣等地，都留下了他們的足跡。他們利用廟會、集市、遊藝場等人群聚集之地，打著小旗，敲著小鑼，吸引群衆。由於形式新穎，加上講演內容緊密結合時政，如「青島外交失敗史」，「日本的野心和中國救亡的法子」等，很受群衆歡迎。有一次東便門蟠桃宮舉行三天廟會，講演團便連續在這裡講了三天。當時《北京大學日刊》曾報導說：「是時黃沙滿天，不堪張目，而其聽講者之踴躍，實出乎意料之外。」④

由於講演團積極鼓吹「人道與正義」，提倡平民教育，因而在社會上引起很大反響，而社會的歡迎，又鼓舞了講演團作出更大努力，進一步擴大影響。一九二〇年春天，講演團總務幹事鄧中夏、楊鐘健發起在學校放春假時深入郊縣農村講演的活動。朱自清積極參加了這次活動，被分在通縣組。

四月六日上午十時，朱自清、楊鐘健等八人乘火車抵達通縣，隨即分兩組講演。午飯後，兩組又合在一起，在縣城最熱鬧的地方擺開場子，向群衆宣傳共和國國民的義務與權力，國民應有的精神風貌，平等與自由的社會理解，破除迷信解放自己的重要性等。聽衆踴躍，總數計有五百人。朱自清上下午各講一次，題目分別是「平民教育是什麼」和「靠自己」。當朱自清一行帶著一身的塵沙和疲乏回到學校時，北京早已是滿城燈火，一天星光了。

講演團除了深入社會舉行不定期的演說外，還和京師學務局交涉，借到了該局所屬的在東、南、西、北四城地點相當的四處講演所，作爲每星期日定期講演的固定場所。由於朱自清在講演中的出色表現，被選爲講演團第四組的書記，負責組織講演事項。

在地安門外大街北城後門橋的京師公立第十講演所，每逢星期天下午，人們總可以見到一個小個子、胖墩墩的年輕人，忙前忙後地張羅著，有時也跳上講台，操著帶有濃重揚州腔的國語，不疾不徐地向大家講演一番。他就是朱自清。從文字記載看，四月十八日，朱自清講了「我們爲什麼要求知識」，五月二日講了「我們爲什麼紀念勞動節呢？」這次講演是北京第一次爲紀念五一國際勞動節而組織的大規模活動。當時上海《時報》曾以「北京之勞動紀念」爲題，專門對此作了報導。這些活動也是朱自清所參加的最後一次講演，隨即他便畢業離校了。在講演團活動期間，朱自清和講演團總務幹事、後來成爲共產黨重要領導人的國文系學生鄧中夏結下了深厚的友誼。在講演團的經歷，使朱自清開闊了眼界，了解了社會，爲他畢業後服務於社會作了準備。

提倡開展平民教育，是蔡元培改革北大的一項重要措施，平民教育講演團便是這種思想推動下的一個重要產物。另一個重要產物則是在蔡元培直接領導下創辦的「校役夜班」。一九一八年春假後，校役夜班正式開學，全校校役二百五十多人，分爲十一個班，進入了過去他們可望不可及的大學教室，學習修身、國文、算術、理科、外國語等課程。校役夜班的教員幾乎全部由學生擔任，校役夜班的基礎上，又創辦了平民夜校，接受住在沙灘附近的平民子弟入校上課。夜校由北大學生會負責領導管理。朱自清在加入平民教育講演團的前後，也報名參加了校役夜班和平民夜校的教學工作，負責教授國文。由於他教課認眞，頗受工友們的歡迎，也得到同學們的信任。在平民夜校文科教授主任的選舉中，朱自清獲得了次多票⑤。校役夜班和平民夜校的經歷，無疑是他一生服務於教育界的先聲。

朱自清在以很大熱情投入各種社會活動的同時，從來沒有放鬆學習，他堅持在困難的條件下完成學業。北大學生中，有不少富家子弟，他們家境闊綽，不愁花銷，一年甚至花掉三、四千元。而朱自清則是家裡勒緊褲腰帶供他念書的。在進入本科的這一年冬天，父親交卸了榷運局長的職務，只剩下兩袖清風，一樓明月。第二年秋天，朱自清的長子邁先出生了（邁先即散文《兒女》中的「阿九」）。兒子的出世固然給家庭帶來歡樂，給老人帶去藉慰，同時也增加了開支。祖孫兩代一出一入，使朱自清的求學生涯更窘迫了。他把自己的生活用品減到無可再減的程度。冬天，他只有一床棉被，爲了禦寒，只好用繩子把被子下面捆起來，做成個大口袋。到下半夜房間爐火降溫時，他便像個大蝦似地在大口袋裡縮成一團。但生活上的艱澀，並沒有影響朱自清的求學熱情和一絲不苟的學習態度。大學三年，他的各門功課從未掛過「紅燈」。只是緊張的學習使他經常熬夜，結果損害了眼睛，成了近視。

三

小時候，朱自清讀過許多歷史演義、傳奇故事，那一個個活蹦亂跳的人物，那緊張得叫人透不過氣來的情節，使朱自清幻想有朝一日也能做一個文學家。不過，這畢竟是兒時的夢，當不得眞。朱自清也寫過詩，憑弔史可法，憑弔宋教仁，那時只是一時即興，時過境遷，當時的情緒已淡忘了，那些詩稿也早散佚了。後來，朱自清進了哲學系，整日同黑格爾、康德、同莊周、老聃打交道，枯燥的理念世界，嚴密的邏輯思維，似乎很難激發起心靈的火花，情感的衝動。文學家的夢更遙遠了。

不過，近來身邊的世界畢竟有些異樣了。新文化運動蓬蓬勃勃、方興未艾，反對舊道德，提倡新道德，反對舊文學，提倡新文學的吶喊聲越來越響。人們彷彿大夢方醒，突然意識到自己的存在，個人的價値，於是，心靈深處湧起一種遏止不住的欲望，忍不住要向世人大聲吼出自己的喜怒哀樂。最初體現出這種特點的刊物，便是朱自清愛讀的《新青年》。一九一八年五月，《新青年》上發表了署名魯迅的《狂人日記》。小說以一種新穎的形式和前所未有的白話，表達了對整個封建制度的看法。那似醒似顛的狂人，那若明若暗的語言，那亦眞亦幻的氛圍，有點像「怪味豆」，給人強烈的刺激，卻又叫人不大讀得透。不過「禮教吃人」的控訴和「救救孩子」的呼聲依然是驚心動魄的。比較起來，同期上面署名唐俟的三首詩，新穎有趣，更易讀懂，譬如《夢》中「前夢才擠卻大前夢時，後夢又趕走了前夢」的詩句，絲毫不帶舊詩詞的氣息，顯得非常活潑。後來得知，唐俟和魯迅原來是同一個人。在《新青年》上發表新詩的還有自己的先生胡適、沈尹默、沈兼士，以及中文系教授周作人、劉半農等。他們的詩，有的同舊詩詞沒有多大的區別，有的像民謠，有的像說話，讀慣了句式格調都一律的古典詩詞，再讀這些自由自在、無拘無束的新詩，頗感到一種新奇的趣味。

除了《新青年》，朱自清愛讀的還有《新潮》。這是一九一九年一月，由一幫文科學生搞起來的雜誌。像中文系的楊振聲、傅斯年、俞平伯，英文系的羅家倫，以及同班同學康白情，徐彥之，譚平山等都是其中的骨幹分子。他們跟著《新青年》，宣傳新思想新道德新文學，登載了許多白話詩。看著這些朝夕相處，校園裡一道散步，教室裡共同上課的師長同學，都在興致勃勃地創作新詩和白話小說，朱自清不禁躍躍欲試。文學家的夢在他的心中又復蘇了。

朱自清也嘗試著拿起了筆。

一九一九年二月二十九日，同宿舍的同學從伊文思書館寄來的書目中，獲得一張外國畫片，畫上一位母親正照料著熟睡的嬰兒，下面題著「Sleep Little One」。端詳著這幅畫，朱自清不禁想起自己的兒子阿九，或許此刻也在他媽媽的懷抱裡安睡吧。想到這裡，忽然，一種異樣的情緒湧上心頭，他抓起筆，記下了這片刻的靈感。於是，一首題爲《「睡吧，小小的人」》的詩出現了。這是朱自清的第一首白話詩。不過，朱自清並未打算就此做個新詩人，他把詩稿往抽屜裡一塞，依然啃他深奧的哲學著作去了。待到這首詩從上海《時事新報》副刊《學燈》上登出來，已經是這一年的年底了。

眞正使朱自清詩情勃發，一發而不可收的是五四運動。五四運動像一個催化劑，它一下激活了朱自清的生命熱情，使他打開所有的感覺器官，釋放出全部的生命能量。他一方面積極投入各種社會活動，對人生、社會、時代、民族投以極大關注，另一方面拿起詩筆，盡情渲泄對自由、青春、愛情、光明的衝動與渴望。在畢業離校前的半年內，他陸續寫下了十幾首詩，並以此爲起點而躋入了五四優秀新詩人的行列。

在這一時期，朱自清詩歌的主旋律是對自由、春天、光明的讚美與渴望。兩隻小鳥在清晨巔巍巍的陽光裡自由自在地飛鳴，彷彿在說，「我們活著，便該跳該叫。生命給的快樂，誰也不會從我們手裡奪掉。」陽光下，春風裡，萎黃的小草返青吐綠，隨風俯仰，鳥兒快樂地上下翻飛，織成一曲充滿生機的春天奏鳴曲。

渴望光明，呼喚青春，是狂飆突進的五四時代的主旋律，是剛從封建枷鎖中掙脫出來的五四青年共同的心聲。不過，朱自清知道，光明不會從天上掉下來，也不會從別人手中賞賜來，光明必須靠自己去爭取，去創造。在《光明》中，朱自清唱道：

風雨沉沉的夜裡，
前面一片荒郊。
走盡荒郊，
便是人們底道。
呀！黑暗裡歧路萬千，
叫我怎樣走好？
「上帝！快給我些光明吧，

讓我好向前跑！」
　上帝慌著說，「光明？
我沒處給你找！
你要光明
你自己去造！」
積極向上，奮發進取，是五四時代的氛圍，也是朱自清內心對時代的眞實體驗。
　一九二〇年新年，北大學生會主辦的刊物《北京大學學生周刊》問世。在創刊號上，朱自清發表了新詩《新年》。經過五四運動的洗禮，朱自清對新的一年充滿信心。他把未來比作一顆黃澄澄的金粒：

　　新年交給他們
　那顆圓的金粒；
　她說，「快好好地種起來，
　這是你們生命的秘密！」

　年輕的心熱情、敏感、纖柔，卻也不免浮泛，他感受到時代的歡樂氣氛，相信這果實是美好的，未來是美好的，卻說不上這顆圓圓的金粒究竟會結出什麼果實。也許正因爲如此，他有時也會陷入莫名的惆悵之中。有時，他會靜靜地坐在北河沿敧斜的柳樹下，看著夕陽給校舍、城牆、小橋、柳樹鑲上一首金邊，看著白鵝在灑滿金粼的小河裡游來游去，看著笑語喧嘩伴著三三兩兩的同學逐漸消失，看著暮靄緩緩開起，吞沒整個大地，看著遠處城牆上亮起昏黃的燈光，一星，兩星……大自然日出日落的生息運行，無窮往復，夜色中小河的靜靜流淌、不舍晝夜，使朱自清心中湧起一種異樣的感覺，說不上歡欣，說不上悲哀，倒夾雜著幾絲煩悶與惆悵。人生便像這造化一樣，在繁華燦爛和寂寞黑暗之間不停地交替變幻著。五色繽紛、令人目眩神迷的生活非自己習性所近，可寂寞黑暗又令人難耐、不知所往。這時，唯一能給自己帶來希望和安慰的，便是城牆上那一行半明半滅、閃爍不定的燈光了，「祝福你燈光們，願你們永久而無限！」朱自清從心底裡發出了對它們眞誠的祝願和感激。

在朱自清心中，有一樣東西是永遠無法忘懷的，那就是底層勞動群衆的生活苦難。儘管朱自清沒有親身體驗過那種食不果腹的生活，但那走街串巷、沿門乞討的乞兒，我扶老攜幼、背井離鄉的難民，卻是從小就看熟了的。讀中學的時候，一個北風怒號、雪花飄灑的早晨，朱自清發現一個患病的老人蜷縮在瓊花觀門外角落裡，渾身打顫。朱自清趕緊跑回家找出一件棉袍送給他，並幫他披在身上。老人感動得流下了眼淚。從此，老人那瑟縮的身影便永遠刻在了朱自清心中，因此，底層人民的凄慘生活經常化爲朱自清筆下詩歌的重要內容。

一次，朱自清讀到一篇英文小說，題目叫《勝者》。小說敘述一群羊受到狼的襲擊，老羊及時報警，牧羊人打死了狼，老羊卻也塡了牧羊人的飢腹。這篇小說深深觸動了朱自清，儘管羊沒有葬身狼吻，但它們卻不是勝者，它們永遠是被人欺凌的對象，它們的生命始終操縱在別人手中，不是狼，便是牧羊人，結局其實沒有多少分別。對羊來說，牧羊人也是「狼」，是更爲可怕的動物。弱肉強食，本是自然界生物競爭的現象，但何嘗又不是社會現象呢？在當今世界這種現象見得還少嗎。於是，朱自清提起筆，寫下了《羊群》一詩。在詩中，朱自清描繪出一幅血淋淋的慘殺圖：

狼們終於張開血盆般的口，
露列著巉巉的牙齒，
像多少把鋼刀。
不幸羊兒宛轉鋼刀下！
羊兒宛轉，
狼們享樂，
他們喉嚨裡時時透出來
可怕的勝利的笑聲！

羊的善良無辜，狼的凶殘狼毒，被描繪得淋漓盡致，作者對底層人民的同情和對壓迫的憤慨，也溢於言表。

從藝術技巧說，此時朱自清的詩還顯得稚嫩，不夠成熟老練，但他抒寫自己的心聲，語言清新活潑，徹底沖破了傳統詩詞的束縛，「從一開始就建立了一種純正樸實的新鮮作風」⑥。離開學校之後，朱自清以更大的熱情觀察社會，體驗生活，錘鍊技巧，在詩歌上取得了更大的成就。正如鄭振鐸在總結新詩第一個十年發展時所說的，朱自清的詩「是遠遠的超過

《嘗試集》裡的任何最好的一首。功力的深厚，已決不是『嘗試』之作，而是用了全力來寫的」⑦。不過，這已是後話。

一九二〇年春，朱自清同馮友蘭、孫福熙一道加入了新潮社。在新潮社，他和大家一道討論《新潮》的稿件，交流思想學術，雖然年齡相仿，他卻顯得穩重成熟，從來不用激烈刺激的言辭，也很少感情衝動的語調。他尊重別人的看法，講清自己的意見，在大家意見產生分歧的時候，他既不強求別人贊同，又常起調和促進作用。可惜朱自清在新潮社的時間不長，這一年春夏之間，朱自清就畢業離校了。

一九一九年三月，蔡元培改革學制，由年級制改爲選科制，規定本科學生滿八十個單位（以每周一學時計，學完全年的課程爲一單位）即可畢業，其中一半爲必修課，一半爲選修課。這可使每個學生以其餘力選修相關學科或他們感興趣的學科，更大地調動了學生學習的興趣和熱情。同時，也給朱自清這些貧寒的學生提供了一個縮短時間、提前畢業的機會。於是他學習更加刻苦勤奮，第三學年便修滿規定學分，於一九二〇年五月從北大文科哲學系提前一年畢業了。

沉重的經濟負擔，使朱自清不得不結束學業。他收拾好行裝，告別了學習生活戰鬥了四年的北大，告別了朝夕相處的同學和傳道發蒙、授業解惑的師長，走向了人生的大戰場。

【附註】

①《孔子哲學第一次研究開會筆記》，《北京大學日刊》一九一八年十一月九日，十一日。
②楊振聲：《回憶五四》，《人民文學》一九五四年五月號。
③《留日學生泣懇救國團：泣懇全國同胞速謀統一、一致對外書》。《五七報》一九一九年七月廿六日。
④《平民教育講演團紀事》，《北京大學日刊》一九一九年四月十一日。
⑤見《北京大學日刊》一九二〇年二月七日。
⑥李廣田：《朱自清先生的道路》，《中建》（北平版）第一卷第十期，一九四八年十二月五日。
⑦鄭振鋒：《中國新文學大系・文學論爭集序》。

第三章 旅路匆匆（上）

——西子湖歲月

一

一九二〇年溽暑方退、新涼初起時節，朱自清偕妻子鍾謙和兒子邁先，來到西子湖畔的浙江省立第一師範擔任國文教員，從此開始了漫長的教學生涯。

杭州一師是所很有名氣的學校，以兩級師範起，它便聚集了一大批文化界的先行者。當年，沈鈞儒做過監督（校長），許壽裳做過監學（教務長），周樹人、夏丏尊、朱希祖、沈尹默、馬敘倫、張宗祥、李叔同（弘一法師）等，都做過該校教員。後來，許壽裳、周樹人等反對以道學先生自命的繼任監督夏震武，發起一場「木瓜之役」，終於驅逐了「夏木瓜」，在當時轟動遐邇。五四新文化運動中，它得時代風氣之先，較早地接受了新思想新文化的洗禮，成爲東南一帶傳播捍衛新思想新文化的中心，與當時的北京大學和長沙湖南第一師範鼎足三分。

一九一九年末，一師學生施存統在浙江新潮上發表《非孝》一文，對孔孟之道發起攻擊。

此事大大觸怒了浙江省教育當局和省議會，指責校方和教師支持學生運動，傳播新思想新學術，要以「非孝，非禮，共產，共妻」的罪名查辦被稱爲「四大金剛」的四名國文教員劉大白、夏丏尊、陳望道、李次九，要罷免包庇這四名教員的校長經亨頤。經亨頤擔任校長多年，是浙江新文化的先驅者之一，很受學生愛戴。四位老師學識淵博，在學生中也很有威望。一師學生在學生自治會的領導下，堅持反對撤換校長和四位教師，展開了一場轟動全國的「留經運動」。經過激烈的鬥爭，在朱自清的老師，北京大學代理校長蔣夢麟的調停下，風波終於平息，但經校長和夏丏尊、陳望道、劉大白等也相繼離開了一師。蔣夢麟介紹了傾向於新思想的姜伯韓任新校長，同時推荐了朱自清、兪平伯、劉延陵來接替去職教師的工作。就這樣，朱自清來到了一師。

懷著激動而又緊張的心情，朱自清登上了講台。他非常看重課堂教學，渴望把自己所學的新知識傾囊傳授給學生，爲推動社會進步作出自己的努力。上課之前，他全神貫注，講稿看了一遍又一遍，顯得誠惶誠恐。上了講台，他神情更是緊張，一面講，一面寫，一面流汗，一副喘不過來氣的樣子。對此，他的學生魏金枝有一段生動的描繪：

……他那時是矮矮胖胖的身軀，方方正正的臉，配上一件青布大褂，一個平頂頭，完全像個鄉下土佬。說話呢，打的揚州官話，聽來不甚好懂，但從上講台起，便總不斷的講到下課爲止。好像他在未上課之前，早已將一大堆話，背誦多少次。又生怕把一分一秒的時間荒廢，所以總是結結巴巴的講。然而由於他的略微口吃，那些預備了的講話，便不免在喉嚨裡擠住。於是他就更加著急，每每弄得滿頭大汗。①

下課以後，回到教員休息室，朱自清又會一邊擦汗，一邊爲剛才哪一要點沒有講透，哪條答問本該可以發揮一下而懊悔不迭。

一師的學生，年齡大的有二十七、八歲，最小的也不會小於十六歲，一般二十歲左右。這種年齡對於一個大學剛畢業的二十二、三歲的同齡人來說，確實頗具威脅。而且，當時正處學生運動高潮期，一師學生思想活躍開明，行爲脫略形跡。他們不滿舊式學堂的先生講、學生聽、拼命記筆記的傳統方式，喜歡在老師指導下自由閱讀、自由討論，如此，他們引進了英國先進的道爾頓制教學法，課堂提問明顯增多。年齡、個頭與自己相仿或更顯高大的學生往起一站，嗶嗶啪啪提出一大堆問題，這對剛上講壇的朱自清確是一個考驗。每當這時候，本來就緊張的朱自清就不免慌張起來，一面紅著臉，一面結結巴巴地回答，直到問題完全解決，才漸漸平靜下來。這一來，反倒弄的學生不敢輕易發問。眞有疑難問題，也等到課後跑到朱自清宿舍去問。

起初，朱自清對一師學生的這種學習方法和風氣，頗不適應，到校不久，因一個小誤會，朱自清便打算辭職。但在學生的熱情挽留下，朱自清打消了這個念頭。以後，朱自清逐漸適應了這種氣象，他把學生當作同學，課堂上大家互相切磋討論，各自發表意見，使師生之間距離得以縮短，而感情卻日漸融洽。

和朱自清一同來到一師任教的，還有兪平伯、劉延陵、王祺等人。兪平伯是清代經學大師俞曲園的曾孫，幼承家學，有很好的國學根柢。他也曾是北大平民教育講演團的團員，在北大中文系讀書時，他們就相識。不過當時他們一則不同系，二則俞平伯要比朱自清高一屆，所以並無交往。他們一生的深厚友誼，是從一師時代開始的。英文教師員劉延陵是上海復旦大學的畢業生，朱自清的蘇北同鄉。他也喜歡新詩創作，在當時的新詩壇上頗爲活躍。王祺是學生物的，但他多才多藝，兼教國文。他們四人，相對於夏丏尊等「前四大金剛」，被學生稱作「後四大金剛」。他們的到來，帶來了五四新文學的清新氣息，使得渴望用文字表達自己對生命、青春和愛情的嚮往與追求的一師學生，有了具體的指路人。於是，一師學生的新文學創作熱情，蓬蓬勃勃地生長起來了，好幾位年輕的詩人和作家，如潘漠華、汪靜之、馮雪峰、張維祺、曹聚仁、魏金枝、柔石等，都是從這裡邁出了跨入新文壇的第一步。

一九二一年一月初，在北京，一個專門從事文學創作和研究的新文學團體——文學研究會，宣告成立。這是五四以來的第一個新文學團體。它的文學主張是提倡爲人生而藝術，提倡寫實主義，反映現實人生，關心民生疾苦，寫血與淚的文學，反對把文學當作高興時的遊戲和失意時的消遣的封建舊文學。它發揚五四文學革命精神，宣傳人道主義和革命民主主義思想，對推動保護襁褓中的新文學的成長發展，起了重要作用。文學研究會的發起人有周作人、沈雁冰、鄭振鐸、葉聖陶、孫伏園等十二人，都是新文化戰場和新文學創作中的活躍分子。這些人中，有些朱自清讀過他們的作品，有些則是以前就相識的老朋友。因而文學研究會的成立，對於正醉心於新詩創作，同時又苦於勢單力孤、聲氣相通者太少的朱自清來說，無疑是一件非常高興的事。這一年的三、四月間，朱自清便加入了文學研究會，成爲它的早期會員。

文學研究會的文學主張，同朱自清內心的要求一拍即合。家庭的逐漸敗落，使朱自清領略了許多膏粱子弟所不知的社會黑暗和世態炎涼，強烈的正義感和五四人道主義思想的洗禮，又使朱自清常常湧起暴露這個社會的眞實情景並予以鞭撻的創作衝動。加入文學研究會之後，朱自清在創作上更加自覺地遵循爲人生而藝術的宗旨，寫下了一系列反映現實人生黑暗，反映勞動者善良心靈和生活痛苦的詩作。在《人間》和《星火》中，作者隨意摘取了幾個街頭偶然碰上的小景：他們是穿藍褂草鞋兒，赤腿敞胸的窮苦人，是靠自己的辛勞勉強維持生計的底層勞動者，他們與作者並不熟識，卻給了他「親親熱熱的招呼」，「殷情情的指點」。他們把他當知心朋友，向他訴說內心的痛苦和生活的不幸，他們「融融的眼波」，「質樸而誠懇」的言語，顯出他們純白浪漫的眞心。這一切，使把他們視作陌生人的「我」感到驚訝，也感到羞慚，感到悲哀，於是詩人「依依然有所思」又「茫茫然有所失了」。詩中洋溢著對勞動者的深深同情和對知識者的自我譴責，讀了使人怦然心動。

一九二二年七月下旬，朱自清回揚州家中度暑假。在鎮江登上鎮揚小客輪時，朱自清目睹了小商小販、乞丐等底層民衆爲了生計而痛苦掙扎、輾轉於擁擠堆疊的旅客之中的情景。那稀飯、梨子、竹耳扒的叫賣聲，那「可憐可憐我們娘兒倆」的行乞聲，那污濁而緊張的空氣，那布滿灰汗的黃面孔，那如餓獸般的炯炯目光，使朱自清感受到一種無形的壓迫，也在朱自清眼前幻化爲一個個畸異的受驅使的人形。他們貪婪的攫奪，殘酷地撕殺，彷彿戰場上的搏鬥一般。朱自清被這一幕幕情景強烈地震撼著，他從這裡，「消然認識了那窒著息似的現代了」。回到家中，他仍然心潮起伏，無法自己。於是，他提筆記下了這一切，題名爲《小艙中的現代》。

一九二一年暑假，朱自清接受了母校的邀請，回到揚州，擔任了江蘇省立第八中學的教務主任。他很想爲家鄉的教育事業出一些力，特地爲八中作了一首校歌：「浩浩乎民江之濤，蜀岡之雲，佳氣蔚八中。人格健全，學術健全，相期自治與自動。欲求身手試豪雄，體育須兼重。人才教育今發煌，努力我八中。」②朱自清拉開架式，打算好好幹一番。有一件小事給前去報考八中的余冠英留下了深刻的印象：

> 他給我的印象是矮，微胖，很和氣。同時我的小學教師洪爲法先生帶著另一個孩子也來報名，出乎意外地他們爭執起來，似乎關於保證書有什麼問題，一方面要求通融，一方面堅持不允。結果是洪先生悻悻而去。當時我覺得這種教務主任表面謙和，實是很嚴厲的。③

混日子的人往往隨和，俯仰無定，要想做一番事情，就得頂眞，一絲不苟。然而，良好的願望未必就能實現，世事的變幻往往出乎人的意料之外。在八中，朱自清過的並不愉快。首先是他得不到校長尊重，無法建立起同事之間平等合作的關係。校長總覺得他與朱自清父親小坡公是至交，朱自清又曾在這所學校做過學生，因而總以教訓口吻對待他。尤使朱自清感到難堪的是，他的薪水不准自己拿，一定要由學校派人送到家中。不久朱自清又遇上了麻煩。

一個老資格的教師，由於同時在別校兼課，兩校距離又較遠，有時爲了課務，回家吃飯都來不及。這情形，排課表的朱自清原先並不知道。儘管事後朱自清作了調整，但那位面若冰霜氣勢如虹的先生仍不諒解，狀告到校長那裡。老于世故的校長不做解釋，卻曲意袒護著他。面對那位教師飽含敵意的冷笑，和盛氣凌人、尖刻嘲諷的語調，朱自清感到受了極大的侮辱。正値血氣方剛的年齡，又特別渴求眞誠與人類互愛，那受得了這樣的委屈，朱自清立刻辭了職。

生活教給人的，從來是要比課本上教的東西多得多的。從這裡，朱自清深切地感受到了世態的炎涼。

爲鄉梓父老服務的願望未能實現，朱自清旋即由劉延陵介紹，隻身來到上海吳淞炮臺灣的中國公學中學部任教。朱自清一到學校，劉延陵便告訴他：「葉聖陶也在這兒」。朱自清早就注意到葉聖陶在《新潮》上發表的《這也是一個人》等小說、詩歌及議論文學，並且在心中爲他畫了像，但兩人一見面，朱自清卻發現，「那樸實的服色和沉默的風度與我們平日所想像的蘇州少年文人葉聖陶不甚符合」④。

中國公學四周環河，溪流清澈，校外田園相接，阡陌縱橫，景色優美而寧靜。出校門往北不到十分鐘，便可抵達黃浦江口。在這裡可以看到黃浦江和長江匯合處的洪流和茫茫蒼蒼的東海。剛開學的那一個月內，幾乎每天下午，朱自清和葉聖陶、劉延陵總要去江邊散步，有時還踏著亂石一顛一擺地來到像手臂一樣伸往江心的「半島」。遠離了緊張擁擠的人群和喧囂嘈雜的都市，日日與恢弘闊大而清新淳樸的大自然為伍，他們便恍若生活在另一個世界之中。無涯無際，海天茫茫的壯闊景象使人心曠神怡，意氣飛揚，波浪不停地拍打著江岸，濺起陣陣浪花，使人感受到大自然生生不息的偉大力量。一種新穎而又興奮的情緒逐漸在胸中激蕩起來，一種表達生命意志、青春衝動的渴望油然而生。

一天下午，雲淡風清，秋高氣爽，他們從江邊散步歸來，一路上談興甚濃。從學校的國文課談到新詩，談到目前詩壇的稚弱，談到自已所喜愛的新詩缺乏更多的人呼應，缺乏專載新詩的定期刊物……談著談著一個念頭忽然冒出：幹嘛不自己來試辦一個詩刊呢？為新詩的成長壯大作點努力不正是新詩人的份內之事嗎？於是，一個簡潔而醒目的刊物名稱——《詩》誕生了。三個年輕人為自己的想法而振奮，他們立即寫了封信寄給上海中華書局，徵求書局為他們計劃中的刊物擔任出版發行。幾天之後接到回信，邀他們來書局與編輯部負責人左舜生商談此事。他們如約前往。經過一個小時的商談，書局同意由他們負責編輯，書局負責於每月初出版發行三十二開本的《詩》刊。創刊號於第二年元旦發行，書局不給稿費，每期贈送一部份刊物。條件談妥後，他們便在《時事新報》的《學燈》附刊上登載了《〈詩〉的出版的預告》，宣布出版日期，並且向社會徵求詩稿。兩三周後，他們就陸續收到了外界響應的稿件。

在中國公學，朱自清、葉聖陶等人每日散步聊天的局面並未持續多久，原因是開學剛一個月，學校便爆發了風潮。中學部主任舒新城是個熱心教育的新式教育家。本學期，他從長沙湖南一師來到中國公學後，繼續推行選科制、能力分組制、輔導制、男女同學等教育改革主張。但此舉觸怒了學校的舊派教員。開學不久，他們便煽動學生鬧學潮，要驅逐舒新城，並攻擊朱自清、葉聖陶、劉延陵、吳有訓、陳達夫、許敦谷、劉建陽、常乃德等中學部八位新派教員。一貫和平中正的朱自清和葉聖陶等都被激怒了。爲表示抗議，朱自清提議中學部停課，此舉得到葉聖陶等人的贊同，於是大家一起離開吳淞，回到上海。十月二十一日，朱自清和葉聖陶等八人在《時事新報》上發表了《中國公學中學部教員宣告這次風潮因果始末》的宣言，申明了自己的立場。

宣告發表後，學校請適逢在上海的中國公學的老校友胡適出面調停。胡適對這次風潮非常反感：「上海中國公學此次有風潮……而舊人把持學校，攻擊新人，自是一個重要原因。這班舊人乃想抬出北京的舊同學，拉我出來做招牌，豈非大笑話！他們攻擊去的新教員，如葉聖陶，如朱自清，都是很好的人。這種學校，這種學生，不如解散了爲妙！」⑤

在胡適的調停下，風潮終於結束，朱自清、葉聖陶等人卻拒絕在學校呆下去。葉聖陶回了蘇州老家，朱自清、劉延陵又回到杭州一師。正巧，這時俞平伯因準備赴美留學而辭職，於是，朱自清受校長馬敘倫委托，邀請葉聖陶來一師任教。葉聖陶欣然首肯。他在信中說：「我們要遊西湖，不管它是冬天。」十一月初，冒著初冬的寒冷，葉聖陶第一次來到山清水秀的西子湖畔。

在一師，朱自清、葉聖陶、劉延陵、兪平伯四人更加緊了《詩》刊創刊的籌備工作。爲使《詩》刊顯得名正言順，在編者的名目下，他們虛擬了一個「中國新詩社」的組織名稱，其實這個詩社只有他們四人。兪平伯出國後，只剩了三人，劉延陵和葉聖陶具體負責編輯工作。

經過一番認眞而又苦心的籌備，《詩》刊於一九二二年一月十五日正式誕生。這是五四以來第一個專門登新詩和新詩評論的刊物。它的問世，受到社會和新文壇的大力支持，在創刊號上，除了編者自己的詩作而外，還登了劉半農、徐玉諾、王統照、郭紹虞、鄭振鐸等人的新詩和周作人、沈雁冰等人的譯詩譯文。在第二期上，又登了胡適的新詩。由於自身和各界朋友的努力幫助，《詩》刊辦得虎虎有生氣，每期印行千餘冊。創刊號出版後不久便告售罄，兩個月後便又再版。

當時，新詩頗受守舊者的非難，《詩》刊的創辦和它所獲得的社會影響，對推動新詩的成長、發展，起到了積極作用。鑑於刊物的編者都是文學研究會的骨幹成員，鄭振鐸建議，將刊物改爲文學研究會的「會刊」，以加強新詩的陣地。於是從第四期始，編者改爲「文學研究會」。《詩》刊一卷出了五期，二卷出了兩期，後因稿件短缺，編者分散而自動終刊。

在《詩》刊上，朱自清共發表了《轉眼》、《除夜》、《睜眼》、《宴罷》等十首詩，發表了詩論《短詩與長詩》，對詩壇的現狀和短詩與長詩的特點、利弊進行了分析。

《詩》刊創刊前後，有兩件事令朱自清興奮不已。一是一月十日，在《小說月報》十三卷第一期上，刊登了一份本刊文稿擔任者的名單，朱自清與魯迅、周作人、沈雁冰、葉聖陶、許地山、王統照、冰心、廬隱等十七人一道列名其中。「文稿擔任者」即所謂「特約撰稿人」。一九二一年一月，《小說月報》進行革新，由文學研究會發起人之一的茅盾任主編。在茅盾的主持下，《小說月報》一改過去那陳舊沉悶的局面，成爲五四新文學的主要陣地，很快便聲譽鵲起，獲得了全國性影響。當時的新文學作者都以能在《小說月報》上發表作品爲榮。前一年的七、八月間，朱自清在《小說月報》連續發表作品，其中包括短篇小說《別》及新詩《旅路》、《人間》等。作品發表後，茅盾特地寫信予以鼓勵。如今，他又成爲該刊的特約撰稿人，這一切都令朱自清感到興奮和鼓舞。

另一件事是這年六月，朱自清、周作人、俞平伯、徐玉諾、郭紹虞、葉聖陶、劉延陵、鄭振鐸等八人的詩歌合集《雪朝》作爲文學研究會的叢刊之一，由商務印書館出版。這八個人，同時又都是《詩》刊的主要撰稿人。鄭振鐸在《短序》中說：「我們要求『眞率』，有什麼話便說什麼話，不隱匿，也不虛冒。我們要求『質樸』，只把我們心裡所感到的坦白無飾地表現出來，……雖然我們八個人在此所發表的詩，自己知道是很不成熟的，但總算是我們『眞率』情緒的表現，雖不能表現時代的精神，但也可以說是各個人的人格或個性的反映。」⑥

當時的詩壇，新文學的力量仍然很弱，出版詩集的新文學家寥寥無幾，除胡適《嘗試集》

外，只有郭沫若的《女神》，康白情的《草兒》和俞平伯的《冬夜》等。《雪朝》的出版，對於新詩人無疑是個很大的鼓舞。由於《雪朝》的作者皆爲文學研究會中的骨幹成員、新詩壇上的活躍分子，因而受到社會的極大歡迎，半年後《雪朝》便又再版。

《雪朝》共分八集，每人一集。第一集是朱自清的作品，收詩十九首。它大致反映了詩人從開始試作新詩到一九二一年底這一時間內詩人創作歷程和詩歌風貌，坦白無飾地表現了詩人內心的歡樂與惆悵，激昂與低沉。這些詩儘管尚不成熟，但畢竟是朱自清新詩創作的第一次收穫，是很值得珍視的。

五四運動以後，杭州一師許多學生對新文學產生了濃厚的興趣。朱自清、俞平伯、劉延陵、葉聖陶等新詩人的相繼到校執教，使渴望新文學的年輕人，有了具體的引路人。一九二一年十月，一師學生汪靜之和潘漠華，約了魏金枝、柔石、馮雪峰等同學和杭州其他幾個中學的學生二、三十人，發起成立了晨光文學社，請朱自清和葉聖陶擔任顧問。星期天下午，他們常聚集在西湖西泠印社或三潭印月等處，一邊喝茶，一邊互相交流各自的習作，有的也評論國內外的文學名著。他們還在《浙江日報》上，編出幾個月的《晨光》文學周刊，用以刊載自己的習作。對這些青年學生，朱自清、葉聖陶等人始終投以關注的目光，隨時留意他們的興趣愛好，加以熱心扶持。馮雪峰說：「尤其是朱先生是我們從事文學習作的熱烈的鼓舞者，同時也是『晨光社』的領導者。」⑦

《詩》創刊後，朱自清等人便把這個刊物作爲呼喚新生力量、發現青年詩人的園地。在創刊號上，有這樣一首小詩：

冬天到了，
這些樹葉全凍死了。

朱自清特地爲它寫了「跋」：「我今夏在揚州審查小學國文成績，偶爾從一本國民學校的課文裡，看到這一句。當時頗歡喜，以爲很像日本的俳句，只有兒童純潔柔美的小心裡，才有這樣輕妙的句子流露。又以爲他實兼寫景，抒情之美。後來抄給平伯看，平伯也以爲佳。」短短一首小詩十來個字，朱自清卻熱情加以推荐，在這裡，編者求賢若渴，呵護新詩唯恐不力不周的心情和度量躍然紙上。在第四期上，他們更將這種心跡和盤托出：「我們並不願意專門把自家幾個朋友的稿件顛來倒去地登載；如果讀者有佳妙之作寄來，我們總當盡先採用。」⑧正因爲如此，他們爲身邊的這些青年提供了大量的篇幅，在《詩》創刊號上，便發表了汪靜之的《蕙的風》等七首詩，第二期又登載了馮雪峰最早的新詩《小詩》和《桃樹下》。此外，潘漠華、魏金枝、應修人、張維祺等人的詩作，也多次出現在《詩》上。《詩》刊共出七期，每期都有這些青年詩人的作品問世。

一九二二年八月，汪靜之把自己在一師學生時代寫的詩編成一集《蕙的風》出版，卷頭便是朱自清的《序言》。在《序言》中，朱自清稱汪靜之是「二十歲的一個活潑潑的小孩子」，說：「小孩子天眞浪漫，少經人世間的波折，自然只有『無關心』的熱情彌滿在他的胸懷裡。所以他的詩多是讚頌自然、詠歌戀愛。所詠歌的又只是質直、單純的戀愛，而非纏綿，委屈的戀愛。這才是孩子們清白的心聲，坦率的少年的氣度！」⑨果然，《蕙的風》以青年人特有的率眞熱情，對愛情的直言不諱的歌詠，如一股清新的風吹向新詩壇，引起社會的注目。那「一步一回首地瞟我意中人」的大膽詩句，也引起了封建衛道士的不滿，攻擊它「墮落輕薄」，有「不道德的嫌疑」。爲了保護五四文學的新生力量，也爲了捍衛新文學的方向，新文化運動的領袖們紛紛撰文聲援，反擊道學先生的攻訐。周作人肯定《蕙的風》張揚人性解放、戀愛自由的精神，胡適讚許它稚氣而清新的風調。魯迅則不僅寫了雜文《反對含淚的批評家》，而且又中途改變小說《不周山》的構思，刻畫了一個猥瑣可笑的「小東西」形象，對道學先生的「可憐的陰險」予以痛擊。汪靜之自己回顧這一段經歷時感激地說：「十七歲到十九歲三年中胡亂寫了很多新詩，朱自清、劉延陵、葉紹鈞、胡適之、周作人、魯迅諸先生都出乎意外地給我許多指導與讚許。」⑩

第二年三月底，汪靜之、潘漠華、馮雪峰和在上海中國棉北銀行做職員的應修人齊集西子湖畔，成立了「湖畔詩社」，並隨即出版了四人的詩歌合集《湖畔》。《湖畔》一出版，朱自清立刻撰文予以評介與鼓勵：

大體說來，《湖畔》裡的作品都帶著些清新和纏綿的風格；少年的氣氛充滿在這些作品裡。這因作者都是二十上下的少年，都還剩著爛漫的童心；他們住在世界裡，正如住在晨光來時的薄霧裡。他們究竟不曾和現實相肉搏，所以還不至十分頹唐，還能保留著多少清新的意態。就令有悲哀的景閃過他們的眼前，他們坦率的心情也能將他融和，使他再沒有回腸蕩氣的力量；所以他們便只有感傷而無憤激了。——就詩而論，便只見委婉纏綿的嘆息而無激昂慷慨的歌聲了。⑪

這一段話，對他們幼稚而清新、平易而婉轉的特色評價得頗爲準確。以後，他們在五四新文壇上都有了進一步的發展。他們的成長，與朱自清對他們的熱情呵護悉心指導顯然分不開。十多年後，朱自清在總結五四新文學第一個十年的新詩發展時，仍沒忘記這幾個年輕人：

中國缺少情詩，有的只是「懷內」「寄內」，或曲喻隱指之作；坦率的告白戀愛者絕少，爲愛情而歌詠愛情的更是沒有。……但眞正專心致志做情詩的，是「湖畔」的四個年輕人。他們那時差不多可以說生活在詩裡。潘漠華氏最是凄苦，不勝掩抑之致；馮雪峰氏明快多了，笑中可也有淚；汪靜之氏一味天眞的稚氣；應修人氏卻嫌味兒淡些。⑫

二

在一師執教的歲月中，朱自清有過因學生的不理解而產生的煩惱，有過對生活、事業、前途，個人的生命與價值的無可名狀的悵惘，但總體而言，這兩年朱自清的生活是充實的。這裡有西子湖的溫山軟水，它不時地蕩滌生活中的種種煩惱，這裡更有志同道合、聲氣相通的好友，他們給朱自清以溫暖和慰藉，相濡以沫，相呴以氣，他們和朱自清切磋砥礪，交流心得，互相扶持，互相激勵。他們每有所作或有新鮮的想法，總立刻拿出來互相傳觀，共同商討。在交流中也總是直言不諱，坦誠相告。在這些摯友中，與朱自清最爲莫逆的，便是葉聖陶和俞平伯。

葉聖陶雖說二一年秋在中國公學才同朱自清相識，但兩人的友誼卻發展得很快。應朱自清之邀來到一師後，葉聖陶本可獨居一室，但爲了便於和朱自清聯床夜話，他讓朱自清搬到他的房間，而將自清的房間作兩人的書房。白天，他倆在書房裡各居一桌，朱自清讀書備課，葉聖陶寫小說和童話，每有新作寫成，朱自清總先睹爲快，成爲他的第一個讀者。在杭州不長的時間，葉聖陶創作成績著實不小，小說集《火災》裡的《樂園》、童話集《稻草人》中的《小白船》、《一粒種子》等十多篇小說、童話，都是這時寫成的。對聖陶兄的靈思巧構和下筆迅捷，朱自清確實非常佩服。在他的無形鞭策下，朱自清也不甘示弱，相繼寫出了散文《歌聲》和詩歌《滬杭道上的暮》、《挽歌》等十多首。

課後和節假日，朱自清和葉聖陶常偕一、二好友來到西湖，有時坐在湖邊，一壺酒，兩碟小菜，一邊品詩談文、議論縱橫，一邊領略無邊的天籟。有時泛舟湖上，近觀穿梭往來的遊船，巧笑倩兮的少女，遠眺保俶塔、斷橋蘇堤，陶醉在波光瀲灩、山色空濛的奇景佳境之中。有時則登城隍山，探虎跑寺，讓自己和大自然融爲一體。

農曆十一月十六的夜晚，月亮分外明亮，無邊的寒輝投在清寂蕭索的大地上，竦竦的小風帶著初冬的寒意。朱自清、葉聖陶和另一個友人相偕登上西湖的小划子。

時間已是晚上九點多鐘，遊客早已倦歸，諾大的湖面上只有這一隻划子。他們談天說地，一任小舟在湖上漂蕩。漸漸的，彷彿是累了，他們不再吭聲，只是靜靜地聽著那均勻的槳聲和遠處寺院傳來的悠悠鐘聲，盡情地領略著夜西湖的獨特風韻。月光投在軟軟的水波上，籠著一層輕紗般的薄霧，舒展著漾漾的柔波，湖上的小山投下淡淡的影子，山下偶而閃爍星星燈火，……此時此地，他們只感到溫馨和靜謐。面對此情此境，聖陶詩興勃發，兩句詩脫口而出：「數星燈火認漁村，淡墨輕描遠黛痕」。

數年後，爲紀念這次夜遊，朱自清把當時的情景，寫進散文《冬天》，那繾綣不盡的醇醇情懷，令人神往不已。

沒多久，一九二一年的除夕就到來了。朱自清和葉聖陶兩人同處異鄉，同樣別婦拋雛遠離家人，那種寂寞和無聊，在漫長的冬夜，似乎格外地抓撓人心。在宿舍裡，他們躺在床上，扯著閑話，以打發那難熬的長夜。有時兩人突然來了興趣，談興會愈來愈濃。夜深了，學校熄燈了，他們在兩床之間的雙屜桌上，點上蠟燭，繼續秉燭夜話。外面北風呼嘯，裡面卻溫暖如春，搖曳著的燭光下，湧動著不盡的話語和詩情。一陣沉默後，朱自清突然興奮地宣布：「一首小詩作成了！」隨即便朗聲吟道：

除夜的兩枝搖搖的白燭光裡

我眼睜睜瞅著

一九二一年輕輕地踅過去了

兩個年輕的詩人，懷著兩顆年輕的心，在這寒冷的冬夜，微弱的燭光裡，沉浸在不可名狀的詩境中。

若干年後，朱自清回憶起他們當年在杭州難忘的生活，感慨百端，並賦詩一首，以志懷念：「西湖風冷庸何傷，水色山光足彷徉。歸來一室對短床，上下古今與翱翔。」⑬

俞平伯出身於一個優越的家庭，所受的教育、所處的環境與朱自清都不一樣，兩人的性格和氣質也不一樣。比起朱自清的敦厚樸實認眞，俞平伯更多了一分風流瀟灑；比起朱自清的平民精神，俞平伯更多了一分貴介公子氣。不過性格氣質的不同，並不妨礙他們成爲好朋友。俞平伯是「新潮社」的骨幹，《新潮》月刊的主要撰稿人。早在北大中文系讀書時，就曾寫過許多新詩。朱自清把他當作新詩創作的先行者，經常同他探討新詩創作問題，每有所作也總是首先拿給平伯看。而平伯的每首詩，朱自清也總是最先讀到。他非常看重平伯的詩，總抱著學習的態度，悉心品味揣摩。

一九二二年三月，俞平伯的第一部新詩集《冬夜》出版。對這部詩集的出版，朱自清非常熱心。在詩集付印以前，他屢屢敦促平伯，在付印之中，又幫了許多忙，並且懷著欣悅的心情爲《冬夜》寫了序言。在《序言》中，朱自清否認了別人所認爲的「神秘」和「艱深難解」的看法，稱讚詩作詞句和音律的精練、風格的富於變化和個性的充分展現，並爲新詩發展初期能有這樣的成就而感到欣慰。從後人眼光看，朱自清的評價未免過譽，但就朱自清自己而論，感情是非常眞摯的，是語出至誠的。

他倆眞摯的友誼，互相幫助互相扶持的情誼，並不妨礙他們在許多問題上各執己見，互不相讓。二一年十月下旬，俞平伯寫了長篇詩論《詩底進化的還原說》，系統闡述他對於新詩的理論見解。他提出，藝術本來是平民的，應當回到平民中去；要作平民的詩，先要實現平民的生活，主張推翻「詩底王國」，「恢復詩的共和國」。文章寫好後，俞平伯即寄給當時在上海吳淞公學的朱自清。朱自清讀後，不同意他的觀點，於是就俞文所涉及的，「民衆文學」問題，寫了《民衆文學談》一文，與之商榷。朱自清認爲，民衆文學包括兩層含義：一是民衆化的文學，意即以民衆的生活理想爲中心的，通俗化的文學，民衆化外，便無文學。二是爲民衆的文學，意即文學者所寫的爲民衆所喜聞樂見的，所能理解接受的，旨在提高改善民衆知識和精神的文學。這兩種文學中，所可能實現的只有後者，前者是不可能實現的。因爲文學除了滿足大多數平民的需要而外，還應當滿足少數具有較高鑑賞力的人的需要，這兩種人的需要是無法調和的，爲兩種人服務的文學是同樣重要的。此文發表後，朱自清隨即寄給俞平伯。俞平伯不同意朱自清的觀點，又寫了《與佩弦討論「民衆文學」》一文予以反駁，並進一步申說自己前文中的觀點。

朱俞二人爭執的核心，是如何看待民衆文學問題，這在當時具有很強的現實意義，因而很快引起了文學研究會諸作家的興趣，《文學旬刊》闢出專號組織討論，葉聖陶、許昂若等人紛紛加入。在《文學旬刊》上，朱俞二人繼續各抒己見，儘管各自對自己的觀點都作了不同程度的修正，但兩人都沒有說服對方，取得一致。

那時，舊文學力量依然很強大，《封神榜》、《施公案》等章回小說和舊戲曲舊詩文充斥文化市場，「落難公子中狀元，私定終身後花園」的才子佳人、夫榮妻賢的觀念盤據著人們的頭腦，扶乩請仙、跳神打坐等怪事隨處可見。在這種情況下，文學研究會作家進行大衆文學的討論，提出改造舊文學，創造新文學的主張，不僅表現了他們強烈的社會責任感，而且表現了他們對新文學自身價值和發展方向的遠見卓識。但新文學本身畢竟還很稚嫩，在占領文化市場上，尚不足以同舊文學分庭抗禮，因而這次討論未能吸引更多的人參加，也未能深入下去，得出切實的結論並指導自己的創作實踐。一句話，展開這次討論的歷史條件還不成熟，所以討論了一陣也就偃旗息鼓。但這次討論中，朱俞二人的針鋒相對，確實表現了他們友誼的真摯與脫俗。

大衆文學問題，對於作家來說，不僅是形式上深入民間，而且也藉此重新確定自己的立場感情基點。由於生活和職業的牽累，朱自清未能實踐他自己所提出的深入民間的主張，但他注意了自身的言行不與這一主張相牴牾。如此，他曾相當嚴厲地批評俞平伯在這方面的錯誤，也很嚴肅地解剖自己。

一九二四年，浙江軍閥盧永祥和江蘇軍閥齊爕元開戰，爆發了江浙戰爭，給老百姓的生活帶來了災難。這時候，俞平伯寫了《義戰》一文，以一種悠閑的態度，說風涼話。朱自清讀到此文，非常不滿，隨即寫下了自己的看法：

他文中頗有調弄文筆之處，將兩邊一筆抹殺。抹殺原不要緊，但說話何徐徐爾！他所立義與不義的標準，雖有可議，但亦非全無理由，而態度亦閑閑出之，遂覺說風涼話一般，毫不懇切，只增反感而已。我以爲這種態度，亦緣各人秉性和環境，不可勉強；但同情之薄，則無待言。其故由於後天者尤多。因如平伯，幼嬌養，罕接人事，自私之心遂有加無已，爲人說話，自然就不切實了。我呢，年來牽於家累，也幾有同感！所以「到民間去」，「到青年中去」，現在我們眞是十分緊要！若是眞不能如此，我想亦有一法，便是「沉默」。雖有這種態度，而不向人言論，不以筆屬文，庶不至引起人的反感，或使人轉灰其進取之心；這是無論如何，現在的我們所能做的。⑭

若干年後，一個偶然的機會，俞平伯讀到這段評語，他非但沒有惱怒，反而如獲「勝緣」。珍貴異常，並作跋語道：「詞雖峻絕，而語長心重，對自己，對朋友，對人間都是這般的嚴肅。拜良友之箴規於蟫蠹灰燼之餘，斯非大奇歟？……爰存錄之，以志吾過，並見吾二人之交誼有不局於形跡者，而銘君直諒於勿諼也。」⑮

朱自清逝世後，俞平伯則專門撰文把這一件事的始末公諸於世，用以紀念好友。這是一種怎樣深厚的情誼啊。

三

在杭州的兩年，朱自清常常奔波於揚州上海之間，生活並不安定，但身邊有俞平伯、葉聖陶等好友同道，可以談文說藝，過得並不寂寞。但俞平伯爲出國留學而辭職了，葉聖陶只呆了兩個月便走了，朱自清頓時感到一種難言的孤寂。再也沒有人來幫他排遣生活中的種種煩惱了，朱自清不想呆在一師了。

一九二二年暑假過後，朱自清告別了生活兩年的杭州，告別了依依不捨的一師師生，來到台州浙江省立第六師範任教。

台州在浙東山區，離東海不遠，是個不大的山城。一條兩里長的大街，是全城最熱鬧的所在，至於別的地方，白天也難得見到人影。初秋的山城空氣依舊鬱悶，而山城的人卻淳樸熱情。朱自清一襲粗布長衫，一只鼓鼓囊囊的黑皮包，如約前來了。這次他把妻子鍾謙、兒子邁先和去年五月出世的女兒采芷都帶了來，看來他打算在這兒安營紮寨了。

台州山城，城小人少，寧靜安謐。坐在臨街的書房裡，可以清楚地聽見路上行人說話的聲音，但因路上的行人太少了，偶有一點人聲，聽起來還當是遠風送來的。除此以外，朱自清能聽到的，便只有屋後山上的陣陣松濤、悠悠晚鐘，以及一兩聲清脆的鳥鳴。在這遠離塵世紛擾喧囂，宛如世外桃源般的地方，朱自清除了去上課，便呆在家裡與妻兒作伴。在這安寧而寂寞的環境中，兩年來飄蓬般的生活，糾纏不清、難以名狀的情緒，如煙的往事，消逝的歲月，一幕幕襲上了朱自清的心頭……。

自告別學校，走上社會以來，朱自清逐漸嘗到了人生的況味。一個人要想憑個人的努力打出一片天地，上可孝敬父母，稍盡人子的義務，下可養活妻兒，做個好丈夫好父親，中還要對得起自己，學有所成，業有專精，可實在不容易。爲了家庭，朱自清毅然縮短了學業，提前跨入人生戰場，可內心深處，何嘗不爲自己年紀輕輕卻不能繼續深造而感到遺憾和痛苦呢。妻子在大家庭裡過得並不輕鬆，自己有了職業，自然應該把她和孩子接出來。父親長期失業在家，老無所養，身爲長子理應負起贍養之責。可一個中學教員，要支撐起這一切容易嗎？兩年來，朱自清在杭州、揚州、上海、台州之間疲於奔命，耗費了大量精力，勞形苦心，心力交瘁，卻只能勉強糊口。他在短篇小說《別》中描寫過一個小知識者因生活窘迫而不得不和愛妻分別，這情景何嘗不是他自己生活的寫照呢。作爲一個爲人師者，他極願爲社會進步貢獻力量，給學生傳授新知識新思想，更願竭盡自我所能幫助提攜周圍的新文學愛好者，可同學們能充分理解和體諒這份苦心嗎？還有，面對他所喜愛的文學事業，究竟付出多少，又收穫多少呢？詩固然寫了一些，但眞正令自己滿意，令朋友稱道，令文壇矚目的又有多少呢？眼見得兪平伯、葉聖陶、康白情等老友新朋快馬加鞭，更上層樓，寫出一首首一篇篇浩浩蕩蕩、悲歌壯舞、慷慨激昂、意氣縱橫的佳作，朱自清感到熱血噴湧，男兒之火中燒。他已經不滿足那只是嚶嚶之鳴、而缺乏澎湃磅礴之氣的情緒狹小之作。

離開北京兩年多了。兩年多來不停地東奔西跑，叫人不由得想起往日那如火如荼的戰鬥歲月。天安門前的吶喊聲，紅樓裡匆匆的背影，講演所裡攢動的人頭，多麼讓人振奮，多麼令人神往。如今，這一切都遙遠了，模糊了，消失了，只剩下他獨自一人，在茫茫塵世之中，在匆匆旅路之中，無力地掙扎，無目的地闖蕩，像一葉漂萍，在波濤中沉浮。生活的路該怎麼走呢？生命的價值是什麼呢？理想的花兒又在哪裡呢？

夏天的往事，一件件又疊映在眼前……。

六月間，朱自清和俞平伯等好友在西子湖上暢遊了三夜。在一碧如洗、繁星點點的夜空下，駕一葉扁舟，不停地漂蕩、漂蕩，天彷彿很近、很近，又彷彿很遠、很遠。朱自清整個身心都溶化在水波上了，飄飄然如輕煙，如浮雲，如他所經歷的人生。「誘惑的力量，頹廢的滋味，與現代的懊惱」統統都得到了體驗。這使他深以爲苦，而亟亟求其毀滅。他意識到，必須擺脫這彷徨失路的痛苦，「只有轉向，才可比較安心——比較能使感情平靜。」⑯但是，向何處轉呢？

七月初，少年中國學會在杭州召開第三次年會，作爲會員，朱自清參加了這次會議。

少年中國學會是一個帶學術性的進步政治團體。一批青年滿懷浪漫的精神和純潔的愛國熱情，爲探索創造新中國的道路，於五四運動高潮中成立了這個組織，因而學會的宗旨確定爲「本科學的精神，爲社會的活動，以創造少年中國」。但「少年中國」概念模糊空泛，究竟是什麼性質，有什麼內涵，幾乎每一個人都有自己的看法。不過，也正因爲它含義的不確切，在二十年代前葉容納了各種思想立場不同的成員，其中有共產主義知識分子李大釗、鄧中夏、惲代英等，也有後來成爲國家主義派的曾琦、李璜、左舜生等，但大部分會員則是在高校讀書的和從事文教工作的小資產階級知識分子。不過，儘管學會成分複雜，但它聚集了一批文化界中青年的骨幹，在五四時期有很大影響。一九二一年十一月，由鄧中夏、陳政、左舜生以及朱自清的同學劉仁靜、蘇甲榮五人介紹，朱自清加入了少年中國學會。

懷著對前途的迷惘困惑，朱自清參加了學會的第三次年會。他想通過會議更廣泛地了解思想界的動態，以幫助自己消除困惑，解決生活道路的問題。

七月的西湖，艷陽高照，碧波蕩漾，一條畫舫緩緩移動在長堤綠柳、斷橋古塔之間。船上十個人操著各種方言又激烈地辯論起了國家、前途、形勢、任務等令舟子船娘莫名其妙的問題。學會對這些問題的爭論由來已久。在成立之初，鄧中夏等左翼就提出學會應以社會主義爲宗旨，應成爲思想行動一致的進步政治團體。曾琦、李璜等右翼則反對社會主義，反對會員參加政治鬥爭，後來更提出了國家主義。大部分小資產階級知識分子則動搖不定，他們既對舊社會不滿，又害怕鬥爭，對新興的共產主義抱懷疑態度。因此，他們更多地贊同學會創始人之一的王光祈的觀點——在指導思想上兼容並包，超階級超政治，在實踐中埋頭於社會事業，科學研究，教育和文學工作，通過一點一滴的努力，使社會逐漸進步。這種爭論愈演愈烈，在杭州年會上又一次爆發出來。

共產黨員高君宇和楊賢江向大會提交了未能到會的北京會員李大釗、鄧中夏、黃日葵等人提出的《爲革命的德漠克拉西》的提案。這一提案宣傳了共產黨的民主革命綱領，提出了知識分子應走的道路。由於高君宇等人的努力，也由於出席大會的多數是思想中立的會員，因而這一提案對大會產生了顯著的影響。在經過激烈討論後，大會通過了《本會對時局的主張》：「對外反對帝國主義的侵略；對內謀軍閥勢力之推翻。爲實現此種目的，本會用輿論或其他方法爲獨立的活動。」⑰但由於左舜生、陳啓天等國家主義派的反對，大會又一次拒絕接受馬克思主義。

在兩天的正式會議上，朱自清擔任書記，負責會議記錄，發言不多。從會議記錄來看，朱自清和大部分會員一樣，思想立場處於中間狀態。他贊同大會通過的反帝反軍閥的對時局主張，但同時，對於馬克思主義，對於投入政治鬥爭、群衆運動，「加入前線，與軍閥及軍閥所代表的黑暗勢力搏戰」的主張，心存疑慮，感到難以接受。共產黨人和國家主義派方向相反又同樣趨於激烈的主張，給朱自清很大的震動，卻未能使他解除困惑，獲得堅定的力量、明確的方向和勇往直前的信心。那「飄飄然如輕煙，如浮雲」的感覺又湧上心頭，而且越來越濃，越來越強烈……。

窗外的白雲在天空中飄浮，不停地變幻著各種形狀，遠處嶺上的松樹則在山風的吹拂下頑強地挺立。此情此景，和春天第一次來臺州時沒有二樣，然而轉眼間，半年過去了，時間眞快啊。「燕子去了，有再來的時候；楊柳枯了，有再青的時候；桃花謝了，有再開的時候。」⑱但是，逝世的歲月，還能再復返嗎？從出生到現在，八千多個日子匆匆而過，像針尖的一滴水滴進大海，沒有聲音，也沒有影響，怎不叫人「頭涔涔而淚潸潸」呢？春秋代序，日月如梭，青春易逝，百年轉瞬，就這麼虛度年華，老死風塵，做一個匆匆過客嗎？就這麼赤裸裸地來到人間，又赤裸裸地告別世界，白白地走一遭嗎？朱自清竦然而驚，自己總是追求生命的本原意義、生活的終極價值等哲學上第一義的「爲什麼」的問題，卻忽略了身邊日常生活的具體意義。既然「人生的意義與價値橫豎是尋不著的；——至少現在的我們是如此——而求生的意志卻是人人都有的。」⑲「與其茫無所依，懶無所立，還不如先安於第二義」⑳

的「怎樣」生活的問題，隨時隨地去體會剎那間的人生。於是，朱自清確立了「剎那主義」的生活態度。他在給俞平伯的信中詳細闡述了這一點：

弟雖潦倒，但現在態度卻頗積極；丟去玄言，專崇實際，這便是我所企圖的生活。……我第一要使生活的各個過程都有它獨立之意義和價值。——每一剎那有每一剎那的意義和價值！………我們只需「鳥瞰」地認明每一剎那自己的地位，極力求這一剎那裡充分的發展，便是有趣味的事，便是安定的生活。………每一剎那的事，只是爲每一剎那而做求一剎那裡心之所安；雖然這一剎那所做與前者剎那，後些剎那有影響，有關聯，但這個關聯在我是無大關係的。我只顧在那樣大關聯裡的這一剎那中，我應該盡力怎樣做便好了。

朱自清所確立的這種新的人生態度可用兩個字來概括：「撇」與「執」。「撇」是「撇開」，凡是現在沒人能答的，答了等於不答的問題，無論大小，一律撇開。「執」是「執著」，凡是眼下能答的，願答的，必須回答的問題，則給予迅速充分的解答。撇開是爲了執著，撇去了那些糾纏不清令人頭痛而又難以解決的困惑惆悵，便可以獲得心靈的安寧平靜，便可以執著現實生活的一點一滴。

毀滅！毀滅過去的頹廢和痛苦，讓自己重新回到生之原上，一切從頭開始。鳳凰涅槃，本是爲了獲得新生。想通了這一層，朱自清找出暑假在揚州寫了一節的詩稿，繼續寫了起來，一首題爲《毀滅》的抒情長詩漸漸在筆底湧出。在長詩的結尾，朱自清莊嚴地宣告：

擺脫掉糾纏，
還原了一個平平常常的我！
從此我不再仰眼看青天，
不再低頭看白水，
只謹愼著我雙雙的腳步；
我要一步步踏在土地上，
打上深深的腳印！

由「頹廢主義」到「剎那主義」，朱自清對當時的文壇風光進行了一次具有積極意義的反撥。五四時期，啓蒙者們爲了打破封建禁欲主義，熱烈地呼喚自然的生命力，肯定讚美「人」的生存本能與自然情欲，呼喚感性形態的「生的自由與歡樂」，提倡樂則大笑，悲則大叫，憤則大罵。於是人的一切情感——喜怒悲愁愛恨都被引發出來，作自由奔放、眞實自然的表現，無所顧忌地追求自我的心靈世界，感情世界和藝術世界，由此摒棄「忍苦的人生觀」而信奉「求樂人生觀」，於是「享樂主義」盛行一時。郁達夫曾高喊「知識我也不要！名譽我也不要！我所要的就是愛情，我所要求的就是異性的愛情！」但這種「享樂主義」在迷失了前進方向的五四退潮期中，便逐漸失去了它的積極意義，演變爲放縱人生的「頹廢主義」，自暴自棄，隨波逐流，縱情聲色，及時行樂。翻開這一時期的作品，總可以感到一種凄苦迷惘的情調。朱自清也頗受這種時代情緒的影響，他的《悵惘》、《轉眼》、《自從》等詩歌，都滲透著躑躅風塵，倍感孤寂的情緒。但與大多數人不同的是，朱自清認眞執著實在的性格氣質和生活態度，使他避免了陷溺其中無法自拔的境地，朱自清吸收了「享樂主義」肯定人生、肯定人的基本欲望的積極內核，將它納入有節制不放縱的理性軌道，從而形成了他在一點一滴的生活中求眞趣的「刹那主義」。

值得注意的是，朱自清的刹那主義，明顯受到佛教禪宗的影響。佛學的復出是中國近現代史上一個有趣的現象。梁啓超說過：「晚清思想家有一伏流曰『佛學』。」㉑從十九世紀中葉始，崇信佛教成了一種時代風尙，以佛法解釋孔孟，談西學則取證佛經，成爲當時維新思潮的一個特色。許多著名的啓蒙思想家和維新志士，如龔自珍、魏源、譚嗣同、康有爲、梁啓超、嚴復、章太炎，包括魯迅等，都與佛學有深刻的淵源。他們或從佛學裡汲取激勵自己的精神力量，或到其中尋求精神寄托的天地，魯迅就曾把佛學作爲純淨人們的道德、改造愚弱的國民性、激發人們的民族民主革命激情的有效工具。

或許是受這種時代風氣的影響，朱自清在中學時就愛讀佛學著作，大學時代依然對佛經著迷。儘管朱自清的性格氣質和佛家超然出世，四大皆空的觀念並不相近，但佛學經典無疑對他有所影響。禪宗主張不要沉緬於昨日或明日的世界，不要往虛無縹渺的地方去尋求佛理，而應生活在「今日」的世界中，隨時隨地體認日常生活中的美好事物，在當下「一刹那」中去參禪悟道。眞正把握住這一刹那的意義，獲得一刹那的滿足，就可以進入禪的境界，即所謂「平常心是道」，所謂「隨緣即是福」。從這裡不難看出朱自清的「刹那主義」與禪宗的

「剎那」觀念之間的血緣關係。但兩者之間畢竟有著本質區別，朱自清所借鑑所認同的，是禪宗於日常生活中悟道的方式，並非其理論體系。禪宗的剎那觀是通過剎那生活的體驗而進入無人我、無善惡、無生滅的「空」的境界，本質上是消極無爲的，而朱自清的剎那主義則是通過對剎那生活的感受，更好地把握自己、執著人生，本質上是積極的，有爲的。

對朱自清的這種「剎那主義」，俞平伯有一段精彩的評述。他說：

> 他所持的這種「剎那觀」，雖然根抵上不免有些頹廢氣息，而在行爲上卻始終是積極的，肯定的，吶喊著的，掙扎著的。他決不甘心無條件屈服於悲哀的侵襲之下的。約言之，他要拿這種剎那觀做他自己的防禦線，不是拿來飲鴆止渴的。他看人生原只是一種沒來由的盲動，但卻積極地肯定她，順它底猝發的要求，求個段落的滿足。[22]

第二年三月，長詩《毀滅》在《小說月報》上發表。由於長詩貫穿著面對現實、積極進取的人生態度，對徘徊於歧路、呻吟於苦悶中的知識分子是一劑清醒的良藥，因而長詩一發表，立刻引起社會的高度重視與評價。次月的《小說月報》便以「卷頭語」的顯要位置，摘引了長詩的片斷，表明了編者的讚賞和願向社會推荐之意。

八月號的《小說月報》又推出了俞平伯的重頭文章《讀〈毀滅〉》。俞平伯以洋洋萬言，不僅細膩地剖析了作者的思想情緒和長詩所體現的感情傾向，而且從時代與文學的大背景中高度評價了長詩出現的意義與價值。他指出，現在詩壇不振的一個重要原因就是「大家喜歡偷巧，爭做小詩」，而怯於寫長詩。即以詩壇現有的爲數不多的長詩而論，成功的也不多。

朱自清則不僅知難而上，寫出了被人視爲畏途的長詩，而且藝術上又十分成功。「論它風格的宛轉纏綿，意境的沉鬱深厚，音調的柔美凄愴，只有屈子的《離騷》差可彷彿」，但在手法、情調、節奏等方面又有自己的獨特之處。俞平伯的評論道出了朱自清在詩歌創作上勇於探索、不斷創新的精神。正因爲如此，此詩被認爲是新詩運動以來，利用了中國傳統詩歌技巧的第一首長詩，是新詩中的《離騷》和《七發》。

《毀滅》的出現，奠定了朱自清在中國現代新詩史上的地位，人們只要一提起朱自清，總沒法不提《毀滅》。

【附註】

① 魏金枝：《杭州一師時代的朱自清先生》，《文訊》第九卷第三期，一九四八年九月十五日。
② 朱自清：《江蘇省立第八中學校歌》。
③ 余冠英：《悲憶佩弦師》，《文訊》第九卷第三期，一九四八年九月十五日。
④ 朱自清：《我所見的葉聖陶》。
⑤ 《〈胡適的日記〉選》，《新文學史料》第五輯，一九七九年十一月。
⑥ 鄭振鐸：《〈雪朝〉短序》。
⑦ 馮雪峰：《應修人潘漠華選集·前言》，人民出版社一九五七年九月版。
⑧ 《諸者賜覽》，《詩》第一卷第四號。

⑨ 朱自清：《〈蕙的風〉序》。
⑩ 汪靜之：《出了中學以後》，載《中學畢業前後》，開明書店一九三五年版。
⑪ 朱自清：《讀〈湖畔〉詩集》。
⑫ 朱自清：《〈中國新文學大系〉詩集導言》。
⑬ 朱自清：《贈聖陶》。
⑭⑮ 見兪平伯《關於「義戰」一文（朱佩弦兄遺念）》，《論語》一六三期，一九四八年十月十六日。
⑯ 朱自清：《一九二二年十一月七日致兪平伯》。
⑰ 《杭州年會紀事暫緩發表的原因》，《少年中國》第三卷第十期，一九二二年五月一日。
⑱ 朱自清：《匆匆》。
⑲ 朱自清：《剎那》。
⑳ 朱自清：《一九二二年十一月七日致兪平伯》。
㉑ 梁啓超：《清代學術概論》。
㉒ 兪平伯：《讀〈毀滅〉》，《小說月報》第十四卷第八號，一九二三年八月。

第四章　旅路匆匆（下）

——白馬湖春秋

一

台州的生活靜悄悄，台州的水流慢悠悠。小城的居民遵守著祖先的傳統，日出而作，日落而息，天一擦黑，街上便斷了人影。生活在這裡，使朱自清疲憊的身心得到憩息鬆弛，也使他感到難言的寂寞，儘管這裡有一群天眞可愛、渴求知識的學生，但它遠離新文化的前沿陣地和辛勤耕耘的戰友同道，沒有慷慨激昂、面紅耳赤的爭執，沒有談笑風生、縱橫捭闔的議論，很難激起心靈火花和創作靈感。這裡是出家人韜光修晦、修身養性的好地方，卻不是決心一步一個腳印往前走的朱自清生活的合適土壤。

一九二三年開春，朱自清離開了六師，帶著妻子孩子來到位於溫州的浙江省立第十中學和省立第十師範任教。

蜿蜒曲折的甌江，緩緩流過溫州。在離嘈雜喧鬧的甌江碼道不遠的朔門，有條巷子叫四營堂。這條巷子的三十四號，是一座有圍牆的老式兩進平房，前後都有院子。朱自清租了靠大門的兩間廂房，外間作臥室，內間的後半間當廚房，前半間當作書房。狹長的書房中間盤踞著一張從學校借來的學生課桌，剩下兩尺多寬的空隙剛夠放下一張舊藤椅。不過這樣一來，房間便被攔腰截斷。廂房後有一道花牆，把大院子隔開，自成一個小庭院，環境很清幽。

一個著名的新詩人的到來，使十中和十師的學生大爲興奮，他們爭著請朱自清上課，朱自清只得儘可能地增加一些課時，同時擔任了十中的初二國文和十師的公民兼科學概論。一襲藍長衫，一只鼓鼓囊囊的黑皮包，朱自清不停地奔波於兩校之間。他依舊是那麼頂眞，決不因課多而有所敷衍。晚上備課，窗前的燈光總要亮到半夜，白天上課，他總是匆匆拭汗上台，一邊發下許多講義，一邊滔滔不絕，唯恐浪費一分鐘。他的學生說，朱先生「經常提一個黑色皮包，裝滿了書，不遲到，不早退。管教嚴，分數緊，課外另有作業，不能誤期，不能敷衍。最初我們對他都無好感，至少覺得他比旁的先生特別囉嗦多事，刻板嚴厲。」①但當他們意識到自己的進步時，便再也沒有這種感覺了，他們逐漸適應了朱自清親切而嚴格、別致而善誘的教學風格和方法。

課後，朱自清的住所成了學生討論新文藝的中心。即使是節假日，也可見三三兩兩的學生，夾著書包，絡繹不絕地登門求教。這時朱自清便不再像課堂上那樣嚴肅，他無拘無束地和同學們談天說地，清幽的小院裡經常傳出陣陣笑聲。如逢天氣好，朱自清便會邀上三五同學，結伴去郊遊，一邊踏青訪勝，觀山攬水，一邊和大家談詩說文。

十中有一個學生金溟若，曾在日本讀中小學，對漢語言文字相當生疏，只能讀文言文，白話文的作品看不懂，甚至漢語也說不好。針對這種情況，朱自清特地選了一本古文今譯的書《辛夷集》給他詳加解析，一本三、四十頁的六十四開小冊子，朱自清為他講了近三個月。此外，朱自清和他海闊天空地聊天，加強他的口語能力。很快，這個學生的書面語言和口語表達都有了長足的進步，用白話文寫出了第一篇散文。朱自清看了頗為欣賞，把它推荐到《時事新報》的副刊《學燈》上發表，並為他取了筆名。後來，朱自清又把這個學生的另一篇散文，收進了他主編的《我們的六月》。

朱自清的另一個學生回憶說：「朱自清在溫州十中教書時，我是十四歲的學生。他鼓勵我多寫，要我在課外多讀些文學方面的書，他那時寫作很多，當他在接到稿費的時候，總不忘記買幾本書給我共同欣賞。這一年間，他的《毀滅》，《笑的歷史》，《槳聲燈影裡的秦淮河》發表，每次我都分享到快樂和榮耀。」②

在朱自清的熱心獎掖扶持下，學生對新文學的興趣大大提高，當地刊物、日報副刊上的新文藝作品也驟然增多，溫州的新文學運動，頓時高漲起來。

暑假到了，朱自清回揚州去探望父母，然後，很快又去了南京。他和俞平伯約定，要乘此機會好好玩一玩南京。

南京這個地方，朱自清少年時，父親就曾帶他來過，這幾年在江浙一帶教書，每次回家省親，也常常拐到這裡。南京就像古董鋪子，到處都有時代侵蝕的遺痕，六朝的興廢，王謝的風流，各個時代，各種韻味。與好友攜手併肩，倘佯其間，任意摩挲憑弔，比起馬二先生逛西湖般獨自亂闖，自有一番特殊的情調。他們兩人花了四天時間，把這古董鋪子逛了個遍。

在朱自清看來，如果要追尋歷史的興衰，不妨選個微雨天或月明夜去雞鳴寺，在朦朧中看陳後主和愛妃遇難的胭脂井；或登上蒼然蜿蜒的台城，想像一下隋兵打著異樣的旗幟，拿著異樣的武器叫喊著衝殺進城；或是去明故宮，在夕陽西風中去領略「西風殘照，漢家陵闕」的滋味。如果想遊山玩水，陶醉自然，可以去明靜荒寒的玄武湖，在微醉之後，似睡非睡地躺在船上，聽船底汩汩的波響和遠方幽幽的簫聲，任小船把你帶進寂冷的月色中；也可去清涼山，靜坐在掃葉樓上；看滴翠的山、滴翠的樹，把自己融入「清涼世界」。如果想考察歷史沿革，文化古蹟，則可以去遊夫子廟、逛貢院，徘徊在鴿子籠似的號舍之間，體驗當年會試的熱鬧而又森嚴的氣氛及秀才戰戰兢兢、坐立不安的心境。此外，莫愁湖、燕子磯、雨花台，亦各有其獨特、有趣之處。不過，給朱自清印象最深的，當屬秦淮河。三百年前，這裡畫舫凌波，笙歌徹夜，自孔尚任作《桃花扇》傳奇，這裡更成了名滿天下的金粉之地。秦淮河，是一條晃蕩著蔷薇色的歷史河流。

那是一個傍晚。在夕陽已去，皎月方升時分，他們登上了「七板子」。夜幕漸漸地垂了下來，大小船上都點起了燈火，那黃黃的散光，反暈出一片朦朧的煙靄，又逗得水波泛起縷縷明漪。在這薄靄和微漪裡，聽著那悠然的槳聲，不由使人興起一縷幽幽的思古之情。遙想當年秦淮艷跡，似乎兩岸河窗中正傳出李香君和侯方域飲酒賦詩、彈琴高歌的聲音。面對此情此景，朱自清和俞平伯不禁陶陶然沉入了歷史的美夢之中。

「七板子」載著他們在厚而不膩的碧波上一路前行。從沿河的妓樓上和往來的船上不時飄來陣陣歌聲，只是這些生澀、尖脆的歌喉和著夏夜微風的細語與水波的呢喃，已變得柔和綿軟，動聽入耳。船出大中橋，水天頓時空闊，水面也熱鬧多了。大小船隻穿梭般地往來，灑下一河笛聲琴韻，暈黃的燈火如繁星一般，給秦淮河籠上了一團光霧。不過，燈光終究掩不住月亮的清輝，蔚藍色的天幕下，月色分外清麗，映得岸邊的三兩株垂柳裊裊娜娜，搖曳多姿。他倆靜靜地領略著喧攘繁盛的人間勝境和清爽絕塵的大自然美景，進入了物我兩忘的境地。

然而好夢不長，企圖逃避生活煩惱的他們還是被煩惱找上門來。河中往來的歌妓船靠過來請他們點戲，朱自清立刻局促而張惶了。從自身說，他是渴望聽到美妙歌聲的，但他又十分同情她們淪落風塵的不幸遭遇，知道要尊重她們的人格，於是，他紅著臉窘迫地拒絕了。這樣的事情發生了兩次，朱自清又受了兩次窘。曠達、灑脫、如濁世佳公子的俞平伯「無怒亦無哀」，淡淡地打發掉此事，仍帶著超然物外的閑逸。而執著、拘謹、細膩的朱自清卻遊興頓失。他恍然意識到，儘管置身於秦淮美景，但籠罩在心頭的惆悵，仍無法排遣。上岸的時候，朱自清惘然若失，心頭充滿了幻滅的情思。

四天的暢遊結束了，兩個好朋友臨分手前約定，各以「槳聲燈影裡的秦淮河」爲題，寫篇散文。次年一月的《東方雜誌》上，朱自清的《槳聲燈影裡的秦淮河》刊出，他以漂亮縝密、真摯清幽的筆法，細致委婉地描寫了他夜遊秦淮的所見所聞、所思所感，使散文獲得極大成功，被世人傳頌一時，譽之爲「白話美術文的模範」③俞平伯的散文也在《東方雜誌》同時刊出。這兩篇作品一時瑜亮，被稱爲文壇一段佳話。若干年後，回想起這段往事，朱自清仍然感到親切有味，他在給平伯的詩中寫道：「刻意作詩新律呂，隨時結伴小遊仙。槳聲打徹秦淮水，浪影看浮瀛海船……。」④

《槳聲燈影裡的秦淮河》的成功，激發了朱自清散文創作的熱情。他發現，散文在狀物記人、寫景抒情方面，有著詩歌無法替代的便利和優越性。既然如此，爲何不用散文去記敘身邊的人和事，去描繪溫州的山水情呢？

溫州古稱永嘉，雁山雲影，甌海潮淙，溫山軟水，風光旖旎。大詩人謝靈運當年被貶謫此地，曾寫下許多歌詠永嘉山水的詩篇。平時，朱自清忙於教務，寫講義、閱卷子，批改學生課外所寫的大量文學習作，難得有謝靈運的閑情逸致。但朱自清遊興頗濃，課餘閑暇，或星期天節假日，他經常邀幾個愛好文藝的學生或同事，結伴去郊遊。三角門外妙果寺的「豬頭鐘」，江心寺後的古井，甌江對岸的頭陀寺，羅浮山腰的白水漈，仙岩的雷潭和梅雨潭，都留下了他的足跡。這其中，給朱自清印象最深的，當推仙岩的梅雨潭了。

仙岩屬大羅山，遠離連綿不絕的雁蕩山脈，獨自座落在溫瑞平原上。其山平地而起，峻崖陡壁，水源充沛，所以儘管方圓只有幾十里，卻多瀑布潭，尤其集中在西麓瑞安境內的仙岩附近。著名的瀑布潭有三個：龍鬚潭、雷潭和梅雨潭。龍鬚潭最高，這裡落差大，瀑布細而長，傳說黃帝乘龍飛升時，有鬍鬚墜下化成瀑布。順著這個瀑布向下，是雷潭，其潭深不可測，投石入水能發出雷鳴般的聲響，因此得名。再往下行是三皇井和煉丹井的故址，傳說黃帝曾在這裡煉過丹。順著一條絕壁小道溜下，便是梅雨潭。這就是古人所謂「三潭二井之勝聞天下」⑤，道家把它列爲天下第二十六福地。在三潭之中，景色尤以梅雨潭爲最。

重陽節前後，正是秋高氣爽、遊人登高的時候。星期天，朱自清和英文教員馬公愚等四人相偕去仙岩。他們先來到翠微嶺腳下的仙岩寺。仙岩寺是唐代貞觀年間由高僧慧通所建，可容千僧，號稱「甌江首刹」。從重巒疊嶂的屋宇可以想見當年的宏大規模和香火之盛，但斑駁的院牆和暗淡無光的佛像卻顯出眼下的衰敗和蕭索。穿過門前橋南的慧光塔，緣小溪北行百步，過三姑潭順崖登上翠微嶺，眼前頓時一亮，梅雨潭出現了。

江南的四五月間，常有絲絲細細，連綿不絕的梅雨，而梅雨潭的水花，晶瑩多芒，遠望像一朵朵小小的白梅，微雨似的紛紛點點，狀似梅雨，因而老百姓叫他梅雨潭。順著嘩嘩的水聲，他們來到瀑邊。正對著瀑布，一塊突出的岩石上蹲踞著一個亭子，上下都空空的，彷佛一隻蒼鷹展翼浮在空中。

從亭中望出去，兩面巨大的崖壁相對聳立。崖壁上附滿草木青苔，飛瀑從雙崖合掌處噴瀉而出，跌撞在布滿棱角的岩石上，濺起滿天水花，飄飄蕩蕩落入腳下的潭中。被這瀑布所吸引，朱自清忘記了危險，走出亭子來到崖邊，探身向潭水望去。馬公愚趕緊把他拉了回來，領著他穿過刻著「四時梅雨」四個大字的石穹，揪著草，攀著亂石，鑽過「通元洞」，下到潭邊。

立在一個小石坪上，朱自清立刻爲潭水那奇異的綠所陶醉了。那汪汪一碧使他驚嘆不已：「這潭水太好了！我這幾年看過不少好山水，那兒也沒有這潭水綠得這麼靜，這麼有活力。平時見了深潭，總未免有點心悸，偏這個潭越看越愛，掉進去也是痛快的事。這水是雷響潭下來的，那樣兇的雷公雷婆怎麼會生這樣溫柔文靜的女兒？」⑥

讀中學的時候，朱自清就很愛看遊記。酈道元的《水經注》、《洛陽伽藍記》、柳宗元的《永州八記》、近代康更甡的《歐州十一國遊記》，或記風土人情，或記山川勝跡，或記「美好的昔日」，或記美好的今天，都有或濃或淡的色彩，或工或潑的風致。但和前人筆下的風物相比，梅雨潭又有一番難以描摹的風韻。他說：「歷來山水遊記，寫瀑布的多，因爲它是動著的，變化著的，寫起來容易生色；潭水是靜的，寫起來難得生動，故歷來寫潭水的就少了，像柳宗元《永州八記》中寫幾個小潭的，千百年來能見到幾篇？永州是窮山惡水的地方，同仙岩不好比。」⑦既然大自然如此厚愛仙岩，又給了自己這麼好的機緣，豈可失之交臂呢。於是，《槳聲燈影裡的秦淮河》發表不到半個月，一篇可與柳宗元的《小石潭記》媲美的《綠》便誕生在朱自清的筆下。

離四營堂不遠之處是甌江碼道，那裡居住著各式底層勞動者，有店員，有手工業工人，有搬運扛活的苦力，有肩挑車推的小販，他們靠自己的辛勤勞作，維持著艱難的生計。朱自清進進出出，看到他們額頭的汗滴，衣襟的補丁，聽到他們嘶啞的叫賣和重壓下的呻吟，心裡總不是滋味。有一件事給朱自清很大震動。一天，他在房東那兒看到一個被賣掉的小女孩，女孩只有五歲，卻被她的哥嫂以七毛錢的價格賣了。比較一下自己的孩子，這女孩絲毫沒有任何低賤的印記，然而，她的生命只值七毛錢。清貧家庭出身的朱自清很自然地聯想到她將來的命運：稍微長大時，被賣去做丫環，成熟時再轉賣給人家做妾，受盡大婦的凌虐，或被賣到妓院，被逼學彈學唱；賣笑承歡，終於得了一身毒瘡，了此一生。「她的淪落風塵是終生的！她的悲劇也是終生的！」⑧血肉之軀竟抵不上區區七個小銀元，朱自清不由得悲嘆：生命眞太賤了！這是誰之責，又是誰之罪呢？朱自清沒有說，然而答案卻是明顯的。這件事給朱自清很深的刺激，不久後，他把這一幕寫成了散文《生命的價格——七毛錢》，作爲他對於溫州的印象之一。

一九二三年下半年，溫州十中與十師合併，仍稱十中，附設師範部。爲了慶祝十中進入新的發展時期，朱自清特地寫了一首校歌，他祝願十中師生，「懷籀亭邊勤講誦，中山精舍坐春風。英奇匡國，作聖啓蒙。上下古今一冶，東西風藝攸同。」對這所有二十多年歷史的學校，對學校的同事和學生，他是頗有感情的。只是朱自清似乎很難擺脫匆匆旅人的命運，生活總是給他出各種各樣的難題。

在溫州十中，朱自清一月薪水大洋三十多元。這在一元可買一石穀子的當時，可算一筆不小的收入。但這收入時常成爲紙上之餅。十中這類省屬學校，經費由省裡撥款，由於戰禍不斷，地方軍閥把持財政，教育經費得不到保障。再加上各級政府層層拖欠，當月的工資經常要拖兩三個月才能領齊，一學期教下來只拿到三個月的工資是司空見慣的事情。這樣寅糧卯吃，實際收入便要大打折扣。朱自清要維持一家四口的生計，還要接濟老家的父母，生活已頗為難，偏偏這年秋天，妻子鍾謙又生了第三個孩子逖先，而為了照顧這個不斷增大的家，朱自清又從老家接來了母親。這樣，朱自清便很難安心在十中教書了。恰在此時，原杭州一師的老校長，現任寧波浙江省立第四中學校長兼白馬湖春暉中學校長的經亨頤邀請朱自清前往這兩校任教，朱自清便接受了邀請。

朱自清要走了，一師的同仁們頗為留戀，繪畫教員馬孟容特地送給他一幅畫。馬孟容是馬公愚的胞兄。馬氏昆仲是溫州「書畫傳家二百年」的望族，馬公愚寫得一手好字，馬孟容則是花鳥名家。馬家住在百里坊，離四營堂朱自清的住所只有二、三百米。院子裡遍植各種花草，中堂四壁掛滿名人字畫。朱自清空閑時常到馬家去觀賞馬孟容作畫，有時還帶著鍾謙和孩子，兩家相處的很熟。馬孟容知道朱自清喜歡皎潔寧靜的月夜和嫵媚玲瓏的海棠，於是臨別前，便畫了一軸「月朦朧，鳥朦朧，簾卷海棠紅」的橫幅送給他，並請他題詩。朱自清非常喜歡這幅畫，稱讚它雖是區區尺幅，而情韻之厚，足以淪肌浹髓，令人難以自己。不過，朱自清對舊體詩不很在行，於是便寫了一篇散文，充作題畫詩。散文寫成後，朱自清特地登門拜謝，送上文稿，並對馬孟容說：「日間端詳大作，越看越可愛，夜間又仔細領略畫中情韻，因憶唐明皇將美人喻花，而東坡詠海棠有『只恐深夜花睡去，故燒高燭照紅妝』之句，乃反其意而以花比美人，始悟得大作中之海棠於月色中開得如許嫵媚，鳥兒不肯睡去，原來皆為畫中另有一玉人在哪！」⑨

馬孟容才華未及盡展便中年病歿。身後幾經動亂，作品散失殆盡，卻正逢朱自清以生花妙筆爲他的畫幅傳神寫照。文因畫而作，畫因文而傳，相印生輝，可算得一段藝壇佳話。

二

在溫州過完春節，二月底，朱自清安頓好家小，隻身一人來到寧波浙江省立第四中學。同時在四中任教的還有夏丏尊、豐子愷、劉延陵、許杰、夏承燾等人。夏丏尊教寫作，豐子愷教繪畫、音樂，劉延陵教社會學，朱自清則教高中文科國文，兼教科學概論。他自編教材，將魯迅的《阿Q正傳》、《風波》等編入國文課本，詳加解析，頗受學生歡迎。他的一貫認眞和藹的教學作風，使得學生都樂於向他請教。有時，他的宿舍裡擠滿了學生，於是，他索性開闢第二課堂，在屋子中間置一張桌子，學生環桌而坐，他則汩汩滔滔，或闡明語源詞意，或教以作法，往往達數小時。

不過，朱自清並不屬於那種四海爲家、能迅速適應任何環境的人。離開了熟悉的臉龐、熟悉的環境，特別是離開了家庭，獨自呆在人地兩生的地方，總使朱自清感到不自在。忙碌時候不覺如何，可一旦走出教室、回到空蕩蕩、冷冰冰的寓所，或送走來訪的學生，望著毫無生氣的屋子，一種難以言說的惆悵便立刻湧上心頭。妻子視自己爲唯一的依靠，但自己卻把她和孩子們丟在了沒有依靠的地方，作爲丈夫作爲父親，自己沒能盡到責任。想起這些，朱自清心裡總不是滋味。儘管夏丏尊、豐子愷等新朋老友也在這裡任教，但他們家在白馬湖，課一上完，便回家去了。儘管自己也在春暉中學兼課，不時和朋友們相會，但短暫的歡愉終究驅不走內心深處的孤寂落寞。爲了消愁解悶，打發難熬的夜晚，他學會了抽煙，經常「整匣的抽煙」，「大杯的喝酒」⑩，喝了酒便昏昏大睡。

當然，朱自清有時也會心情愉快，那就是有朋友來訪，或讀到朋友佳作的時候。剛到寧波不久，朱自清便函邀兪平伯來白馬湖和寧波一遊。兪平伯應邀而至。老友相見，分外高興，兩人秉燭夜話，酒店買醉，盡歡而別。後來，潘漠華去寧波，朱自清又陪他作竟日之遊。兩人在月湖竹洲品茗，登天封塔遠眺，又遊了清朝寧紹台道員薛福成的後樂園。這後樂園「占地不多，而小亭錯落，池水一方，滿蔽浮萍，頗有雅致。就中所謂螺髻亭者尤佳！」⑪給朱自清留下深刻印象。

在報刊上讀到朋友的佳作，朱自清也會衷心地替朋友們高興，有時甚至會跟著激動起來。一次，在《中國青年》上，朱自清讀到鄧中夏的一篇文章。中夏以他特有的熱情奔放，號召新詩人丟棄怡情陶性的快樂主義和怨天尤人的頹廢主義，多創作表現民族偉大精神的作品，多創作暴露黑暗社會的作品，並且積極投身於推翻舊社會的革命運動。文中，中夏引錄了他自己所寫的兩首詩：

莽莽洞庭湖，五日兩飛渡。
雪浪拍長空，陰森疑鬼怒。
問今爲何世？豺虎滿道路，

禽獮殲除之，我行適我素。

莽莽洞庭湖，五日兩飛渡。
秋水含落暉，彩霞如赤炷。
問將爲何世？革命均貧富，
慘淡經營之，我行適我素。⑫

讀著這樣豪情滿懷的詩句，朱自清又想起當年和中夏併肩戰鬥的情景。他那炯炯的目光，鏗鏘的話語，在五四遊行隊伍中，在講演台上，曾激動過多少人的心靈啊。北大畢業後，兩人各奔東西，難得見面。去年夏天在南京，朱自清巧遇中夏，得知他正在爲召開社會主義青年團全國第二次代表大會而日夜操勞。他顯得相當憔悴，缺乏睡眠的眼睛布滿血絲，蓬亂的長髮襯得清癯的臉愈發消瘦。但他的目光依然那麼有光采，他的話語依然那麼富於熱情。一貫沉靜自持的朱自清也感受到了他的奔湧的血的熱力：「你的血的熱加倍地熏灼著！在灰泥裡輾轉的我，彷彿被焙炙著一般！」⑬

讀著這樣慷慨激昂的詩句，朱自清也漸漸激動起來，他抓起筆，寫下了《贈友》：

你的手像火把，
你的眼像波濤，
你的言語如石頭。

怎能使我忘記呢？
你飛渡洞庭湖，
你飛渡揚子江；
你要建紅色的天國在地上！

……………

你將爲一把快刀，
披荊斬棘的快刀！
你將爲一聲獅子吼，
狐兔們披靡奔走！
你將爲春雷一震，
讓行屍們驚醒！

……………

對鄧中夏所從事的革命事業，朱自清充滿了深深的敬重和熱切的盼望，所以在詩中他一改貫常的舒緩柔美的音調和一唱三嘆的節奏，顯得相當明快有力，豪放熱烈。

然而，這種開懷的時候並不太多，除了孤身一人的寂寞而外，學校複雜的環境和人事關係是一重要因素。還在去年經亨頤就任四中校長之前，當地由遺老、新貴、財主、巨紳們組的惡勢力便聯絡學校的舊派教員給省裡發電，反對經亨頤出任校長。經亨頤到任後，在學生和進步教員的支持下，大力提倡白話文及其他改革，舊勢力有所收斂，但仍明裡暗裡擠兌經亨頤，搞得學校氣氛很不融洽，種種不如人意的事情，使朱自清甚至打算脫離教育界。在寧波，朱自清經常想起他在溫州度過的時光，溫州的山水那麼清秀，溫州的朋友那麼可愛，他在給馬公愚的信中直言不諱地說他喜歡溫州而厭惡寧波。

話說回來，朱自清既已確立了「刹那主義」的人生哲學，他也不願意自己老沉浸在消沉的情緒中。四月十五日晚在對春暉中學學生的講演中，朱自清又一次強調，「時時回顧著從前的黃金時代」的人，「將在惆悵，惋惜之中度了一生」，而「時時等待著將來的奇蹟」的人，也將「在徒然的盼望裡送了一生」。早晨的葡萄太酸，傍晚的又太熟了，最可口的是正午摘下的，「這正午的一刹那，是最可愛的一刹那，便是現在。」⑭抱定這一宗旨，朱自清抓住現在一切可做的去做，日子過得倒也忙忙碌碌。

爲了給學生提供練筆的園地，朱自清和夏丏尊竭力倡導，印行了校刊《四中之半月》，校刊上登載的學生習作，多由他修改潤色。那時學校實行「學科制」，高中最後兩年文理分科，因而課務相當輕鬆，課外活動和自習時間增多。爲適應這一變化，朱自清建議經校長利用課外活動聘請校內外人士作學術講演，他自己則身體力行帶頭開講，給學生們講了「我們對於文學的態度」。在他的帶動下，本校教師相繼登台，夏丏尊講「文章講話」，劉延陵講「詩的用詞」，方光燾講「語言學概述」，校長經亨頤也作了「學生的責任」的講演。此外，惲代英、陳望道、楊賢江、俞平伯、沈仲九，施存統等校外知名人士也應邀來校講演。

當時四中有不少文學社團，其中最大的是「雪花社」，主要成員有宓汝卓、謝傳茂、王任叔、汪子望等。他們編印《大風》雜誌，宣傳進步思想，抨擊地方封建勢力。朱自清與他們交往甚密，就像在杭州浙江一師時指導「晨光文學社」那樣，盡力予以幫助。

也許有感於「雪花社」等文藝社團和《大風》等刊物的存在，朱自清總不免想到杭州時代與葉聖陶、俞平伯、劉延陵等人辦《詩》刊時的情景。如今朋友星散，南北一方，要想再聚首是相當不易的了。但不在一起，爲什麼就不能重整旗鼓，再辦個刊物呢？一個念頭油然而生。

經過一番書信往來，四月份，朱自清與在上海的葉聖陶、劉大白，在北京的俞平伯、顧頡剛，在白馬湖的豐子愷，在寧波的劉延陵以及過去的學生潘漠華、張維祺等人成立了「我們社」，由朱自清負責主編《我們》雜誌。組稿，編輯，發稿，校對，排版，發行，朱自清忙的不亦樂乎。終於，這一年七月，第一本雜誌問世，取名《我們的七月》。當朱自清拿到還散發著油墨清香的雜誌時，那高興勁兒，就像捧著一個十世單傳的嬰兒一樣。朱自清把它比作「優美的花草」，認爲它「自成一體」，大有存在和發展的價值。

轉眼半年匆匆而過。七月初，朱自清和方光燾等人去南京旁聽了在南京東南大學召開的中華教育改進社第三屆年會。這次年會的中心議題是收回教育權問題，參加會議的人數達千人以上。

中華教育改進社是五四以後出現的一個重要的教育界社團，其核心成員有蔡元培、胡適、蔣夢麟、陶孟和、陶行知、姜伯韓等人。他們大力引進國外先進的教育理論，探討中國教育的革新之路，在當時具有重要影響。朱自清參加這次會議，是想了解教育界同行們的思路和注意力所在，同時也驗證自己對教育問題的看法。由於生病，他只旁聽了一次正式會議，於大會本身並無多少收穫。但從朱自清在此前後所寫的一系列文章來看，他與教育界的整體步伐是相一致的，而且有著自己獨到的見解。

朱自清對教育問題的關心，始於大學時代。一九一九年秋，美國哲學家杜威在北大作「社會哲學與政治哲學」、「教育哲學」和「思想之派別」等長期講演，在當時反應頗烈。杜威的平民主義教育思想，發展個性的知能、養成協作的習慣的主張，「教育即生活，學校即社會」的口號，對我國教育界產生極大影響，在數年內成爲我國教育思想和教育實踐的指導理論。朱自清也頗受杜威影響，他在幾年的中學和中等師範的教學實踐中，積累了不少經驗，也深諳教育界存在的主要弊端。他認爲，中學教育存在兩個重大弊病，一是「按時授課的辦法和注入式的教授，……只能養成勤學不倦的學生，而不能養成自由思想的學生」，二是只強調知識的灌輸，卻忽視感情的陶冶和人格的修養，結果造成學校氣氛枯寂乏味，沉沉如睡，總之，脫不了一盤散沙的局面。這些弊病，凡留心中學教育的人，並非無所察覺，但多爲紙上談兵地說明自動教育和人格教育的重要性。朱自清則從具體操作上去探索切實可行的補救之道。朱自清認爲：「團體生活」是改變這種弊端的有效途徑。學校並非預備社會，而就是社會，要使這個社會各個散漫的、互相隔膜疏遠的分子凝聚成一個有活力的整體，就必須實行團體生活。但要做到這一點，依靠目前現有的學自治會、校友會、同鄉會之類是遠遠不夠的。學生應當按興趣、能力和需要自由組織成各種各樣的社團，學術的、音樂的、體育的、社會服務的，都可以。這些社團，不必一定借助什麼宏大的題旨，關鍵要有切實的活動。通過這些活動，鍛煉學生自我學習、自由運思的能力，社會組織能力和自省自治的精神，增強學生和師生之間的相互理解和感情交流，增強互助協作的習慣，同時將學生的興趣向健康的方向引導發展，以涵養人類互愛的精神和健全的人格。

在實行團體生活的過程中，朱自清特別強調教師的主導作用，強調教師對學生的「人格影響」。朱自清說，實行團體生活的關鍵，就是「師生通力合作，打成一片」，不解決這一點，「教育是無從講起，行起的」⑮。然而耳聞目睹的現狀則與此相反，且不說師生之間「學生對於教師『敬鬼神而遠之』；教師對於學生，爾爲爾，我爲我，休戚不關，理亂不聞」⑯，即使是教師之間，也是一盤散沙。因此，朱自清大聲疾呼：「教育者須對教育有信仰心，如宗教徒對於他的上帝一樣；教育者須有健全的人格，尤需有深廣的愛；教育者須能犧牲自己，任勞任怨。」⑰只有教育者自身做到上述這些之後，才能消除師生之間隔膜，以自己的人格力量去感染、熏陶學生，促進學生養成良好的品德和人格。

朱自清的這些觀點，理論基礎不脫杜威的平民主義教育思想，但他結合自己教學工作中的經驗體會進行闡述，因而切中時弊，且時有發揮。考察朱自清自己的教學活動，可以看到，無論在哪個學校，他總是以自己的人格力量，在潛移默化中去影響周圍的學生。他是這麼說的，也是這麼做的。

參加過中華教育改進社第三屆年會以後，朱自清隨即又參加了在南京召開的少年中國學會第五次大會，見到楊賢江、舒新城等老朋友。儘管朱自清自己熱心會務，曾答應捐銀八十元給學會作創辦學校之用，但由於政治信仰的不同，學會此時已趨於解體，朱自清對學會遂也不再抱什麼希望。開完會後，朱自清返回溫州。

度完暑假，朱自清回到寧波，繼續往返奔波於兩校之間。

開學沒幾天，朱自清生了一場病，病還沒好，中秋節便匆匆到了。本來，在這個時候，應是闔家老小歡聚一堂圍坐庭院桂樹之下，邊吃月餅，邊享受初秋的新涼，欣賞皎潔的圓月。然而此時，他卻不得不拖著病後虛弱的身體，獨處異鄉爲異客。更可恨的是，老天爺甚至連遙寄相思、「千里共嬋娟」的機會都不給他。屋外狂風大作，暴雨如傾，四周一片晦暗。這種惡劣的天氣，使朱自清的心情也變得十分惡劣。他拿起筆，信手寫了一首七絕：

萬千風雨逼人來，世事都成劫裡灰。
秋老干戈人老病，中天皓月幾時回？

顯然，這裡「萬千風雨」，不僅僅是指自然界。這幾年來，他自己何嘗不是始終在風雨中掙扎搏鬥，南來北往，東奔西突。這樣的生活何時才能結束。中天皓月何時才能重放清輝呢？也許，這只是個難以實現的夢。

果不其然，沒幾天，江浙戰爭爆發，浙江皖系軍閥盧永祥和江蘇直系軍閥齊燮元爲了爭奪地盤而大動干戈。福建的直系軍閥為聲援齊燮元而從背後掩襲盧永祥，溫州首當其衝。溫州長期沒有經受戰亂，且無險可守，現在即將變為戰場。溫州市民驚恐萬分，紛紛扶老攜幼，逃到城外偏僻的山區躲避。朱自清留在溫州的家屬是妻子鍾謙和三個孩子，以及專門從揚州來幫助兒媳料理家務的老母親，老弱婦孺，舉目無親，既無處可投，又阮囊羞澀，寸步難行。正在焦急萬分、一籌莫展之際，朱自清的好友馬公愚來了。他說自己全家要到甌江北岸的山裡避亂，請他們一起同行，這才解了他們燃眉之急。

朱自清接到家裡的促歸電報，心急如焚，立即請丏尊代課，自己則乘船趕回溫州。可船到海門，忽然停駛，說前面有戰事，不能開了。朱自清「於是不得已改道溫嶺街」，奔走了一百來里，在江廈換搭了一條船，終於在九月三十日趕回溫州。

這時，由於時局變化，溫州的戰事避免了，但福建軍隊已開入溫州。這幫軍閥的士兵，「服裝、紀律，實是驚人！……入市先聞鴉片煙，蓋軍中癮君子甚多也。地方本已平靖，而近日乃有拉伕之事，於是又大騷亂。」⑱把家小丟在這兒實在令人放心不下，而且家分兩處終非長久之策，朱自清決定舉家遷往寧波。為了歸還避難時馬公愚借給妻子的十元錢，也為了湊足路費，朱自清把一些衣物送進了當鋪「長生庫」。十月三日，朱自清帶著母親、妻子和孩子，離開溫州。

三

杭州灣東岸的杭甬線中段，上虞境內，有一片群山環抱的秀麗平原。其間，有一個白馬湖，山色凝碧，湖光瀲灩，景色優雅，四時宜人。傳說金兵南侵時，康王趙構逃難至此，有白馬負之過湖，又說這湖的形狀，似一匹平臥的白馬，因而得名。二四年的三月間，朱自清第一次來白馬湖時，就被這裡的景色陶醉了：

這是一個陰天。山的容光，被雲霧遮了一半，彷彿淡妝的姑娘。但三面映照起來，也就青得可以了，映在湖裡，白馬湖裡，接著水光，卻另有一番妙景。我右手是個小湖，左手是個大湖。湖有這樣大，使我自己覺得小了。湖水有這樣滿，彷彿要浸到我的脚下。湖在山的趾邊，山在湖的唇邊；他倆這樣親密，湖將山全吞下去了。吞的是青的，吐的是綠的，那軟軟的綠呀，綠的是一片，綠的卻不安於一片；它無端的皺起來了。如絮的微痕，界出無數片的綠；閃閃閃閃的，像好看的眼睛。湖邊繫著一隻小船，四面卻沒有一個人，我聽見自己的呼吸。想起「野渡無人舟自橫」的詩，眞覺物我雙忘了。⑲

湖畔綠蔭裡，矗立著一群二十年代是相當高大的西式建築，這就是當時享譽海內的有「北有南開，南有春暉」之稱的私立春暉中學。

自浙江一師的「留經運動」後，經亨頤離開了服務多年的一師，回到家鄉上虞驛亭。爲了把自己所熱愛的教育事業繼續下去，他鼓動家鄉的華僑實業家陳春瀾出巨資在白馬湖建起了這所春暉中學，自己則擔任了校長。經亨頤多年從事教育工作，思想開明，在教育界聲望卓著，他決心把春暉辦成一所全國聞名的第一流的學校，爲此他延攬了一大批文化教育界的知名學者和文人。朱自清來校前後，學校的教務主任是楊賢江。他是浙江一師的畢業生，是我國最早用馬克思主義觀點研究教育問題的教育家。不過，當時他正在上海忙於編輯《學生雜誌》，實際負責的是數學家劉熏宇。擔任該校訓育主任的匡互生是北京高等師範的畢業生，五四運動時，他第一個衝入賣國賊曹汝霖的住宅並火燒趙家樓，是這一歷史事件的著名人物。此外，教師還有夏丏尊、豐子愷、劉叔琴、方光燾、王任叔等。朱自清來校不久，朱光潛也來到這裡。春暉中學第一流的校舍，教學樓、辦公樓、宿舍樓、圖書館、實驗室、食堂、足球場、籃球場、網球場、游泳池、發電設備等，不僅使一批頗有名望的學者齊集白馬湖畔，也吸引了一大批莘莘學子，從各地前來就學。他們中有的已是舊制學校的高中生了，卻甘願前來插班降級就讀。有的已超過了初中學齡，但也不惜從頭學起，跟年輕的同學併肩共學。

二十年代初，我國的教育界正處在轉型期。一方面，一些學校墨守成規，繼續實行傳統的封建教育，拒絕接受西方現代教育理論；另一方面，一批學校積極探索教育改革之路，試圖跟上世界教育發展潮流。春暉中學便是後者的一個代表。這裡密集了一批從事新教育思想和實踐探索的有志之士。楊賢江作爲一個教育理論家，在他所主持的《學生雜誌》和其他教育雜誌上，不斷介紹新教育理論。匡互生既是一個理論家，也是一個實踐家。他來春暉以前，擔任過長沙湖南一師的教務主任，主持學校的教育改革。他堅持實行感化教育，無論何時總是和顏悅色，循循善誘。他勇於任事，身體力行，奮不顧身，品德高潔，很受學生尊敬。此外，夏丏尊提倡愛的教育，給學生灌輸愛心；朱自清主張人格教育，教育者和受教育者都應努力健全自己的人格。

在這樣一批教師的推動下，學校的氣象確實非同一般。當舊式學校的學生還在埋頭啃《古文觀止》、《論說文範》的時候，春暉的學生早已在讀在寫白話文了，《新青年》、《創造月刊》、《語絲》等刊物，魯迅、郭沫若、郁達夫等人的作品，也早已成爲學生最喜愛的課外讀物了。學校實行「五夜講演」制度，每月逢五的晚上，學校都舉行講演活動，由本校教師或請校外人士登台講演，朱自清便講演過「刹那」。蔣夢麟、吳稚暉、沈玄廬、俞平伯等校外人士，也都作過學術講演。在教師的倡導下，學生的課外活動非常活躍，各種集會討論會場面熱烈，走廊裡貼滿各班級的壁報，校園裡洋溢著一種別校難得見到的生氣勃勃的景象。俞平伯稱讚說，「學生頗有自動的意味」⑳，比杭州浙江一師和上海大學的學生都還強。

本來，朱自清拋開家庭，隻身一人在外漂泊，心情不好，同時由於寧波的環境不如人意，更加重了這種情緒，但在春暉的兼課，則使朱自清有機會暫時擺脫生活的煩惱。白馬湖的青山秀水，可以蕩滌胸中的俗塵，聚集在湖畔的一批志趣相投、心意相通的朋友，更使朱自清感到溫暖，他與夏丏尊、豐子愷、朱光潛等人結成了好友。

自「留經運動」後，作爲「四大金剛」之一的夏丏尊離開了一師，前往長沙湖南一師任教。春暉中學建立後，夏丏尊即回故鄉上虞，服務於春暉。朱自清去一師教書時，正是夏丏尊離開一師之時，因而直到這時他們才眞正相熟並結交。在衆多教師中，丏尊年歲最長，且素性耿介憨直，恬淡自適，待人眞摯，此間任教的許多教師，都是由他引薦而來，是大家尊敬的老大哥。他嗜酒成癖，幾乎每飯必飲，常邀與他比鄰而居的豐子愷、劉熏宇、劉叔琴和單身在校的朱自清、朱光潛一起飲酒。大家率性任情，無拘無束，每每盡歡。離開白馬湖後，朱自清常常想起這一段生活，他說：「我們幾家接連著；丏翁的家最講究。屋裡有名人字畫，有古磁，有銅佛，院子裡滿種著花。屋子裡的陳設又常常變換，給人新鮮的受用。他有這樣好的屋子，又是好客如命，我們便不時地上他家裡喝老酒。丏翁夫人的烹調也極好，每回總是滿滿的盤碗拿出來，空空的收回去。」㉑朱光潛也充滿感情地回憶道：「我們吃酒如吃茶，慢斟細酌，不慌不鬧，各人到量盡爲止，止則談的談，笑的笑，靜聽的靜聽。」㉒酒後見眞情，諸人各有勝概；朱自清紅著臉微笑不語，豐子愷雍容恬靜，一團和氣，夏丏尊則縱聲大笑，笑聲響徹整個屋子，形成一片歡樂融洽的氣氛。

這時候，夏丏尊正在由日文轉譯意大利十九世紀著名抒情詩人亞米契斯的《愛的教育》，並在上海《東方雜誌》上連載。亞米契斯主張以愛心去對待兒童，教育兒童，要求兒童做到的，父母教師應該首先做到。這種全新的教育觀念，同中國幾千年封建教育觀念大異其趣，因而夏丏尊深受震動。他曾說「我在四年前始得此書，記得曾流了淚，三日讀畢的，就是後來在翻譯或隨便批閱時，也深深地感到刺激，不覺眼睛潤濕。這不是悲哀的眼淚，乃是慚愧和感激的眼淚。除了人的資格之外，我在家庭中已是二子二女的父親，在教育界是執過十多年教鞭的教師。平日爲人爲父爲師的態度，讀了這書，好像醜女見了美人，自己難堪起來，不覺慚愧了流淚。」因此，他願把此書「介紹給與兒童教育有關的作教師作父親的人們，叫大家也流些慚愧或感激之淚」。㉓朱自清對這本書極感興趣，丏尊每譯出一節，他總要先睹爲快，也順便幫著校對一下文字。對這位老大哥，朱自清非常尊敬，丏尊常請他到縣城裡借本書，找個人，或辦件事，只要他喊一聲「佩弦啊」，朱自清就會立刻放下手中的事，應聲而出，馬上替他辦妥。夏丏尊對朱自清的事也很熱心，這一年，朱自清將自己的詩文編成一個集子打算出版，丏尊便立刻把它介紹給了上海的亞東圖書館。

在白馬湖的同事中豐子愷與朱自清同歲。他是浙江一師的學生，不過一九一九年即畢業，與朱自清並無師生之誼，他喜愛繪畫、音樂，是其師李叔同（弘一法師）的得意弟子。一九二二年，夏丏尊引薦他來春暉，於是他便在白馬湖邊購屋植樹，定居下來。課餘，他經常把自己對生活的感受、對朋友的印象、對古典詩詞意境的理解信手畫出，寥寥幾筆，不求形似，但得神韻。畫這些小畫時，他根本沒想到發表，因而包皮紙、舊講義紙、香煙盒的背面，信心拈來，有什麼用什麼。這些畫畫好之後，豐子愷便把它們粘貼起來，掛在屋中。有時候，豐子愷還把它們製成木刻，讓朋友們傳觀。漸漸地，他「那間天花板要壓到頭上來的，一顆骰子似的客廳裡」，「互相垂直的兩壁上，早已排滿了那小眼睛似的漫畫的稿；微風吹過他們間時，幾乎可以聽出颯颯的聲音。」㉔朱自清來到白馬湖後見到這些畫，非常喜愛，認爲塗呀抹的幾筆，便造起個小世界，使人又要嘆氣，又要笑。他對子愷說：「我們都愛你的漫畫有詩意；一幅幅的漫畫，就如一首首的小詩——帶核兒的小詩。你將詩的世界東一鱗西一爪地揭露出來，我們這就像吃橄欖似的，老覺著那味兒。」㉕朱自清在編《我們的七月》時，便請子愷設計了封面，又發表了他的漫畫《人散後，一鉤新月天如水》。這是豐子愷正式發表的第一幅漫畫。

這幅畫被正在編《文學周報》的鄭振鐸看見了，他對畫及作者產生了很大興趣，便向朱自清打聽，並約子愷爲《文學周報》畫插圖。鄭振鐸把這些畫冠以「漫畫」的名稱，從此，中國多了「漫畫」這一新畫種。後來，朱自清又請子愷爲兪平伯的詩集《憶》畫插圖，並把爲自己第一部作品集梳妝打扮的事交給了他。

一九二五年底，豐子愷的第一部漫畫集終於出版，朱自清、夏丏尊、鄭振鐸、方光燾、兪平伯、劉熏宇等人紛紛寫序作跋。從這裡，他們深厚的友誼和互相扶持的熱情確實叫人感動。

春暉的同仁中，朱光潛是朱自清的「本家」，由於他們同姓，加上年齡、身材相仿，性格、興趣相近，又比鄰而居，因而有人把他們當作兄弟，或張冠李戴，甚至當同一個人，鬧過不少笑話。朱光潛儘管年長一歲，但學業上的起步卻比朱自清遲。他是安徽桐城人，青少年時期接受了封建傳統典籍和桐城派古文的薰陶，後在英國人辦的香港大學讀了四年教育。一九二二年大學畢業後，他去吳淞中國公學中學部教英文，不過那時朱自清已離開了那裡。

江浙戰爭中，中國公學被毀，他遂由夏丏尊引荐來到春暉教英文。

在春暉，朱光潛在佩弦、丏尊等人的影響下，開始學習寫作。若干年後，朱光潛在回憶這一段經歷時說：「學校範圍不大，大家朝夕相處，宛如一家人。佩弦和丏尊子愷諸人都愛好文藝，常以所作相傳視。我於無形中受了他們的影響，開始學習寫作。我的第一篇處女作——《無言之美》——就是在丏尊佩弦兩位先生鼓勵之下寫成底。」㉖

幾經周折，朱自清終於這一年的秋天，把家從溫州搬到白馬湖，住進了丏尊隔壁的房子。雖然他因在寧波四中兼課，仍得不時往返兩地，但生活終於安定下來。

這年十二月，朱自清迎來了他登上文壇以來十分重要的時刻：他的第一本詩文集《蹤跡》由亞東圖書館出版了。作品集分成兩輯，第一輯收集了幾年來創作的新詩三十餘首；第二輯是散文，收集了獲得好評的《槳聲燈影裡的秦淮河》、《溫州的蹤跡》等。此前，朱自清曾出過新詩集《雪朝》，但那是文學研究會八個作家的詩歌合集。而這次，則是朱自清個人的專集。把自己的作品集中地完整地端給讀者，既是對自己創作的一次檢閱，也是向社會顯示自己存在的一次亮相，這眞是一件令人愉快令人激動的事。

在當時詩壇上，郭沫若的詩是火山爆發般的噴湧而出，徐志摩的詩是濃的化不開的纏綿悱惻，聞一多的詩是帶著鐐銬跳舞，在特設的空間中構織著精巧的藝術世界，而朱自清的詩對感情的抒發，則是重質樸清新，眞摯自然，因而設色清淡，力度柔和，既不特示幽深，也不故作狂放，彷彿毫不經意地隨手寫出，卻顯得蘊藉而雋永，有一種內在的淳厚美。這種風貌是由他的生活和性格決定的。不過，也正是由於這一點，局限了他的詩達到更高的境界。朱自清是新文學初期詩壇上一位優秀的、有獨特風格的詩人，但尚未步入大家巨匠的行列。

也許正是覺察了這一點，朱自清最終放棄了在詩歌上的進一步努力。他後來說：「近幾年詩情枯竭，擱筆已久。前年一個朋友看了我偶然寫下的《戰爭》，說我不能做抒情詩，只能做史詩；這其實就是說我不能做詩。我自己也有些覺得如此，便越發懶怠起來。」㉗

在白馬湖，安定的日子沒有多久，學校突然發生變故。

嚴冬的一個早晨，學生黃源在出早操時戴了頂黑色的紹興氈帽，體育教師說不成體統，勒令除去，黃源不肯，師生發生爭執。事後學校行政當局堅持要處分黃源，訓育主任匡互生力爭無效，憤而辭職，離校返滬。此事激怒了學生，於是學生全體罷課，以示抗議。學校當局則立即開除了爲首的二十八名學生，並宣布提前放假。此舉引起教師的公憤，結果教員集體辭職。夏丏尊專任寧波四中教務，豐子愷、朱光潛、劉熏宇、劉叔琴、方光燾等人先後離開白馬湖去上海，黃源等一批學生也尾隨而去。在上海，匡互生按照自己對教育的設想，在上海文化教育界人士茅盾、葉聖陶、鄭振鐸、周予同等人的支持下，創辦了立達中學，後又改爲立達學園。爲了給立達籌款，豐子愷賣掉了在白馬湖辛苦經營起來的小楊柳屋。在立達周圍，團結了一群文化教育界的中堅分子，爲中國的中學教育界培養了一大批骨幹力量。

校方的堅留，加上剛剛安下家，嚴冬之際實在無力再作搬遷，朱自清沒有離開春暉。不過，朱自清支持辭職的教員，並盡力幫助他們在上海創辦立達中學，同他們保持著密切的聯繫。

大批知心朋友的離去，頓時使他感到興味索然和難言的寂寞，風潮的失敗，更使他感到從事教育事業的艱難。儘管有許多改革教育的設想，但常常受制於校方而無法實施，結果「徒受氣而不能收實益」㉘。五年來的教書生涯，總不免爲稻粱謀，豐富多彩的生活變得單調乏味，對於這種日子，朱自清眞感到膩了。他決定，挨到夏天，無論如何要走。爲此他托上海的葉聖陶幫忙，看看是否能進商務印書館工作，又托在北京的俞平伯幫他留意有沒有合適的工作。

寂寞終於被打破了。

一九二五年五月，上海發生了一件震撼全國的事件。這個月的十五日，日本帝國主義者向上海日本紗廠的中國罷工工人開槍射去，打死工人領袖顧正紅，打傷十多名工人。三十日上海兩千餘名學生聲援罷工工人，抗議帝國主義暴行，在公共租界遊行示威，又遭英祖界巡捕槍殺，死傷數十人，造成震驚全國的「五卅慘案」。

「五卅慘案」爆發時，朱自清正隱居白馬湖家中給孫福熙的旅法遊記《山野掇拾》寫書評，直到六月一日寫完回到學校，才得悉此事。儘管朱自清遠離上海，但他彷彿感覺到同胞們的鮮血紅殷殷、滾滾燙，像熔爐裡的鐵在眼前流動。他義憤填膺，儘管他不打算寫詩，但眼前的事卻使他無法沉默，他揮筆寫下了《血歌》，號召中國人民奮起反抗，向帝國主義者討還血債。鏗鏘短促的詩句和慷慨憤激的意氣，交織成一派金鼓齊鳴的殺伐之聲。

寫下這首詩，朱自清意猶未盡，無限的悲憤仍鬱積在胸中，於是他又寫下了《給死者》。詩中唱道：

你們的血染紅了馬路；
你們的血染紅了人心！
日月將爲你們而躲藏！
雲霧將爲你們而瀰漫！
風必不息地狂吹；
雨必不息地降下！
黃埔江將永遠地掀騰！
電線桿將永遠地抖顫！
上海市將爲你們而地震！
你們看全國的哀號！
你們看全國的喪服！
你們看全國顏面的沉默！
花將爲你們失色，
鳥將爲你們失音；
酒將不復在我們口中！

笑將不復在我們唇上！
仇敵呀！仇敵呀！——
來，來，來，
我們將與他沉淪！
我們都將與他沉淪！

由帝國主義者屠殺中國人民的殘暴行徑，朱自清回想起自鴉片戰爭以來中國人民所遭受的一次次災難，回想起五四時代中國學生爲反對帝國主義瓜分中國的陰謀所掀起的愛國運動，回想起自己所經歷的一件往事。

去年暑假在上海，朱自清在電車上看見一個長相秀美的西洋兒童，出於喜愛，朱自清不免對他多看了幾眼。誰知這小洋人在下車前「突然將臉盡力地伸過來了，兩隻藍眼睛大大地睜著，那好看的睫毛已看不見了；兩頰的紅也褪了不少了。和平，秀美的臉一變而爲粗俗，凶惡的臉了！」敏感的朱自清立刻讀出了他眼中的話：「咄！黃種人，黃種的支那人，你——你看吧！你配看我！」㉙

小洋人的傲慢深深刺傷了朱自清，他感到一種沉重的壓迫，一種被呑食的危險。儘管他還是個孩子，卻在父母、親長、老師、學校、同種的耳濡目染下，「懂得憑著人種的優勢和國家的強力，伸著臉襲擊我了。這一次襲擊實是許多次襲擊的小影，他的臉上便縮印著一部中國的外交史。」㉚儘管這只不過是個人遇到的一件小事，但在性質上卻同「五卅慘案」沒有區別，一次是眼光的槍彈，一次是鉛的槍彈，受害的都是中國人。爲了控訴帝國主義的罪行，鼓勵國人的自尊自強，向帝國主義還血債，朱自清寫下了《白種人——上帝的驕子》一文。

寂寞的日子終於熬到頭了。八月間，經俞平伯推荐，北京清華學校聘請朱自清擔任剛剛設立的大學部教授。朱自清接受了聘請，並於八月間隻身北上。

從此，朱自清告別了持續五年的中學教員生涯，告別了江南的青山綠水，開始了一輩子服務於清華，服務於大學教育的生活。

【附　註】

①陳天倫：《敬悼朱自清師》，《東南日報》一九四八年九月廿三日。
②馬星野：《我與朱自清先生》。載《朱自清先生》，臺北智燕出版社一九七八年四月版。
③浦江清：《朱自清先生傳略》，《文學雜誌》第三卷第五期，一八四八年十月。
④朱自清：《寄懷平伯北平》。
⑤清・潘耒：《遊仙岩記》。
⑥見張如元《朱自清先生在溫州》，《浙江學刊》一九八四年第六期。
⑦見張如元《朱自清先生在溫州》，《浙江學刊》一九八四年第六期。
⑧朱自清：《生命的價格——七毛錢》。

⑨ 見張如元《朱自清先生在溫州》，《浙江學刊》一九八四年第六期。
⑩ 朱自清：《別後》。
⑪ 朱自清語。見俞平伯《憶白馬湖寧波舊遊》，《文學雜誌》第三卷第五期，一九四八年十月。
⑫ 鄧中夏：《貢獻於新詩人之前》，《中國青年》一九二三年第十二月號。
⑬ 朱自清：《贈A・S・》。
⑭ 朱自清：《剎那》。
⑮ 朱自清：《團體生活》。
⑯ 朱自清：《春暉的一月》。
⑰ 朱自清：《教育的信仰》。
⑱ 朱自清：《一九二四年十月二日致馬公愚》。
⑲ 朱自清：《春暉的一月》。
⑳ 俞平伯：《朱佩弦兄遺念——甲子年遊寧波日記》。《論語》第一六一期，一九四八年九月十六日。
㉑ 朱自清：《白馬湖》。
㉒ 朱光潛：《豐子愷先生的人品與畫品——爲嘉定子愷畫展作》，《中學生戰時月刊》第六六期，一九四三年八月。
㉓ 夏丏尊：《白馬讀書錄》。
㉔ 朱自清：《〈子愷漫畫〉代序》。

㉕ 朱自清：《〈子愷漫畫〉代序》。
㉖ 朱光潛：《敬悼朱佩弦先生》，《文學雜誌》第三卷第五期，一九四八年十月。
㉗ 朱自清：《〈背影〉序》。
㉘ 朱自清：《一九二五年三月二日致俞平伯》。
㉙㉚ 朱自清：《白種人——上帝的驕子》。

第五章　水木清華（上）

——彷徨與執著

一

北京西直門外，有一條漫長的馬路，蜿蜒向北而去。沿途道上，清道夫一鏟一鏟地撒著黃土，一勺一勺地潑著清水。路的兩旁鋪著石頭，專門用來給馬車行走。盛夏的太陽照著這條無遮無擋的路，行人不多一會便會燥出一身汗。

漸漸地，路旁出現了高大的官柳，柳樹越來越密，形成兩行夾道的綠蔭。柳外清溪一曲，水聲潺潺，人行至此，如入清涼世界，暑熱全消。穿過一個小鄉鎮海甸，不遠是一座小石橋，過石橋往左轉到頤和園，往右轉經過圓明園遺址，便是清華園。迎面一座氣勢不凡的西式大門，門上嵌著清代大學士那桐題的三個大字——清華園。門前小橋流水，門內左邊一株老松，狀如華蓋，斜欹有態。

清華學校便座落在這裡。

清華園原是滿清皇族某親王消夏避暑的花園。一九〇七年底，美國總統老羅斯福提出，退還九年前八國聯軍侵華所勒索的戰爭賠款——庚子賠款美國所得款項的餘額，用以在中國辦學，派遣中國學生赴美留學。一九〇九年，滿清政府設立遊美學務處，作爲派遣留美學生的主管部門，並撥清華園爲學務處所屬肄業館的館址，後學務處改肄業館爲清華學堂，作爲正規的留美預備學校。一九一一年四月底清華學堂正式開學，從此開始了清華幾十年的歷史。辛亥革命後，學堂改爲學校。由於清華有著優美的校園，第一流的教學設施，圖書儀器設備和充足的經費，因而在渡過最初幾年創辦階段．逐步走上正軌之後，學校當局便不再滿足於中等學校的規模和程度，產生了創辦大學的設想。經過近十年的籌備，到二十年代中期，條件逐步成熟。

這時，中國文化教育有了較大發展，全國中小學校及其學生人數有了成倍的增長，程度也迅速提高，全國大學也從一九一二年的四所，二千餘學生發展到四十七所、二萬餘學生。隨著文化教育的發展，國內掀起收回教育權、爭取教育自主、學術獨立的運動，認爲培養大學本科生「無須求諸外國」。而一批返校任教的清華留美學生眼見物質條件不如自己的北京大學在蔡元培校長的領導下辦得虎虎有生氣，學生質量、學術水平都較高，對清華的落後狀況深悉不滿，亟思改革。而且從學校的前途著想，爲了防止庚款用完後學校出現難以爲繼的局面，也只有節省經費、積儲基金，自辦永久性大學。

在學校和社會一批熱心之士的推動下，一九二五年五月，清華學校增設大學部和研究院（國學門），並招收學生。一九二六年，大學部又改爲四年學制，並設立了國文學系等十七個系，開始形成了清華大學的初步基礎。

一九二五年八月，朱自清把母親，妻子和邁先、采芷、逖先以及五月底剛出世的老四閏生留在白馬湖，隻身來到清華。大學部尚在草創階段，一切均較簡單，朱自清給大學普通部學生講授國文，給舊制部學生講授李杜詩，課務不是很重，日子過得倒也清閑自在。

在清華，朱自清住在中文部教員宿舍古月堂六號。這是一座式樣古老的四合院，環境相當清靜。古月堂的旁邊，便是最初遊美學務處肄業館址——工字廳。

工字廳階高堂廣，回廊環抱，粉牆朱閣，氣象高華。廳前雄踞石獅兩座，威風凜凜。廳內山石錯落，花木蔥蘢。廳後有漢白玉露台，臨台橫臥著一個腰形的池塘，水自玉泉山引入，清澈可鑑。環池數圍楊柳，枝葉紛披，隨風飄拂。池後一脈土山，樹木蒼翠，亭閣翼然。憑欄小立，荷葉田田，蓮香陣陣。人在水色花光采風樹影之中，恍入仙境。回首廳後門額，高懸一匾，榜書「水木清華」四個大字。匾下的朱紅廊柱上，掛著一副清代大學士殷兆鏞所書的長聯：

檻外山光歷春夏秋冬萬千
變化都非凡境；
窗中雲影任東西南北去來
澹蕩洵是仙居。

朱自清初來乍到，人地兩生，上課之外便無處可去，他便徜徉於工字廳和校園內外，只是觸目所及，總令他想起江南的青山秀水。工字廳的四周有十幾株高大的海棠樹，枝條紛披，遙想開花時節花團錦簇、雲霧菲菲的景象，頗似台州那蒼老虬勁而又婉轉婀娜的紫藤，又似白馬湖丏尊家的紫薇。工字廳前雜木林中的數十株丹楓在江南較少見到，它那在秋風中抖動著的紅葉於夕陽殘照中顯出蒼勁蕭瑟的風姿，令朱自清不時領略到「紅葉寄相思」「秋風催人歸」的意境。

「西風衰柳斜陽影，簾卷重門靜。澹雲遠水隔煙嵐，遙望群山盡處是江南。」①觸目所及的種種景色，總使朱自清想起那遙遠的南方，記掛在那裡生活的親人、朋友，留戀在那裡度過的難忘時光。思鄉之情沛然於心，一發而不可已。

秋日的一個下午，朱自清獨居無聊，一個人進城逛了一圈，返校時在海甸下了汽車。信步走進仁和酒店，他揀了張臨街的方桌，要了一碟苜蓿肉，兩張家常餅和二兩此地聞名的茵陳酒蓮花白，自斟自飲起來。幾杯酒下肚，往事一幕幕襲上心頭。自離開腳下的這座古城後，便馬不停蹄地在江浙一帶奔波，前後換了七個學校，如今又回到了這座古城，然而時光卻已流過了五年。五年的轉徙徬徨、風塵漂泊，五年的甜酸苦辣、歡樂煩惱，都留在了那令人魂夢縈繞的南方。酒入愁腸，不知不覺，朱自清信口吟出一首小詩：

我的南方，
我的南方，
那兒是山鄉水鄉！

那兒是醉鄉夢鄉！
五年來的徬徨，
羽毛般的飛揚！
……………

五年的生活五年夢，都羽毛般的飄散了，然而，朱自清的心依然還繫著南方，繫著他曾經流下汗水留下腳蹤的地方。西子湖的冷月，吳淞口的波浪，台州小城的悠悠晚鐘、陣陣松濤，梅雨潭的漫天飛瀑、靜靜綠波，白馬湖疏落有致的綠柳紅桃、呑青吐綠的山色湖光，使人流連，而海闊天空的飲酒聊天，面紅耳赤的爭論切磋，廢寢忘食的組稿編刊，甚至糾纏不休的煩惱，也都那麼難以忘懷。最叫朱自清難割難捨的是，這世界上最親近的幾個人，父親、母親、妻子和幾個孩子，都還住在那遙遠的南方。幾年來，自己東奔西跑、常常把鍾謙和孩子扔在家裡，讓她瘦削的肩膀去獨自支撐家庭的重擔。直到現在，這種局面依然沒有改變，遙想妻子所承受的孤立無助的痛苦和排遣不去的離情別怨，朱自清就會泛起一種難以自己的歉疚和思念。「煙塵千里愁何極，鎮日無消息。可憐弱絮不禁風，幾度拋家傍路各西東。一身匏系長安道，歸思空縈繞。夢魂應不隔關山，卻又衾寒燈灺漏聲殘。」②繾綣不盡的柔情，絲絲縷縷融入夢中，隨風送到江南。

前幾天，接到父親一封信。信中說：「我身體平安，惟膀子疼痛利害，舉箸提筆，諸多不便，大約大去之期不遠矣。」兩年不見，父親的身體竟這麼不好嗎，難道一輩子辛苦操勞，爲全家衣食耗盡畢生精力的父親眞要撒手西去了嗎？讀著信，朱自清不禁淚如泉湧，在晶瑩的淚光中，父親那肥胖的青布棉袍，黑布馬褂的背影，又浮現在眼前……

小時候，父親常年在外做事，在家的時候不多。即使和父親一道生活，他也總忙於公務，難得陪孩子們玩。不過父親是深愛孩子們的。冬天的晚上，堂屋裡陰冷陰冷，父親經常和幾個孩子架起煤油爐煮白水豆腐吃。他們三個圍坐在桌子旁，眼巴巴地坐著熱騰騰的小洋鍋裡翻滾起一個個魚眼睛般的水泡和又嫩又滑的白白的豆腐。孩子們還小，自己夠起來太吃力，父親便站起來，微微仰著臉，顫著眼睛，從氤氳的熱氣裡挾起豆腐，一一放進他們面前的醬油碟子裡。如今想起這事，朱自清彷彿還能聞到那股誘人的豆腐香味，彷彿還能感覺到豆腐滑進喉嚨後全身漾起的陣陣暖意。

朱自清長大以後，家境逐漸敗落，這種樂融融的氣氛就難得見到了，但父親對他們的愛則一如既往。剛進大學本科的那年冬天，祖母病故，朱自清回家奔喪，先到徐州同父親會合。那時父親榷運局長的差事正好剛剛交卸。走進父親的任所，見到院子裡狼藉的東西，想到撒手而去的祖母，朱自清不禁傷心淚下，回家後，父親變賣典質，還不虧空，又借錢辦了喪事。那些日子，家裡失去歡樂，慘淡得很。

喪事完畢，朱自清回北京念書，父親去南謀事，兩人同行。在南京，父親爲了送他，先是嘮嘮叨叨地叮囑茶房、囉囉嗦嗦地跟腳夫講價錢，到了車站，又堅持去買橘子。「他戴著黑布小帽，穿著黑布大馬褂，深青布棉袍，蹣跚地走到鐵道邊，慢慢探身下去，尙不大難。

可是他穿過鐵道，要爬上那邊月台，就不容易了。他用兩手攀著上面，兩腳再向上縮；他肥胖的身子向左微傾，顯出努力的樣子。」③望著父親的背影，朱自清心中一熱，眼淚不由自主地流了下來。

由於老境頹唐，父親常常觸目傷懷，情難自已，脾氣變得十分暴躁，常為一點家庭瑣事而動怒，對朱自清也不如以往。記得那年回揚州八中任教導主任，父親本來十分得意，認為兒子替他在家鄉父老面前掙了面子。可很快，朱自清便憤而辭職，並瞞著家人去了上海。父親為此大發雷霆，覺得兒子不顧他的老面子，而且如此輕率地扔掉相當不錯的飯碗，也太不顧家。盛怒之下，他把媳婦鍾謙連同孫子一起趕回了她的娘家。另外，小說《笑的歷史》的事也讓父親不快。小說以鍾謙的生活為原型，描寫了舊家庭對人性的壓抑和扭曲。儘管這只是一篇小說，並非紀實作品，儘管小說在《小說月報》上發表後，頗受好評，但父親總覺得朱自清違背了「家醜不可外揚」的古訓，讓他老臉十分難堪。

自從前年暑假回家省親後，朱自清常年在外奔波，已有兩年沒有見到父親了。「最近兩年的不見，他終於忘卻我的不好，只是惦記著我，惦記著我的兒子。」④如今又接到父親這樣的信，怎不叫自清淚如泉湧呢……

含著眼淚，朱自清拿起筆，寫下了對父親深切地思念，文章起名為《背影》。

一九二八年冬，散文集《背影》出版後，朱自清把書寄回揚州。國華從郵差手中接過書，奔上樓，送到父親手中。父親戴上老花眼鏡，仔細讀起了這篇散文。讀著讀著，老人神采飛動，露出了欣慰的笑容。

《背影》發表後，很快以它感人至深的力量贏得了人們的交口讚譽，並作爲範文收入了中學語文課本。在中學生的心目中，《背影》和朱自清已成爲不可分割的一個整體，一提到朱自清便不能不想到他的《背影》。《背影》是朱自清的代表作，也是五四新文學中的一顆晶瑩的明珠。

二

一九二六年，北方的冬天遲遲不肯離去，三月的北京依然是一片灰色的世界。北風在大街小巷裡肆虐，揚起陣陣塵土風沙，發出尖銳的哨音。往來的行人裹緊頭臉，匆匆而過，只有光禿禿的樹木，默默承受著北風的鞭打，頑強地挺立著。黝黑如鐵的枝幹，戟指著灰濛濛的天幕，如同一片憤怒的手臂。

進入三月以來，北京局勢不穩。公共場所及大學所在地區，翠花胡同和南花園國民黨市黨部、東交民巷蘇聯公使館前後，布滿了頭戴黑呢禮帽、身穿黑布大褂、鼻架墨鏡的密探。奉系軍閥張作霖在日本帝國主義的支持下進兵入關後，對馮玉祥管轄的京津虎視眈眈。馮玉祥的國民軍爲防止奉系軍艦的襲擊，封鎖了天津大沽口。日本帝國主義爲了維護其在華利益，公然出兵干涉，於十二日出動兩艘軍艦掩護數艘奉艦闖入大沽口，炮擊國民軍。國民軍奮起反擊，擊退了日艦。

大沽口事件後，日本帝國主義藉口國民軍違背《辛丑條約》，糾集英、美、法等八國公使於十六日向中國段祺瑞臨時執政府提出最後通牒，蠻橫要求在天津和大沽口之間撤除軍事防務，並限四十八小時內答覆，否則武力解決。段祺瑞執政府屈服於帝國主義的壓力，準備接受八國公使提出的屈辱條件。

帝國主義的強盜行徑，激起了北京人民的極大憤慨。十七日，北京學生總會，總工會，中國國民黨特別市黨部等二百多個團體的代表分別到段祺瑞政府和外交部請願，結果遭到衛兵毆打，輕、重傷數十人，造成嚴重流血事件。

三月十八日上午十時，北大、清華、師大、燕京等八十多所學校的學生，和北京總工會、北京學生總會、國民黨北京市黨部等一百四十多個團體的成員共約五千人，在天安門召開「反對八國通牒國民示威大會」。大會主席台前懸掛著「駁覆列強最後通牒！」「廢除辛丑條約！」「撤退外國軍艦！」等口號和前一天受傷代表的血衣。大會主席團主席徐謙主持了會議，顧孟余等人發表了演說，並報告了昨日向執政府和外交部交涉經過和執政府衛隊打傷代表的情形。最後，大家通過了國民大會致公使書及反對最後通牒、反對八國進攻中國、宣布辛丑條約無效、支持國民軍反對帝國主義等八項決議。

會後，兩千多名學生、工人和市民進行了示威遊行。他們一路散發傳單、標語，高喊「打倒帝國主義」「嚴正駁覆最後通牒」等口號，來到了鐵獅子胡同執政府國務院門前。朱自清和清華的師生也在這支遊行示威的隊伍中。

清華學校的隊伍在後面，當他們來到執政府門前時，場上早已擠滿了學生。執政府鐵柵緊閉，門前同學生對峙的是兩三百名衛兵，分三隊站著。列在西邊的身背德國式手槍和大刀，東邊和中間大門口的則握著步槍。鮮紅的領章泛著血色。上面「府衛」兩個黃銅字赫然在目。他們若無其事地悠閑地站著，彷彿什麼事也沒有一樣。執政府內正面樓上的欄杆裡，擠滿了人，好像在看熱鬧。可善良的人們再也沒有想到，這裡竟包藏著一個絕大的陰謀。

學生選出五名代表進入國務院交涉，但政府要人早已躲避。鬥志高昂的學生便準備前往吉兆胡同的段祺瑞住宅去請願，隊伍紛紛散開準備出發。剎那間，一聲警笛，執政府門樓連響三聲信號槍，一場蓄謀的大屠殺開始了。

衛隊軍官口吹警笛，手舞指揮刀，指揮著大門口和東西轅門的士兵專朝人多處開槍。一聲警笛，一排槍聲，警笛一聲接一聲，槍聲一陣緊一陣。頓時場中許多學生中彈倒地，血肉橫飛。未中彈的學生四散奔逃從東西兩柵門向外撤退，西門附近密布的三層衛兵則對準人群用排搶掃射，東門的衛兵也揮舞有楞的大棒向逃出的學生迎頭猛擊，從吉兆胡同趕來的手槍隊又從街上向胡同裡射擊，東西兩門口屍體枕藉，慘不忍睹。而執政府樓上的人則在手舞足蹈，開心地欣賞著這一人間奇觀。

槍響時，朱自清距離衛兵只有二十幾步遠。他見別人趴倒在地，也趕緊了下來，隨即他身上又趴上了人，就在這時，霹霹叭叭的槍聲響了起來。善良的朱自清還以爲是嚇唬人的空槍呢（他已忘了看見衛兵裝子彈的事）。但沒一會，鮮血滴滴嗒嗒地流到了他的手背上、馬掛上。

槍聲稍歇時，朱自清趕緊爬起來隨衆人往外奔跑。來到東門，只見門口地上屍體縱橫交疊，擁塞得幾乎水洩不通。好不容易朱自清掙扎著逃出了東門，又在一位路人的指點下躲過了衛隊的搶劫，才算脫離危險。

慘案發生後，段祺瑞爲推卸責任，掩蓋罪行，製造僞證，散布謠言，慌說軍警係出於「正當防衛」，誣陷徐謙、李大釗等人「假借共產學說，嘯聚群衆，屢造事端，率領暴徒數百人，闖襲國務院，潑灌火油，拋擲炸彈，手槍木棍，叢擊軍警」⑤等，下令通緝共產黨首領李大釗和國民黨首領徐謙、顧孟余等人。一些反動文人也爲虎作倀，污蔑群衆是「受人利用」，「自蹈死地」，爲反動政府開脫罪責。

然而，墨寫的謊言，決掩不住血寫的事實。慘案發生後，正義的人們紛紛撰文揭露抨擊段祺瑞執政府的罪惡行徑。魯迅連續發表《無花的薔薇》、《死地》、《可慘與可笑》、《紀念劉和珍君》、《空談》等文，憤怒譴責軍閥政府的暴行和幫閑文人的無恥謊言。陳翰笙的《三月十八日慘案目擊記》和張梓生的《三月十八日國務院前之大慘殺事件》都以親歷者的身份寫下了詳實的目擊記。

朱自清對這伙鬼域的無恥行徑十分憤怒，在慘案發生後的第五天，寫下了《執政府大屠殺記》一文，用自己的親身經歷，來揭穿反動政府的謊言，控訴段祺瑞一伙屠殺愛國群衆的滔天罪行。在詳實的寫出了他自己所經歷的慘案過程之後，朱自清憤怒的寫道：

這回的屠殺，死傷之多，過於五卅事件，而且是「同胞的槍彈」，我們將何以間執別人之口！而且在首都的堂堂執政府之前，光天化日之下，屠殺之不足，繼之以搶劫，剝屍，這種種獸行，段祺瑞等固可行之而不恤，但我們國民有此無臉的政府，又何以自容於世界！——這正是世界的恥辱呀！

這次大屠殺，當場打死二十六人，後在醫院又死亡二十一人、打傷二百多人。女師大學生劉和珍、楊德群和師大學生范士融當場犧牲。清華韋杰三、何一公等二十多位同學受傷。大一學生韋杰三腹部連中四彈，同學們把他送到協和醫院搶救，終因傷勢過重，於二十一日晨逝世。在昏迷中，韋杰三怒罵「段賊獸心，何爲以我爲犧牲耶！」臨死時，他對大家說：「我心甚安，可是，中國要快強起來呀！」死時年僅二十一歲。三月二十二日，清華全體同學進城迎柩，從協和醫院步行護靈回校，沿途同學們舉著「殺盡國賊」等白布旗幟，進行了一次抬棺遊行。爲了永遠記住「三一八」這一天，清華同學特地從圓明園搬來一根斷石柱，在工字廳後，池塘北面的土山之陰爲韋杰三烈士立了一個紀念碑。

朱自清和韋杰三接觸不多，但他們是相熟的。韋杰三剛進校時，便來拜訪朱自清。幾天後，國文課分班時，他被分在古文家錢基博先生的班上。朱先生勸他留在錢先生的班上，安心讀書，他順從地答應了，但他總以未能轉班而感到遺憾。

三月十八日的上午，在天安門下電車時，他和平時一樣，微笑著向朱先生點頭，可誰知道這竟是朱自清見他的最後一面呢！「他的微笑顯示他純潔的心，告訴人，他願意親近一切；

我是不會忘記的。還有他的靜默，我也不會忘記。……他的靜默裡含有鬱郁，悲苦，堅忍，溫雅等等，是最足以引人深長之思和切至之情的。」⑥可就這樣一個可愛的青年，竟倒在了軍閥政府罪惡的槍彈之下。

同年年底，在「三·一八」慘案中受傷的另一名學生何一公，又因傷口復發，醫治無效而逝世。何一公是浙江溫州人，曾在溫州十中讀書，二五年朱自清一到校，何一公便來看望他，是朱自清來清華認識的第一個學生。何一公是清華學生評議會主席，《清華周刊》總編輯，戲劇社社長。他能言善辯，愛好戲劇，曾經寫過幾本劇本，並且排出來在校內演出，同學們都戲稱他是「沙士比亞」。他也有志於政治，「凡愛國運動，靡不參與。」何一公病時，朱自清幾次要去看他，然而當終於見到他時，卻已經是遺容了。一個活潑的少年，一個對將來有著宏大的計劃的人，就這樣被劊子手奪去了生命，連一句遺言都沒有留下。朱自清心情黯然，深感「人間哀樂，眞不可測」。

長歌當哭，是必須在痛完之後的。朱自清把對反對政府殘暴罪行的痛恨，化作對烈士的深情委婉的哀思，寫下了《哀韋杰三君》和《悼何一公君》兩篇悼念文章。

嗚呼，逝者已矣！苟活者在淡紅的血色中，會依稀看見微茫的希望；眞的猛士，將更奮然而前行。

三

在一個人冷冷清清地苦捱了一年半之後，一九二七年一月，朱自清終於決定結束兩地分居的生活，回白馬湖遷家北上。可四個孩子放在身邊又實在無法照顧，只好將老大邁先和老三逖先由祖母帶回揚州老家。自己帶老二采芷和老四閏生回北京，搬進了清華園西院教員宿舍。

儘管是一個不完整的家，但家庭的初步安定，畢竟給朱自清心理上很大的安慰，生活也開始走上正軌。這時，清華學校大學部經過一年的試辦，於二六年秋天正式定爲四年本科學制，並建立了國文系等十七個系。分系後，作爲國文系教授，朱自清不僅需要教大一國文，而且必須給本系學生開課。於是，從這時起，朱自清在繼續從事文學創作的同時，把主要精力投入了古典文學的教學與研究。

中國古典文學對朱自清來說是個相對陌生的領域。大學本科三年，讀的是哲學專業，文學，特別是古典文學接觸甚少，憑著少年時代打下的國學根基和中學五年從事國文教學的經驗，要想混日子倒也足夠，但要想勝任國文系的教學，做一個稱職的教授，也不那麼容易。朱自清決心一切從頭開始。

爲了暑假後給本系學生開「古今詩選」課，朱自清在認眞鑽研古典詩詞的同時，開始學習詩詞的寫作。在本系的教師中，黃節（晦聞）先生儘管思想陳舊，在五四時期曾竭力反對新文化運動，但他學問淵博，在古詩、特別是宋詩方面造詣很深。於是他以晚輩的謙謹，拜黃晦聞先生爲師，將他擬漢魏六朝時期的「古詩十九首」以及陶淵明、謝靈運、王粲、曹植等名家名作的三十八首五言古詩，呈黃先生教正。對於朱自清的「詩課」，黃先生予以充分肯定，說「逐句換字，自是擬古正格」。朱自清的好友俞平伯工於塡詞，於是朱自清常同他切磋，將自己所塡之詞請他過目，並校改潤色。

浩如煙海的古典詩詞在朱自清面前展現了一個新的世界，不過，大革命以來國內政局的風雲變幻、波詭雲譎，無法使朱自清一頭栽進書本而不問世事。四月十二日，北伐軍總司令蔣介石與原來的親密戰友共產黨翻臉成仇。武漢的國民政府繼續北伐，六月初與馮玉祥率領的國民軍在河南會師。可沒過多久，武漢的政治形勢也變得撲朔迷離，七月十五日，汪精衛正式宣布與共產黨分手。於是，寧漢合流，國民黨進行大規模「清黨」，南方陷入一片混亂和黑暗之中。

對政治始終保持距離的朱自清，身處張作霖統治下的北京城，對如火如荼的工農運動缺乏切身感受，對共產黨和國民黨各自的政治主張，對兩黨之間的矛盾也不很清楚，但他和大多數中國人一樣，飽受軍閥荼毒之苦，熱切盼望革命軍能徹底消滅軍閥勢力，使老百姓過上安定富裕的日子，使國家從此走上光明昌盛的道路，可誰知事與願違。昔日在北大讀書時的兩位師長陳獨秀和李大釗，分別在上海和北京被捕被殺，報紙上不時出現這裡某人失蹤、那裡槍決共黨的報導。每當讀到這些令人心驚肉跳的消息，朱自清總要情不自禁地想起南方，那曾經輾轉奔波了五年的南方，那許多親朋好友居住生活的南方。朱自清實在爲南方的朋友們擔心。那瘦削而精力旺盛、熱烈得像一團火的鄧中夏怎麼樣了，自一二三年南京一別，已有

三、四個年頭了；那英挺魁武、沉毅得如一塊石頭的楊賢江怎樣了，他還在忙著編《學生雜誌》嗎？身處是非之地上海的茅盾、鄭振鐸、葉聖陶、夏丏尊、豐子愷、周予同、劉叔琴、劉熏宇、劉大白等老朋友該不會出事吧？記得今年一月從白馬湖搬家攜眷路過上海的時候，還和他們一起聊天的呢。那時大家意氣風發，準備爲中國的文化教育事業，切切實實地幹一番。可誰知剛過半年，局勢便會發生那麼大的動蕩。

學校放了假，校園裡靜悄悄的，可朱自清怎麼也安定不下來，心裡亂得像一團麻，他用自己的話說，就像無邊大海上的一葉扁舟，無盡森林裡的一個獵人。他努力掙扎著，想要明白些什麼，但什麼也不明白。

一天晚上，圓圓的月亮高高掛在天上，西院牆外馬路上的孩子們的喧嚷早已聽不見了，妻子在屋裡低低地哼著催眠曲，哄孩子睡覺。朱自清懷著滿腔無可名狀的煩亂心緒，信步朝家不遠的荷塘走去。

四周靜極了，只有腳步踏在煤渣路上發出輕微的沙沙聲。荷塘的四周，長著許多樹，蓊蓊鬱鬱的，高處叢生的灌木，在月光下顯出參差的斑駁的黑影。塘邊亭亭的柳樹，把它們稀疏的倩影，投在密密的荷葉上，如同畫上去的一般。樹上的知了和水裡的青蛙互相應和著，發出歡快的鳴唱。在這無邊的月色下，在這大自然的天籟中，朱自清彷彿來到了另一個天地。在這裡，什麼都可以想，什麼都可以不想，一切在白天叫人心煩意亂的東西都隱沒了，一切在白天要做的事、一定要說的話也可以不去理會了。朱自清頓時感到一種解脫的輕鬆和歡欣，月色中的荷塘頓時展現出迷人的魅力：

曲曲折折的荷塘上面，彌望的是田田的葉子。葉子出水很高，像亭亭舞女的裙。層層的葉子中間，零星的點綴著些白花，有裊娜地開著的，有羞澀地打著朵兒的；正如一粒粒的明珠，又如碧天裡的星星，又如剛出浴的美人。微風過處，送來縷縷清香，彷彿遠處高樓上渺茫的歌聲似的。這時候葉子與花也有一絲的顫動，像閃電般，霎時傳過荷塘的那邊去了。葉子本是肩併肩密密地挨著，這便宛然有了一凝碧的波痕。葉子底下是脈脈的流水，遮住了，不能見一些顏色；而葉子卻更見風致了。

月光如流水一般，靜靜地瀉在這一片葉子和花上。薄薄的青霧浮起在荷塘裡。葉子和花彷彿在牛乳中洗過一樣；又像籠著輕紗的夢。雖然是滿月，天上卻有一層淡淡的雲，所以不能朗照；……塘中的月色並不均勻；但光與影有著和諧的旋律，如梵婀玲上奏著的名曲。⑦

沉浸在此情此景當中，朱自清不由想起江南采蓮的舊俗。少女們蕩著小船，唱著艷歌，一路歡笑，一路嘻鬧。梁元帝在《采蓮賦》中說：「於是妖童媛女，蕩舟心許；鷁首徐回，兼傳羽杯；櫂將移而藻掛，船欲動而萍開。爾其纖腰束素，遷延顧步；夏始春餘，葉嫩花初，恐沾裳而淺笑，畏傾船而斂裾。」這場面是何等風流，何等熱鬧，何等令人神往。忽然，朱自清意識到，采蓮的快樂是屬於古人的，如今的江南是不可能見到這樣的光景了；眼前荷塘的熱鬧則是屬於樹上的蟬與水裡的蛙的，自己什麼也沒有。屬於他的，只能是剪不斷、理還亂、無窮無盡、揮之不去的一腔愁緒。

夜深了，回到家時，妻子已睡熟了。朱自清卻毫無睡意，他坐到書桌前。今晚的所見所聞、所思所感緩緩地從筆下流了出來，一篇題名為《荷塘月色》的散文誕生了。

《荷塘月色》發表後，受到人們的讚譽和喜愛。人們欣賞朱自清驅使文字，描情狀物的能力，沉浸在作者所創造的令人難忘的意境中。不過明眼人仍能看出融在作品中的那股無法排遣的煩悶。

沒有經過一九二七年那一段歷史的人，很難體驗到當時的大起大落、瞬息萬變的政治風雲帶來的巨大心靈衝擊。北伐軍與北洋軍，共產黨與國民黨，國民黨的武漢政府與南京政府，革命與反革命，眞革命與僞革命，孫中山的三民主義與共產黨的共產主義，各派政治力量，各種政治主張，在中國的政治舞台上輪番上演。戰士與小丑，鮮花與鮮血，慷慨激昂與插科打渾，信誓旦旦的許諾與銀貨兩訖的交易，競相登台。悲劇、正劇、喜劇、鬧劇此起彼伏，變換不完。血肉與槍彈齊飛，笑臉共陰謀一色。這一切，實在令人眼花撩亂、撲朔迷離。

對這齣有聲有色的大活劇，各種社會成員表現了不同的態度。有的隸屬於某種政治派別，他們只努力扮演在劇中的角色，幾乎沒有閑暇來「看戲」；有的懵懵懂懂，對身外之事無心也無力過問，他們不僅不會「看戲」實際上也看不懂「戲」；最難受的是那些暫時不在劇中扮演角色，充當觀衆，而又能看懂劇情，知道劇情的發展變化會給自己帶來深刻影響卻又無力改變的人。不幸的是，朱自清正屬於這類人。

從二七年春天開始，朱自清便產生一種無路可走的煩悶。年初，朱自清從白馬湖回京路過上海時，茅盾爲他送行，兩人在四馬路上邊走邊談。茅盾縱論時代與文學，說：一方面「資產階級的滅亡是時間問題，小資產階級不用說是要隨之而去的，一面無產階級已漸萌芽蠢動了」，在此大變動的時代，「我們要盡量表現或暴露自己的各方面；爲圖一個新世界早日實現，我們這樣促進自己的滅亡，也未嘗沒有意義的。」

「促進自己的滅亡」這句話，令朱自清竦然而驚。咀嚼回味茅盾的話，朱自清也感受到這種被圍困被追逼的惶恐。其實，出路也不能說沒有。回到北京後，一位朋友前來勸他加入國民黨，並很認眞地對他說：「將來怕離開了黨，就不能有生活的發展；就是職業，怕也不容易找著的。」⑧但出身、教養、性格，都使朱自清對政治抱著疏遠畏懼的態度，不願把自己同一個政治集團綁在一起。

大革命以來政治鬥爭的疾風驟雨，使朱自清深感無法再這樣徘徊不定、帶著沉重的思想負擔生活。對自己的思想和生活進行清理，作出抉擇，成爲當務之急。

一九二八年二月，朱自清寫成了長文《那裡走》，對中國自「五四」以來的社會發展，對自己的思想性格及與時代的矛盾，作了認眞嚴肅的分析解剖。此文可以看作是朱自清的一篇思想宣言。

朱自清認爲，五四以來，中國社會經歷了從自我的解放到國家的解放到階級鬥爭、或從思想革命到政治革命到經濟革命的發展變化。這三個階段包涵了兩種不同的精神。在第一階段，「我們要的是解放，有的是自由，做的是學理的研究」，「我們所發現的是個人價值」，「個人是一切評價的標準；認清了這標準，我們要重新評定一切傳統的價值。」在第二、三階段，「我們要的是革命，有的是專制的黨，做的是軍事行動及黨綱，主義的宣傳。前一時期的特徵是「浪漫」，是讓自己蓬蓬勃勃的精神盡量發洩，這一時期要的則是「工作」，在黨的領導之下的持續的、強韌的、有組織的工作。黨所要求於個人的是無條件的犧牲，任何個人的浪漫，都將妨礙工作而不能被容忍。

朱自清畢竟是站在軍閥統治下的北京城，遙望南方的大革命運動。作爲局外人，他對這場革命的理解是既清醒又糊塗的。他對政黨的認識相當模糊。由於大革命採取了統一戰線的領導方式，共產黨員以個人身份加入國民黨，在國民黨的領導下開展工作，因而他心目中的革命黨便是國民黨，而他所理解的黨的主張，有許多則是共產黨的。他搞不清國民黨和共產黨的政治分野，以爲國民黨是代表工農大衆利益的無產階級政黨。從這裡可以看出，朱自清對於政治的幼稚。如果撇開這一點，朱自清對天下大勢的理解卻是相當清醒的，那就是革命必定戰勝反革命，無產階級必將勝利，資產階級、小資產階級必將滅亡。朱自清對自己命運的分析選擇，便建立在這樣的基礎上。

那麼，朱自清將何以自處呢？他將會作出怎樣的抉擇呢？他說：

> 我解剖自己，看清我是一個不配革命的人！這小半由於我的性格，大半由於我的素養；……我不是一個突出的人，我不能超乎時代。我在Petty Bourgeoisie裡活了三

十年，我的情調，嗜好，思想，論理，與行爲的方式，在在都是Petty Bourgeoisie的；我徹頭徹尾，淪肌浹髓是Potty Bourgeoisie。離開了Petty Bourgeoisie，我沒有血與肉。……

我既不能參加革命或反革命，總得找一個依據，才可姑作安心地過日子。我是想找一件事，鑽了進去，消磨了這一生。我終於在國學裡找著了一個題目，開始像小兒的學步。……胡適之先生在《我的歧路》裡說：「哲學是我的職業，文學是我的娛樂」。我想套著他的調子說：「國學是我的職業，文學是我的娛樂」。這便是現在我走著的路。

洋洋灑灑地一大篇話，把朱自清的思想和盤托出，一句話，那就是逃避，「躲進小樓成一統，管他冬夏與春秋」。

這條道路的選擇，固然有著因誤解而產生的對革命的恐懼心理，更主要的，則是他對本階級生活的留戀，是他的生活道路和思想道路的必然。五四時期，由於時代主題是呼喚人的意識的覺醒，謳歌人的解放，這正切合了朱自清解放自我的內心要求，因而他能夠緊跟時代，做一個弄潮兒。而眼下的時代主題則是呼喚階級意識的覺醒，進行階級之間的直接對抗，爲無產階級謀得政治經濟上的徹底解放。革命所需要的專制、力量、實際工作的訓練，槍彈與血肉的交迸，革命所帶來的混亂、恐怖與文化的破壞，這一切都與朱自清的出身、教養、三十年來的生活方式、生活道路構成了矛盾。因此，朱自清不能不感到煩悶，痛苦。五四退潮期，朱自清曾給自己確定的「剎那主義」人生態度，也無法使他解脫。因爲當時所要解決的主要是生活態度，而不是生活道路問題，更不需要他背棄隸屬的階級。現在則必須對人生的道路作出抉擇，剎那主義立刻顯出了局限性。朱自清的所謂「剎那主義」，強調的是抓住眼下這一剎那，而不去考慮已過和未至的一剎那。但生活本是一條無始無終的河，一條布滿險灘暗礁的河，要想在這條河中把握自己，駛向預定的目標，就不能不對過去進行反思，對未來進行預測，確定自身的座標方位。否則，面臨重大變故而又必須作出抉擇時，就不免手足無措，缺乏心理準備，陷入苦悶彷徨之中。

就這樣，朱自清退入了書齋，潛心學術，一意教書。漸漸地，他與政治愈來愈遠，愈來愈隔膜。當年那種「天下興亡，匹夫有責」的熱情，那種骨鯁在喉、不吐不快的衝動，那種指點江山、揮斥方遒的意氣都消退了，代之而起的是中年人看透世情的超脫和無可奈何的沉默。他在一篇題爲《沉默》的文章中宣稱：「沉默是一種處世哲學」，是「藏匿自己」，對付敵人的「最安全的防禦戰略」，對陌生人、大人物自然應當沉默，即使是對知心朋友，話也不應該說得太多。誠然，朱自清是把沉默當作人生哲學、人生藝術來談的，態度從容超脫，筆調亦莊亦諧，但卻曲折地反映了他內心深處的苦悶與悲涼。

長久的沉默，使他產生了一種無話可說的感覺。當年那種「冒著熱氣或流著眼淚的話」自然說不出，而由於中年人的膽小，別人說過的話他不說，說的好的他不說，更由於這年頭要的是「代言人」，壓根兒就無所謂自己的話，所以終至於無話可說。朱自清甚至「覺得自己是一張枯葉，一張爛紙，在這個大時代裡」⑨

灰色的心境，使朱自清對自己的分析評價都蒙上了一層濃重的灰色調。

但眞正沉默，一句話不說，朱自清又感到一種寂寞的痛苦。於是他不談風雲，只談風月，寫兒女，寫友人，寫山水花草，寫風俗名勝，文字愈來愈凝煉老扎，棱角鋒芒愈磨愈平滑。

四

宣告自己退入書齋以後，朱自清在心靈中砌起了一堵牆，社會的風雲之色被拒之牆外，眼不見，心不煩，生活似乎不那麼令人惶惶不安了。在清華園的小天地裡，在學術的小天地裡，還是有許多事情應該做，可以做的。

在清華園，朱自清是個獨一無二的新詩人，社會的風雲之色可以不聞不問，但對於校園裡各種學生社團，還是應該盡力支持幫助的，這是一個新文學作家的應盡之責。原來，清華就有學生文學社，朱自清是他們的顧問，二七年十月，大學部學生中的文藝愛好者又成立了終南社，也請朱自清擔任該社的顧問。在朱自清的指導下，該社邀請王文顯、許地山、郭紹虞等人講演，與冰心等人座談，社員互相觀摩、討論自己的習作，活動開展得熱熱鬧鬧。韋杰三在三一八慘案中犧牲後，一部分同學爲紀念他，成立了韋社，以演講、練習口才、旅行、體育鍛鍊等內容爲主，也聘朱自清擔任他們的顧問。

一九二八年十一月七日晚七時，清華學生組織的中國文學會在工字廳召開成立大會，系主任楊振聲致辭祝賀，朱自清則以「雜體詩」爲題作了講演。事後，學生在報導中說：「……

……若非朱先生的講演，雜體詩未必是個有趣的題目。在這短短的演詞中，朱先生所給予我們的不僅是文學裡的知識，而且是知識外的趣味。這只需看那滿堂內春風般的顏色，和聽那一陣陣流水似的笑聲，就可以知道的了」⑩

除此之外，朱自清還擔任了清華校刊增刊《文學》的特約撰稿員，以及《清華周刊》的特約撰述，給刊物提供了不少作品，《白馬湖》、《看花》等散文就發表在《清華周刊》上。

除了參加社會活動，朱自清最關注的仍然是情有獨鍾的文學。一九二八年十月，他的第一本散文專集《背影》由開明書店出版。集中收錄了自詩文合集《蹤跡》出版以來的四年中所寫的散文，包括《背影》、《荷塘月色》、《兒女》等篇。散文集的出版，對朱自清個人創作是一件大事，對中國現代散文的發展，也有相當的意義。這意義既體現在作品中，也體現在朱自清為散文集所作的序文中。

自一九二三年朱自清開始寫作散文以來，整個新文學的散文創作獲得了極大成功，由五四時期的議論性較強的雜感轉向風格的多元發展和繁榮。其中，小品散文或稱美文異軍突起，並迅速走向成熟，顯示了「舊文學之自以為特長者，白話文學也並非做不到」⑪，從而，「徹底打破那『美文不能用白話』的迷信」⑫。五四以來散文創作的繁榮，要求人們從理論上予以總結和概括，作為從五四新文化運動中成長起來的作家，朱自清是與散文創作的歷史進程同步發展的，因而他在散文集的序言中對現代散文取得的成就作了客觀評價，並從歷史的文學的角度對其形成發展的原因進行了深入探討。

對於這一時期散文創作的繁榮，朱自清首先從歷史淵源的角度進行分析。他指出，「中國文學向來大抵以散文學爲正宗；散文的發達，正是順勢。」但這只能作爲一種「歷史的背景」，而並非「現代散文的源頭所在」⑬。對於周作人把現代散文的起源歸結爲明代公安派的性靈小品的觀點，朱自清頗不以爲然。因爲這抹煞西方文學對中國的強烈衝擊，既無法揭示現代散文形成的眞正原因，更有從根本上否定現代散文以至於整個五四新文學的獨立價值和開創意義的危險。所以朱自清強調，「現代散文所受的直接的影響，還是外國的影響」。

其次，朱自清指出，散文的發達與文學樣式的特性有關。他說：「抒情的散文和純文學的詩，小說，戲劇相比，……前者是自由些，後者是謹嚴些：詩的字句，音節，小說的描寫，結構，戲劇的剪裁與對話，都有種種規律，必須精心結撰，方能有成。散文就不同了，選材與表現，比較可隨便些」。正是這種「隨便」，較少限制，自由自在，暢所欲言，使得散文短時間內獲得很大成功。當然，欲求文學的眞正發展，「單有散文學是不夠的」，還必須有純文學如小說、詩歌、戲劇等文學樣式的全面成功。這裡，朱自清把現代散文的成功放入整個新文學的發展中去考察，並從整體上對新文學的發展提出了殷切的希望，顯示了朱自清開闊的目光和客觀的態度。

正是從整個新文學的大背景下，朱自清對自己的創作，作了回顧與總結。他說：「我是大時代中的一名小卒，是個平凡不過的人。才力的單薄是不用說的，所以一向寫不出好東西。我寫過詩，寫過小說，寫過散文。二十五歲以前喜歡寫詩；近幾年詩情枯竭，擱筆已久。」

小說寫過兩篇，但都不成功，戲劇則始終不敢染指。「既不能運用純文學的那些規律，而又不免有話要說，便只好隨便一點說著」，所以「我所寫的大抵還是散文多」。儘管此時的朱自清已是頗有名氣的散文家，但他仍然表現得極爲克制，不僅毫無自命不凡、自我標榜的意味，相反，他對自己的估價顯得過於保守。這種狀況，一方面反映了他謹斂質樸的個性，另一方面也與他此時的低沉的情緒有關。也許正因爲如此，朱自清對自己的作品，不作任何解釋，「仁智之見，是在讀者」，他只強調，「當時覺著要怎樣寫，便怎樣寫了。我意在表現自己，盡了自己的力便行」。

這裡，朱自清提出了他的創作主張——「我意在表現自己」。這句話，不妨看作理解朱自清所有詩文的一把鑰匙。朱自清的創作始終貫穿、流注著一種可貴的眞情實感。這種眞情實感來自他從「我」出發對各種社會現象的觀察、體驗、分析。他的《背影》、《兒女》固然寫的是自己的親身經歷，《荷塘月色》等寫景名篇，也都是通過「表現自己」，使景物染上了濃重的個人感情色彩，抒寫的都是自我的心聲。總之，朱自清的作品與他的生活，具有高度吻合的特性，正如李廣田所說：「誠實地作人與誠實地寫作，產生了朱先生前期的立誠的文學。」⑭

不過，從生活、思想和創作歷程來考察，朱自清在這個時候提出「意在表現自己」創作主張，並非信筆所至，而是經過深思熟慮的，有著不少弦外之音。

我們知道，五四時代的一大主題便是「人的發現」和「個性解放」，與這種時代呼聲相適應，文學上出現了「表現自我」的創作方法，郭沫若、郁達夫等人把「自我」宣揚到超乎一切的地步，天馬行空般在「自我」的世界裡傲遊，「個性」成爲五四新文學的一塊重要基石。朱自清也就是在這種時代氛圍中走上新詩壇的。從創作個性上說，朱自清屬於「本色」作家，他的創作較大程度上依賴於個人的生活體驗相關的事情，他的詩文也是他從「自我」出發，體驗、思考生活的結晶。從這個意義上說，朱自清一開始創作，就開始表現自我了。但在五四時代，朱自清顯然力求使自己的感受負載更多的內容，以響應文學研究會倡導的表現被侮辱與被損害的人們的號召，表現人道主義的時代精神。所以二十年代初朱自清強調：「我們現在需要最切的，自然是血與淚的文學，不是美與愛的文學，是呼籲與詛咒的文學，不是讚頌與詠歌的文學。」⑮在這種思想的引導下，朱自清寫出了《小艙中的現代》、《生命的價格——七毛錢》等意在暴露鞭撻現實生活的詩文。但眼下，「人道主義」早已被「階級搏鬥」所替代，朱自清自己也已經退出這場搏鬥，躲進書齋。於是在這種情況下，朱自清放棄了寫血淚文學的努力，「表現自己」實實在在成了表現自己，成了朱自清寫作的唯一合理解釋。

因此，「意在表現自己」的創作主張，此時就有正面和負面的雙重意義。

從正面說，文學是富於個性特徵、個人色彩的精神行爲，是建立在個人對心靈的把握、對社會的把握的基礎上的，抹煞了個性，也就取消了文學。因此，「表現自己」體現了對文學創作規律的一種自覺認識。從負面說，它意味著對現實生活和個人以外的世界的一種無可奈何和力不從心，隱含著一種苦澀的滋味。正因爲此，在以後的創作中，《白種人——上帝的驕子》之類具有鮮明政治傾向的作品不見了，《阿河》之類表現對底層勞動者命運的關切的文字不見了，《旅行雜記》之類帶著刺的文字不見了……而大張其道的，則是《兒女》之類回憶往事的文字和《女人》之類表現生活情趣的文字。他用精神的絲縷牽著已逝的時光，正反映著他對現實的「無話可說」。在這個領域內，他盡情渲洩著「自己」，走出這個領域，他便無情地把「自己」藏匿起來。在《歐遊雜記》和《倫敦雜記》中，他有意識地避免「我」的出現，對自然風光、客觀世界作新聞報導式的記述。這其中固然有題材和讀者的限制，但歸根到底還是作者自己所說的，在「這個時代『身邊瑣事』說來到底無謂」⑯。

一九二八年，清華學校被南京國民政府接管，正式改名爲國立清華大學。改制後的清華大學，分文、理、法三個學院共十五個系，楊振聲擔任了文學院長兼中國文學系主任。

在清華，中文系的地位是相當可憐的。教員大多是長袍馬褂、滿口「之乎者也」的老夫子，與留過洋、西裝革履、氣宇軒昂的其他系教授相比，總是低人三分，且不說在學校說不上話，分不到經費，就是待遇、住房、薪水，也比其他系的教授少得多。這種小媳婦的地位，與清華原爲留美預備學校，對中文本就不十分重視有關，但更重要的，則在於中文系的辦學宗旨、教學方針、課程設置等落後於時代。楊振聲曾說：「自新文學運動以來，在大學中新舊文學應該如何接流，中外文學應該如何交流，這都是必然會發生的問題，也必然要解決的問題。可是中國文學系一直在板著面孔，抵拒新潮。如是許多先生在徘徊中，大部學生在困惑中，這不止是文言與語體的問題，而實是新舊文化的衝突，中外思潮的激蕩。」⑰剛上任的楊振聲，頗想作一番努力以改變這種現狀。到清華的第二天，楊振聲便去古月堂拜訪了朱自清。下午的太陽從西窗照在朱自清的書桌上，照在兩張興奮的臉上。兩個北大的老同學，兩個熱愛五四新文學的好朋友，仔細分析著系裡的情況，從辦學宗旨，培養目標，教師配備，課程設置等方面，認眞商定了中文系的發展方向。

在兩人商定的課程總說明中有這樣一段話：

> 我們課程的組織，一方面注重研究我們的舊文學，一方面更參考外國的現代文學。
>
> 爲什麼注重研究舊文學呢？因爲我們文學上所用的語言文字是中國的；我們文學裡所表現的生活，社會，家庭，人物是中國的；我們文學所發揚的精神，氣味，格調，思想也是中國的。……我們要創造的也是中國的新文學……。
>
> 爲什麼更要參考外國現代文學呢？正因爲我們要創造中國新文學，不是要因襲中國舊文學。中國文學有它光榮的歷史，但是某一時代的光榮的歷史，不是現在的，更不是我們的，只是歷史的而已。⑱

這段話說明了清華大學中文系與其他大學最不同的一點，就是注重新舊文學的貫通與中外文學的融合。楊振聲說：「國文系學生添設比較文學與新文學習作，清華在那時是第一個。國文系的學生必修幾種外文系的基本課程。外文系的學生也必修幾種國文系的基本課程。中外文學的交互修習，清華在那時也是第一個。這都是佩弦先生的倡導。」⑲

關注現實，強調現實生活的意義，是朱自清一貫的思路。

一九二六年，朱自清便撰文批判社會上的復古思潮，他說：「我們中國人一直是『回顧』的民族，我們的黃金世界是在古代。『夢想過去』的空氣籠罩了全民族，於是乎覺得凡古必好，凡古必粹，而現在是『江河日下』了。」⑳自新文化運動發生以後，現代精神開始活躍，然而沒幾年「國學就復興了，而且仍是老樣子。」對這種一頭栽進故紙堆，卻不管現實生活的巨大變化的風氣，朱自清感到非常不滿。他質問道：「試問若只有人研究古代史，而卻沒有人提綱挈領地告訴我們民國十五年來的政治、經濟、學術、文藝，遷變之跡，我們能滿足麼？」㉑

基於這種現狀，朱自清號召人們以科學的方法加強對現實生活的研究，「一是專門就現代生活作種種的研究，如宗教、政治、經濟、文學等；搜集現在的歌謠和民間故事，也便是這種研究的一面。一是以現代生活的材料，加入舊有的材料裡共同研究，一面可以完成各種獨立的中國學問。如中國社會學，中國宗教學，中國哲學」㉒。

爲貫徹自己的主張，也爲了響應他與楊振聲所制定的中文系的培養方向，一九二九年春、秋兩學期，朱自清連續推出了兩門新課：「中國新文學研究」和「歌謠」。

從文學革命到一九二九年，新文學運動已經歷了倡導與開創時期，各種文學樣式都產生了許多作家作品，贏得了讀者的喜愛，產生了廣泛的社會影響。但當時還沒有人對這一階段的歷程作系統的回顧和總結，更沒有人在大學講壇上開設這一類的課程。當時中文系的課程有著濃厚的復古之風，文字、音韻、訓詁之學占據了主要地位，「新文學」是沒有地位的。朱自清開設這門課，且不說它從體例到內容已頗爲完備、詳實，僅就其敢爲天下先、敢於衝破傳統的學術包圍而言，無疑是需要勇氣的，也是帶有開創性的。如今，「中國現代文學史」已成爲一門獨立的學科，是大學中文系的必修課程，而這門課的發端，便來自朱自清。僅此而論，朱自清開設這門課的功績也是巨大的。

這門課分「總論」、「各論」兩部分，共計八章。「總論」三章，從中國社會歷史背景和外國文學的影響兩方面，考察新文學運動的歷史淵源、歷史進程和各種文學流派文學風格。「各論」五章，前四張分別論述詩、小說、戲劇和散文，並對各種文體的重要作家作品的創作特色和藝術成就進行分析評價，第五章介紹各種有影響的文學主張和批評理論。

作爲一個嚴謹的學者，朱自清對所講的內容非常注意，他既不墨守成規，也不隨便標新立異。他一方面講述重要的有定評的作家作品，另一方面，對一些文壇新秀也很注意，只要覺得夠水準，便收入講義給予介紹。比如張天翼的小說《鬼土日記》和臧克家的新詩《烙印》剛出版就被補進講稿。在講課中，朱自清有自己的愛憎好惡，但他從不用自己的取捨標準去限制學生，相反，他總是盡量不帶主觀感情色彩地去評介作家作品，尊重客觀事實和社會反響。有時，學生因此而不滿足，追問他自己的看法。每當這時，他總字斟句酌，謹愼而有分寸，力避武斷和偏好。

在當時，有些不稱職的教師，該講的課沒有多少，卻向學生喋喋不休地吹噓自己的作品，朱自清則力戒此病。作爲新文學中一個重要作家，朱自清的詩歌、散文放在講課內容中是理所當然的，但他卻避免講自己的作品。對此，當年的學生吳祖緗有一段生動的描述：

有一天同學發現他的講演裡漏了他自己的作品，因而提出質問。他就面紅耳赤，非常慌張而且不好意思。半晌，他才鎮定了自己，說：「這恐怕很不重要，我們沒時間來講到，而且也很難講。」有些同學不肯罷休，堅要他講一講。他看讓不掉，就想了想，端莊嚴肅的說：「寫的都是些個人的情緒，大半是的，早年的作品，又多是無愁之愁；沒有愁，偏要愁，那是活該，就讓它自個兒愁去罷。」㉓

這門課由於內容新鮮，與現實生活貼近，也由於朱自清認眞嚴謹的態度，受到同學們的熱烈歡迎。燕京大學中文系和北京師範大學中文系也在學生的要求下去兼課。

「中國新文學研究」是對現代生活作出的專門研究，而「歌謠」則是「以現代生活的材料加入舊有的材料裡共同研究」而形成的學術專史。這兩個方面正完整地構成了朱自清對於研究途徑的構想。

早在五四時期朱自清與俞平伯等進行大衆文學討論的時候，他就對民間歌謠發生興趣，並表示應當深入民間，爲大衆文學時代的到來而努力。由於生活和環境的限制，朱自清並未實現到民間去的願望，但他終始保留了對民間歌謠的興趣，並通過認眞細致的爬梳剔抉，發微索隱，形成了對中國歌謠的系統認識。在研究中，朱自清堅持科學的精神和歷史的觀點，吸取外國學者的理論，對「歌謠」進行了本質的界定，通過追源溯流，正名辯義，把「歌謠」

從一般的詩歌中分離出來。並通過對歷代歌謠的考察，理出了歌謠發展的歷史輪廓和變化軌跡。朱自清的研究，不僅有縱向的歷史線索的描述，而且有橫向的歌謠門類的劃分，歌謠在各地區的分布，以及歌謠自身的藝術技巧。古代與現代，西方與傳統，在這裡都得到了充分的融合。朱自清研究歌謠的根本目的，是爲現代詩歌創作的發展繁榮，提供一個方面的精神養料。他的研究依然立足於現實，充滿了現代精神。這恐怕是這門課受到學生歡迎的一個重要原因吧。朱自清的同事浦江清曾說：這門課「在當時保守的中國文學系學程表上很顯得突出而新鮮，引起學生濃厚的興味。」㉔

【附註】

① 朱自清：《虞美人·西風衰柳斜陽影》。
② 朱自清：《虞美人·芙蓉老去秋江暮》。
③ 朱自清：《背影》。
④ 朱自清：《背影》。
⑤ 見《京報》一九二六年三月二十日。
⑥ 朱自清：《哀韋杰三君》。
⑦ 朱自清：《荷塘月色》。
⑧ 見朱自清：《那裡走》。

⑨ 朱自清：《論無話可說》。
⑩ 郝御風：《清華中國文學會有史之第一頁》，《清華校刊》一九二八年十二月十七日。
⑪ 魯迅：《南腔北調集．小品文的危機》。
⑫ 胡適：《五十年來中國之文學》。
⑬ 朱自清：《〈背影〉序》。
⑭ 李廣田：《朱自清先生的道路》，《中建》（北平版）第二卷第十期，一九四八年十二月五日。
⑮ 朱自清：《〈蕙的風〉序》。
⑯ 朱自清：《〈歐遊雜記〉序》。
⑰ 楊振聲：《爲追悼朱自清先生講到中國文學系》，《文學雜誌》第三卷第五期，一九四八年十月。
⑱ 楊振聲：《爲追悼朱自清先生講到中國文學系》，《文學雜誌》第三卷第五期，一九四八年十月。
⑲ 楊振聲：《紀念朱自清先生》，《新路》第一卷第十六期，一九四八年九月。
⑳㉑ 朱自清：《現代生活的學術價值》。
㉒ 朱自清：《現代生活的學術價值》。
㉓ 吳祖緗：《敬悼佩弦先生》，《文訊》第九卷第三期，一九四八年九月十五日。
㉔ 浦江青的題跋。轉引自季鎭淮《朱自清先生年譜》。

第六章 水木清華（下）

——家事與國事

一

到清華任教以來，朱自清有一份穩定的職業和豐厚的薪水，這使他無需再像以前那樣東奔西跑，爲生計發愁了。往日的朋友也逐漸安頓下來，各人忙著自己的生活、家庭，聚在一起無拘無束喝酒聊天的機會也不多了，何況在變動不居的時代，也很難無所顧忌地放言高論了，比起過去，生活安定了許多，可也單調乏味了許多。朱自清感慨道：「現在終日看見一樣的臉板板的天，灰蓬蓬的地；大柳高槐，只有大柳高槐而已。於是木木然，心上什麼也沒有；有的只是自己，自己的家。」①蟄居書齋後，朱自清每日除了備課上課而外，閑雜事少了，他有更多的時間把心思放在家庭身上。可認眞思量之下，他不禁悚然而驚：他對這個家、對子女、對妻子都欠了許多。

自從一九一七年冬結婚起，十年來他已是五個孩子的父親了。但對這五個孩子，朱自清卻慚愧得很。爲了生計，爲了心愛的文學事業，朱自清經常把孩子丟在揚州家中，即使到現在，還有兩個孩子不在身邊。即使對留在身邊的孩子，朱自清也難得有暇和他們玩玩，偶爾在一起，也總是親近少而管教多。家裡孩子多，年齡又小，整日鬧得像有千軍萬馬似的。朱自清如在家裡看書或寫東西，經常一個小時裡要分幾回心，有時甚至看不完一行書，寫不出一個字。而他的秉性又嚴肅認眞，尤其容不得工作受到干擾，於是常常顯得不耐煩，甚至動用武力來解決問題。他在《兒女》一文中，描寫過家庭飯桌上的一幕。

> 你讀過魯迅先生的《幸福的家庭》麼？我的便是那一類的「幸福的家庭」！每天午飯和晚飯，就如兩次潮水一般。先是孩子們你來他去地在廚房與飯間裡查看，一面催我或妻發「開飯」的命令。急促繁碎的腳步，夾著笑和嚷，一陣陣襲來，直到命令發出爲止。他們一遞一個地跑著喊著，將命令傳給廚房裡傭人；便立刻搶著回來搬凳子。於是這個說，「我坐這兒！」那個說，「大哥不讓我！」大哥卻說，「小妹打我！」我給他們調解，說好話。但是他們有時很固執，我有時候也不耐煩，這便用著叱責了；叱責還不行，不由自主地，我的沉重的手掌便到他們身上了。於是哭的哭，坐的坐，局面才算定了。接著可又你要大碗，他要小碗，你說紅筷子好，他說黑筷子好；這個要乾飯，那個要稀飯，要茶要湯，要魚要肉，要豆腐，要蘿蔔；你說他菜多，他說你菜好。妻是照例安慰著他們，但這顯然是太迂緩了。我是個暴躁的人，怎麼等得及？不用說，用老法子將他們立刻征服了；雖然有哭的，不久就抹著淚捧起碗了。吃完了，紛紛爬下凳子，桌上是飯粒呀，湯汁呀，骨頭呀，渣滓呀，加上縱橫的筷子，傾斜的

匙子，就如一塊花花綠綠的地圖模型。

爲著孩子們的吵鬧，朱自清有時感到非常苦惱，在給聖陶的信中，甚至說過不如去自殺的話。自然，這是氣話，但這樣的心情，確實是有過的。不過朱自清也不是個不近人情，不知疼愛孩子的父親，每次外出回家，他總要帶點糖果和點心給孩子，並陪他們玩一會兒。他愛孩子的小模樣，小心眼，五個月的阿毛，你用手指去撥弄她的下巴，或向她做趣臉，她便會張開沒牙的嘴格格地笑，笑得像一朵綻開的花。他愛孩子的稚拙，三歲的閏生是個小胖子，短短的腿，走起路來蹣跚可笑，他有時學父親，將兩手疊在背後，一搖一擺地了逗得大家哈哈笑，他自己也吃吃地笑個不停。他也愛孩子的純樸天眞，已上學的采芷，每天在飯桌上總要囉囉嗦嗦地講述同學及他們父母的事情，說得氣喘吁吁，不管別人愛不愛聽。對於不在身邊的邁先和逖先，朱自清也總爲他們擔心著。記得邁先還在白馬湖的時候，朱自清的父親曾來信問到他，說：「我沒有耽誤你，你也不要耽誤他才好。」朱自清爲這句話哭了一場，父親的仁慈，父親借債供他讀書的胸懷，使他永遠難忘，也爲他幫助、教育子女成長樹立了榜樣。

朱自清深悔過去對孩子關心照顧不夠，決心從現在開始負起做父親的責任。第一讓孩子團聚起來，第二給他們一些基本力量——胸襟和氣度，讓他們懂得如何做人。朱自清多次向聖陶、平伯、丏尊、子愷、賢江、予同等老朋友請教如何教子，如何使他們成才，頗費苦心。不管怎麼樣，朱自清從現在起做一個好父親，「想到那『狂人』『救救孩子』的呼聲，我怎敢不悚然自勉呢？」②

除了決心做一個好父親，朱自清還決心做一個好丈夫，以彌補結婚以來妻子跟著他所受的顛沛之苦和持家育兒所耗費的心血。然而，朱自清再也沒有機會實現這一心願了。二八年底，鍾謙又生了第六個孩子。孩子出世不久她的肺病就重起來了，天天發燒，起初她以爲是南方帶來的瘧疾，並不放在心上。爲了不打攪丈夫，也爲了不影響家務勞作，鍾謙一直瞞著丈夫，有時明明躺著，一聽見佩弦的腳步，就一骨碌坐起來。這使朱自清感到奇怪，便帶她去看醫生，這才發現她的肺已爛了個大窟窿。醫生勸她到西山去靜養，可她既丟不下孩子，又捨不得錢，而躺在家裡又丟不下那份家務。病勢越來越嚴重，實在拖不下去了，鍾謙才帶帶著孩子回揚州。

誰知這一次的分別卻成了永訣。一九二九年十一月二十六日，鍾謙回到揚州僅僅一個月，便拋下她深愛的丈夫和六個未成年的孩子。與世長辭了，年僅三十二歲。

噩耗傳來，朱自清悲痛欲絕，他立刻收拾行裝，準備回家奔喪。可由於他開了幾門課，課程進度已經過半，幾經努力也未能找到代課人選。一貫把工作看得比什麼都重的朱自清，深恐因個人假歸而貽誤學生的學業，猶豫再三，終於強忍悲痛放棄了南下奔喪的打算，他只能在北京遙祭妻子的在天之靈了。

鍾謙雖不是闊小姐出身，但從小嬌生慣養，是父母的掌上明珠，愛說愛笑，無憂無慮。做了妻子和母親之後，她收起了少女時代的任性和嬌氣，把全部心思放在孩子和丈夫身上，燒飯、帶孩子、納鞋底，整天忙忙碌碌，操持勞作。儘管如此，她卻幹得高高興興，幹得像像樣樣，從不抱怨，從不閒著。即使在「月子」裡，也躺不住，四、五天就下床了。主持一個家庭，鍾謙付出了辛勞，也收獲了快樂。朱自清曾在散文《冬天》中，這樣描寫他們在台州過冬的情景：

我們是外路人，除上學校去之外，常在自己家裡坐著。妻也慣了那寂寞，只和我們爺兒們守著。外邊雖老是冬天，家裡卻老是春天。有一回我上街去，回來的時候，樓下廚房的大方窗開著，並排地挨著她們母子三個；三張臉都帶著天真微笑的向著我。似乎台州空空的，只有我們四人；天地空空的，也只有我們四人。

鍾謙文化程度不高，但她具有中國婦女的傳統美德，把全部心血獻給了丈夫和孩子。在她心中，占第一位的是孩子。她和朱自清結婚十二年，有十一年都耗費在養育孩子上。朱自清曾對妻子說：「從來想不到做母親的要像你這樣，從邁兒起，你總是自己餵乳，一連四個都這樣。你起初不知道按鐘點兒餵，後來知道了，卻又弄不慣；孩子們幾次將你哭醒了，特別是悶熱的夏季。我瞧你的覺老沒睡足。白天裡還得做菜，照料孩子，很少得空兒。你的身子本來壞，四個孩子就累你七八年。到了第五個，你自己實在不成了，又沒乳，只好自己餵奶粉，另雇老媽子專管她。但孩子跟老媽子睡，你就沒有放過心；夜裡一聽見哭，就豎起耳朵聽，工夫一大就得過去看。」③即使在鍾謙病得很重的時候，也爲孩子忙個不歇。剛出生的六兒身體弱，常鬧病，每當這時候，她便湯呀，水呀，冷呀，暖呀，整日忙著，全然顧不上自己的病。對放在老家的兩個孩子，她更是牽腸掛肚，惦記不已，甚至說自己的病就是惦記出來的。所以朱自清感慨地說：「在短短的十二年裡，你操的心比人家一輩子還多。」

鍾謙不僅是個良母，而且是個難得的賢妻。除了孩子，最讓她惦記的便是佩弦，對丈夫的一切，她都盡力去愛護支持。佩弦在北大讀書時，她換了陪嫁的金鐲子給丈夫作學費。佩弦去學校授課，她總是送到大門口，直到丈夫的背影消失時才關門。丈夫有客人或學生來訪時，她從不多言，盡了一個主婦的禮節後，便靜靜地坐在一旁做針線活。知道丈夫愛書，授課時又需要，她甚至領著一家老小躲兵亂的時候，還帶著那一箱箱的書。結婚十二年，她和丈夫共同生活不到五個年頭。可無論是離是合，無論日子怎麼難熬，她也從來不發脾氣，連一句怨言都沒有。有時碰上佩弦發脾氣，她只是抽噎著流淚，既不回吵，也不號啕。她的默默的愛，她的全身心的奉獻，使朱自清深受感動。朱自清曾深情地說：「你不但為我吃苦，更為我分苦；我之有我現在的精神，大半是你給我培養著的。」

為了丈夫，鍾謙還受過不少冤枉氣。朱自清母親是喜愛這個媳婦的，但她畢竟是沒有讀過多少書的舊式婦女，見識淺而又口無遮攔。她把家庭的敗落歸咎於媳婦的愛笑，嚇得媳婦噤若寒蟬；而且她把對媳婦的不滿掛在嘴邊，四處張揚，弄得鍾謙無地自容。她又耳根軟，經不住姨娘的撥弄，擔心有朝一日媳婦會爬到婆婆頭上，而對鍾謙防範更嚴。二一年秋，朱自清從揚州八中辭職出走，婆婆又懷疑是受了她的挑唆，終於把她和孩子趕回娘家。那時，鍾謙的父親已經續娶，繼母待她不好，家中如同冰窖一樣，可為了孩子，為了丈夫，鍾謙忍氣忍聲，在冰窖子裡足足住了三個月。一想起這些，朱自清心裡就陣陣抽搐。

這樣一個樸素、嫻靜、溫柔的，只知別人不知自己的賢妻良母，終於帶著她對丈夫、對孩子未竟的愛心；永遠的離去了。

從此，孩子們失去了疼愛呵護他們的好媽媽，丈夫失去了生活和感情上的依傍。也許年幼的孩子們還不能完全領會失去母親的痛苦，可朱自清充分感受到了中年喪妻的悲痛。工作的時候無人爲自己端茶送水，勞累的時候無人爲自己噓寒問暖，寂寞的時候無人陪自己說話解悶，「床空餘瘦影，砌冷起蛩聲」④，朱自清很長時間都無法從喪妻之痛中解脫出來。中秋月夜，闔家團聚時身邊沒有她；除夕之夜，餐桌前少一人；路過清華園西院故居，便想起當年在這兒的生活情景；見到郊外清明踏青的車馬，就記起去歲全家共遊萬牲園的熱鬧場面；重遊白馬湖，放眼湖光山色，感慨物是人非；與丏尊把盞話歸，更唏噓自己孑然一身。妻子的身影，妻子的音容笑貌無時無刻不在眼前晃動回響。在這段時間所寫的數量可觀的舊體詩中，朱自清念茲在茲，對妻子的逝世，寄托了無限的哀思。對好友勸他續絃的好意，他一口回絕，決意「此生應寂寞，隨分弄丹鉛」⑤，不再存家室之思。

鍾謙逝世三年之後，朱自清又寫了散文《給亡婦》，在對往事輕聲細語的敘述中，寄托了對亡妻的無限思念，充滿了濃郁眞摯的感情。這篇散文被選進了中學課本，每當教師講到這篇課文時，總要引起講台下的一片唏噓之聲，多少女學生早已把眼睛揉得通紅了。

光陰荏苒，從一九二五年到清華任教，至今已六年了。按照學校規定，教授每工作五年可享受出國休假一年的待遇，出國期間仍可支半薪外，學校還津貼往返川資各五百二十美元及每月研究費一百美元。這是清華大學與其他所有大學的不同之處，也是吸引衆多著名學者的重要原因。

二

一九三一年夏，朱自清按例休假一年，並決定去歐洲訪學。

八月二十二日，朱自清從北平啓程前往歐洲。與朱自清同行的還有前往法國自費留學的外文系助教李健吾等人。李健吾是山西人，中學時代就非常愛好文藝，寫戲，演戲，組織文學社團。他和同班同學朱大枏、蹇先艾等人建立的曦社和《爝火旬刊》曾被茅盾當年所論及。中學沒畢業，他便發表了小說《中條山的傳說》，受到魯迅的稱讚。一九二五年清華設立大學部，李健吾便考取中文系。但朱自清看他對創作更有興趣，便建議他轉入外文系⑥。儘管不在一個系，但師生二人的關係仍非常密切，他們曾合作評介國外的詩歌理論，朱自清也曾給他的小說《老王和他的同志們》、《一個兵和他的老婆》寫序、寫書評。

兩天後，朱自清一行到達哈爾濱。在這裡稍事停留，辦理護照簽證。然後乘中東鐵路火車經滿洲里出國門，穿過莽莽西伯利亞抵達莫斯科。由於火車晚點五個小時，朱自清來不及看看「赤都」風光，便帶著滿心的遺憾匆匆而過，經柏林、巴黎抵達倫敦——朱自清此行的目的地。

朱自清去倫敦並無某一具體確切的打算，但有一個總體的設想，那就是全面考察英國文化和歐洲文化，重點了解小說、詩歌、戲劇、音樂、繪畫等文學藝術門類。因此，朱自清行裝甫卸，便開始了考察工作。每天奔博物館、展覽館、圖書館、美術館、紀念館，聽講演，逛書店，上劇院，時間安排得相當緊湊，有時搞得十分疲憊。

在倫敦，看演出是朱自清考察英國文化的一項重要內容。當時倫敦上演的劇目，包括歌劇、話劇、喜劇、歌舞劇、芭蕾舞劇，以及交響音樂會、民間歌舞、通俗歌曲演唱會、雜技、雜耍等等，凡是能看到的，幾乎都去看了。根據日記記載，在剛到倫敦的四個月中，朱自清看了三十多次演出。在看演出上，朱自清花了大量時間，有時爲了買一張票而不得不耗費幾個小時。

除了看演出，朱自清的另一大樂趣就是逛書店，買書，讀書。他制定了十分龐大的讀書計劃，包括世界史、歐洲文學史、《聖經》、希臘神話、沙士比亞悲劇，以及當代作家哈代、康拉德、威爾斯、本涅特等人的小說，曼斯菲爾德、瓦特、德拉馬爾、豪斯曼等人的詩歌，蕭伯納、巴里、高爾斯華綏的創作，斯特雷奇、貝洛克等人的散文，還有若干種美術史、音樂史等等。這其中，朱自清興味最濃、投入精力最多的是詩歌。

儘管朱自清沒有撰寫中國詩歌發展和詩歌理論的系統專著，但他確實是從整體上來看待和研究中國詩歌的發展、並力圖爲新詩的成長成熟尋找道路的。正因爲如此，從西方詩歌中汲取營養，把中西方詩歌貫通起來進行研究就自然而然地成爲朱自清的興趣所在。在朱自清購買的書中，有相當一部分是英國詩人的詩集和詩歌理論著作。朱自清一邊讀他們的詩，一邊參加由書店主辦的讀詩會，親耳聆聽詩人朗誦自己的作品。朱自清認爲，新詩成熟的一個重要問題是必須建立自己的格律，必須重視聲律韻腳問題。他在倫敦參加讀書會時，就悉心比較中英兩國詩歌的格律，並在平時交談中隨時注意收集這方面的資料。這一切都爲他回國後繼續從事詩歌研究提供了有益的幫助。

除了詩歌，朱自清在音樂和美術這兩個過去接觸較少而又頗有興趣的領域投注了精力。音樂方面，他在聽音樂會之外，專門讀了幾本音樂史及音樂欣賞手冊，還特地買了留聲機和幾十張唱片；對於美術，他則採取泡美術館的方法。據日記記載，他曾連續幾天泡在不列顛博物館和泰爾美術館中。儘管有些現代主義的作品不容易看懂，也不大吸引人，朱自清仍然耐心地從頭至尾一一看過。比較起來，朱自清對一些小巧的工藝美術品更有興味。一次，他去商店買東西，那琳琅滿目、五光十色的聖誕卡格外吸引他，他逗留了很長時間。回國時，他特意買了厚厚一大本賀年片樣本，很受孩子們喜愛。

爲了學習英語，朱自清在皇家學院和倫敦大學等學校註冊旁聽，選修語音、文法、作文、會話等課程。朱自清在中學時代就學過英語，大學時又受過系統英語訓練，但要在英國生活，仍然不夠。剛到英國時，由於聽和說比較吃力，給生活和學習帶來頗多不便。要儘快改變這種狀況，唯有認眞去學習。朱自清以其一貫的精神，認眞踏實地去聽課，做作業，費了大量精力，但進步並不顯著。於是他改變了學習方法，對課業採取爲我所用的態度，針對中年人的特點，把目標定在擴大詞匯量，增強閱讀能力上。一方面有針對性地選聽一些課程，另一方面在抓緊課外的讀書與實地考察，在實際生活中提高自己。

在英國的學習、訪問、參觀，使朱自清忙碌而又興奮，但國內傳來的消息又使他感到焦慮不安。到倫敦不久，便傳來國內爆發「九一八事變」、日軍占領瀋陽的消息。朱自清得悉後，非常擔憂。在十九日的日記中他寫道：「《泰晤士報》謂日本占領瀋陽，東省之事日急矣，奈何！」在二十一日的家信中又說：「閱報知東省事日急，在國外時時想到國家事，但有什麼法子呢？」國家的興旺強盛與否，身處國外的人感覺更強烈。作爲一個東方弱國的國民，在國外常常遭到別人的指指劃劃、評頭論足，甚至白眼，受氣、受侮辱。一次，一個朋友在劇院受到幾個白種人的斥罵：「你這中國人，你這骯髒的狗」。朱自清聽說此事，非常憤怒，他說：「那天晚上要是我的話，肯定會毫不猶豫地同那些罵人的傢伙幹起來。」⑦還有一次，朱自清和柳無忌外出乘車，在擠車時無意中壓了一個婦女，卻被她的男友粗魯地拖下了車，上了車的朱自清勃然大怒，若不是擠在車上下不來，他就跟那人幹起來。強烈的民族自尊心和詩人特有的敏感，使朱自清特別不能容忍這類事情。曾有一對日本夫婦打電話給朱自清的房東歇卜士太太，想在她這兒租個房間，朱自清得知此事，馬上決定，只要日本人一來立刻就搬走，「我們不能和日本人住在一起」。⑧

一九三二年一月二十八日，日本侵略軍在上海挑起戰禍，淞滬抗戰爆發。朱自清聞訊又陷入痛苦之中，他在日記中說：「無線電廣播說日本人占領了上海，商務印書館和北火車站炸成一片火海。這眞是人類文化的浩劫。我擔心東方圖書館是否還倖存著！」十九路軍的英勇抵抗，使朱自清興奮不已，政府的不抵抗主義，又使朱自清不解和氣憤。他密切關注著局勢的發展，並不時與葉聖陶通信交換看法。朱自清在三月二十一日給葉聖陶的信中說：「此次十九軍的抵抗，自是天經地義。但政府似是冷淡，不知是否？如是的，眞令人生氣！外國人崇拜硬功夫，十九軍抵抗以前，中國人只配踏在腳下。以後漸漸好了，雖然如《泰晤士報》等還是冷言冷語，但承認中國人居然知道抵抗，這一點總還値一文半文。……但望這一回能覺醒一般民衆就好。……日本用了六百多萬鎊，受了不少打擊。若排貨能繼續就好，但如兄所說，和議若成，排貨要被禁止；雖然可以各憑良心做去，但良心太難捉摸，這種事仍須靠組織才行。」⑨憤激與焦慮之情溢於言表。到倫敦不久，朱自清在街頭偶遇他的學生柳無忌。柳無忌是柳亞子的長子，一九二五年進入清華，與韋杰三同班。朱自清給他上過李杜詩課，對這個好學生印象頗深。柳無忌畢業後留學美國耶魯大學，此時剛從美國到達倫敦，同去聽講演，逛書店。不久朱自清又搬到柳無忌居住的芬乞榮路歇卜士太太家中，與柳無忌同居一寓三、四個月。

一九三二年五月，朱自清在倫敦的考察計劃基本完成，他用節省下來的錢開始了歐洲大陸的漫遊，柳無忌夫婦與他同行。

朱自清在歐洲大陸轉了兩個月，跑了法國、德國、荷蘭、瑞士、意大利五國十二處地方。

每到一處，他都忙著遊覽風景名勝，參觀文化古蹟。朱自清身體好，遊興濃，有時爲了領略美麗的景色而不惜破費。瑞士交湖城邊的少女峰，是世界聞名的風景名勝，山勢險峻清幽，可登山的費用相當昂貴。柳無忌夫婦因此而望山卻步，朱自清卻管三七二十一，獨自一人去登山。正因爲有這樣勁頭，朱自清才能在後來寫下優美的散文《瑞士》。

在歐洲大陸，由於朱自清只懂英語，語言交流發生了困難，所以許多地方只能借助於旅遊指南和地圖「目遊」。如果遇上朋友熟人，情況就好多了。朱自清在巴黎呆了三個星期，把巴黎跑了個遍，這主要得力於李健吾等同學的導遊。

大學時代，朱自清學過德語。但那第二外語，課程要求本就不高，加上十多年不用，早已忘得精光。但在柏林，朱自清遇到詩人馮至，陪他遊了波茨坦的無憂宮，使朱自清又一次解除了語言不通的苦惱。若干年後，馮至回憶說：「他很少說話，只注意聽旁人談話；他遊無憂宮時，因爲語言文字的隔閡，不住地問這個問那個，那誠摯求眞的目光使回答者不好意思說一句強不知以爲知的話。」⑩

七月七日，朱自清從布林迪什港登上意大利海輪拉索伯爵號，啓程返國。在船上，朱自清又與柳無忌夫婦、朱偰等人相會。朱偰是文學研究會發起人之一朱希祖的兒子，留學德國，此番也是學成歸國。一路上，有這些朋友相伴，倒也可打發航行的寂寞了。

海風習習，海浪滾滾，輪船行駛在平靜的紅海上，眺望浩瀚無際的大海，不禁回想起那剛剛告別的歐洲之行。朱自清拿起筆，開始記錄這一年的遊蹤。

回國後，這些遊記在葉聖陶、夏丏尊等人主持的《中學生》雜誌上連載，並陸續編成了兩本遊記《歐遊雜記》和《倫敦雜記》，作爲送給中學生的禮物，也作爲這一年的生活紀念。因爲是寫給中學生看的，所以書中極少寫到他自己，只是客觀地記述景物。但在文字上，朱自清則著意推敲，力求鮮明生動，流暢自然。葉聖陶稱讚這兩本遊記「全寫口語，從口語中提取有效的表現方式，雖然有時候還帶一點文言成份，但是念起來上口，有現代口語的韻味，叫人覺得那是現代人口裡的話，不是不尷不尬的『白話文』」。⑪

輪船在海上已航行了二十多天，經地中海過蘇伊士運河、紅海、印度洋、孟買、斯里蘭卡、馬來西亞、新加坡進入了太平洋，離祖國越來越遠了，很快就要和久別的親人們團聚了。船上留學的中國人都不免激動起來。在一首與朱偰聯句的長詩中，朱自清抒發了當時的感受：

遊子去故國，匆匆歷數春，
千里賦歸來，感慨難俱陳。
遙望舊山川，岧嶢良嶙峋，
奈何不自競，宰割由他人！
橫流被中原，萬姓號飢貧。
煙塵警東北，寇氛熾粵閩。
所望炎黃裔，三户必亡秦。
風雨忽如晦，似助我悲呻，

瞻望雲海外，不覺涕沾巾！⑫

祖國呵，你多災多難卻又叫人夢魂縈繞。一年的時間不算長，但也有三百多個日夜呀。船尚未到岸，朱自清的心早已飛回家中，飛到親人身邊。

三

一九三二年七月三十一日，拉索爵號海輪一聲長鳴，緩緩停泊在上海英租界碼頭。熙攘的人流中走下身著米色西裝，風度翩翩的朱自清，他那架著金絲邊眼鏡的方臉因海風的吹拂和印度洋陽光的照射顯得微微發紅。去碼頭迎接朱自清的是一位嬌小苗條、容貌娟秀的年輕姑娘，她叫陳竹隱，是朱自清的未婚妻，專程從北京趕來的。見到竹隱，朱自清滿心喜悅，旅途的勞累一掃而空，一年的思念化作了深情的微笑。

自從二九年前妻武鍾謙因病逝世後，很長一段時間朱自清都處於悲傷之中，無法抹去鍾謙的身影。朋友們勸他續絃，重組家庭，他都婉言謝絕了。可一個家庭，如果沒有妻子和母親，實在難以稱得上是個家。孩子們則一直放在祖父母身邊。一天工作下來，面對清冷的四壁，那景象也夠淒涼的。朱自清本不善理家，又從來以工作為第一位，每天三頓飯都是老友俞平伯差家人送來，但長此以往終究不是辦法。年幼的孩子離不開母親的照料，自己也確實需要一位賢內助，凡此種種，都迫使朱自清結束鰥居生活，重新建立家庭。就在這時，幸運之神又一次眷顧朱自清，給來送來了活潑可愛的姑娘陳竹隱。

陳竹隱出身於一個世代書香門第，原籍廣東，但很早便已遷居四川成都。到她父親這一輩，家道早已敗落，僅靠父親陳正新教些散館和在估衣鋪工作的菲薄收入，維持十二個孩子及家人的生活，日子過得相當清苦。竹隱於一九〇三年七月十四日出生，在兄妹中排行最小。

竹隱十六歲那年，母親不幸病逝，百日後，父親也由於憂傷和貧困的打擊離開人世。父母的相繼謝世，使竹隱意識到今後必須靠自己的雙手去打開生活的道路。於是，她離家考入了四川省立第一女子師範學校，開始了獨立生活。從一女師畢業後，她和幾個同學到青島報考了電話局女接線生。工作一年多後，竹隱又想去讀書，以充實和提高自身。於是又去北平，考入了北平藝術學院。在藝術學院，竹隱受教於藝術大師齊白石、蕭子泉、壽石公等先生，專攻工筆畫，同時兼學崑曲。四年後，即一九二九年，竹隱學滿畢業，去北平第二救濟院工作。但她無法忍受救濟院長克扣孤兒口糧的卑劣行徑，憤而辭職。此後，她一邊當家庭教師教人作畫，一邊在溥西園門下學習崑曲。

紅豆館主溥侗溥西園是清室貴胄，但他無意政事，每日以琴畫自娛，皮黃崑曲，生旦淨末，無一不會，無一不精，是北平戲曲界的名票友。他曾受清華大學之邀前去講授崑曲，同清華許多教授結爲好友。晚年他生活清淡，便設館授徒，教閨閣小姐、學校學生和教授夫人唱崑曲，竹隱也在其中。溥西園見陳竹隱一天天長大，在北平也沒親人照料，對她的婚事頗爲關心。一次他好友、清華大學外文系教授葉公超提起此事，托他幫忙，葉公超便介紹了朱自清。

一九三〇年秋月的一天，溥西園帶竹隱和幾個女學生來到西單大陸春飯店，朱自清則由葉公超和浦江清陪同到這裡同竹隱見面。那天，朱自清身穿一件米黃色的綢大褂，白淨的臉上帶著一副金絲邊眼鏡，顯得文雅秀氣，但腳上穿著一雙老式的「雙樑鞋」，露出幾分土氣，讓陪竹隱去的同學笑了半天，可竹隱頗有主見，多年來獨身一人闖蕩社會的經歷使她懂得，在這個時代，一個女子要保持人格尊嚴，建立和睦幸福的家庭並非易事。因此，她不貪戀金錢門第和生活的享受，也不追求俊美儀表和華麗的服飾，她看重的是人本身是否樸實、正派、可靠。爲此，她曾堅決拒絕了一個家庭富裕卻趣味不投的袂袴子弟。她讀過朱自清的作品，喜愛他質樸、清新、優美的語言，也爲他所表現的眞摯細膩的情感所感動。她知道朱自清是一個做學問的人，一個符合她的追求的人。於是，竹隱給朱自清復信，兩人開始了交往。

那時，竹隱住在中南海，朱自清經常進城去看她。他倆一道遊覽瀛台、居仁堂、懷仁堂，清晨垂釣於波光粼粼的湖邊，黃昏漫步在夕陽垂柳之下。他們談社會，談人生，談自己，談作品，談得頗爲投機。朱自清把經常寫好的文章念給竹隱聽，徵求她的意見，有時爲推敲一個字兩人琢磨半天。

十多年前，朱自清和前妻武鍾謙結婚時，是靠父母之命，媒妁之言，在進入洞房、揭開蓋頭巾之前，別說互相了解，就連對方長得什麼模樣都不清楚，像如今這樣無拘無束地在一起散步、交談，更是做夢都不敢想的事。因此，儘管這是朱自清接觸的第二位女性，但談戀愛卻是第一回。當然，朱自清畢竟已是五個孩子的父親了（第六個孩子生下就體弱多病，於這年春天夭折），又是大學教授，是對生活有相當成熟認識的中年人，加之他性格內向，不苟言笑，他們的戀愛更多的是懇切實在的傾心相待，自清對竹隱，就像大哥哥對小妹妹般地關心愛護。

隨著交往的增多，了解的加深，他們的感情與日俱增。對於朱自清來說，竹隱是與前妻完全不同的一個嶄新的存在。鍾謙文化不高，基本上屬於傳統的舊式婦女，她性格溫柔善良，不多言語，把自己的生活完全交給了丈夫和孩子，是個典型的賢妻良母。竹隱則是五四運動中成長起來的新女性，有較高的文化素養，有屬於自己的生活和感情世界，經歷過較多的生活磨煉，有個性，有主見，爽朗活潑，大方熱情，又能歌善畫，有較強的生活能力和獨立意志，是生活中不可多得的人。朱自清爲找到這樣的人做終身伴侶而慶幸。對於竹隱來說，朱自清同樣是不可多得的，他對生活、對工作執著認眞，待人接物誠懇實在，以及他溫和寬厚、謹斂質樸而又穩重的個性，都給竹隱留下了深刻印象。但竹隱也有過矛盾和苦惱。一個二十多歲、風華正茂、對未來生活有著許多美好憧憬的姑娘一下子成爲五個孩子的母親，心理上確實難以接受。要好的朋友勸她說：「佩弦是個正派人，文章又寫得好，就是交個朋友也是有益的。」是的，竹隱與他的感情已經很深了，她意識到，像他這樣一個專心做學問又很有才華的人，應該有個人幫助他，失去母親的孩子多麼可憐，多麼不幸，怎麼能嫌棄他們呢？爲他做些犧牲是値得的。一九三一年六、七月間，竹隱與自清訂了婚。

訂婚後，朱自清便去英國訪學，依依不捨地告別了竹隱。在路上，朱自清幾乎每到一地，都要給竹隱寫信，傾訴相思之情。到倫敦後，朱自清寫信更加頻繁，兩人魚雁往來，音書不斷。如果有一段時間朱自清沒接到竹隱的信，或來信較簡略，他便焦慮不安，心神不定。一次，竹隱的來信未能令他滿意，他便疑神疑鬼，坐臥不寧，在日記中寫道：「上午念及隱信，心殊不安；終日心中皆似不能放下。自問已過中年，綺思雖尚未能免，應無顚倒不能立定足跟之事，而神經過敏如此，無學問復無涵養，所以自存者果何在耶？」沒幾天，朱自清又接信，竹隱依舊是那樣「一往深情」，於是他又欣欣然感到「得到了極大的安慰」。其實，朱自清的忽嗔忽喜，與「學問」「涵養」皆不相干，這是人類最純眞的感情的自然、眞實的流露，是最符合人性的。

回到上海後，朱自清立刻與竹隱籌辦婚事。結婚本來是個人感情生活的一種標志，只與當事人有關。但當時在北平結婚還要坐花車，穿婚禮服，有許多繁文縟節。朱自清和竹隱不願興師動衆，大事鋪張，於是便決定在比較開明的上海結婚。八月四日，朱自清和竹隱發帖邀請了上海文化界的一些老友茅盾、葉聖陶、夏丏尊、劉延陵、豐子愷、柳亞子等人，聚集在一家廣東飯館，在老朋友們眞誠的祝福中，朱自清和陳竹隱度過了他們人生道路上終生難忘的時刻，兩顆相愛的心永久地貼到了一起。

隨即，兩人相偕前往普陀度蜜月。他們登山攬勝，涉水觀潮，沉浸於新婚的甜蜜裡，陶醉在大自然的山光水色之中。

度完蜜月，朱自清帶著新婚的妻子回揚州老家看望父母和孩子。在揚州，他帶著竹隱和孩子們一起去遊瘦西湖、平山堂，一路歡聲笑語，全家都沉浸在天倫之樂當中。

在揚州住了十天，因學校開學在即，八月底，朱自清和竹隱便返回北京，搬進了北院九號，一套不大的教授公寓。

返校後，朱自清正式就任清華大學中國文學系系主任。在一九三〇年秋天，原系主任楊振聲擔任了剛創辦的青島大學校長，離開清華，所遺文學院院長職務，由哲學系主任馮友蘭擔任，系主任一職，便由朱自清代理。⑬從這時起，朱自清在這個崗位上度過了他的一生。

圖書館一樓西側的一間小屋，窗外掛滿了爬山虎，窗內書架上、地板上、窗台上到處是書，把不大的空間擠得滿滿當當，這裡便是朱自清的辦公室。由於擔任的工作多，朱自清的作息時間安排得相當緊張。每天清晨，朱自清先做一套早操，再用冷水擦身子，然後匆匆喝一杯牛奶，便來到這間小屋工作。中午回家吃過飯，看看報紙，稍事休息，圖書館一開門，又返回辦公室，直至圖書館閉館。一進家門，他又坐在書桌前寫東西，至十一點才休息。除了生病，這個作息時間表是從不更動的。竹隱則在家裡幫助料理家務。

那時，清華大學規定教授太太不能在清華工作，以防止家屬干預校政，清華遠在郊外，進城工作頗不方便，這樣，竹隱只好呆在家裡。這對於一個長期在社會上闖蕩、性格活潑灑脫、愛交朋友的年輕姑娘來說，環境未免太單調寂寞了，竹隱對此頗爲苦惱，有一段時間甚至產生過離開朱自清的念頭。

也許是竹隱與前妻的個性差異太大，也許在潛意識中朱自清仍用前妻的標準去衡量竹隱，因而他對竹隱常進城找朋友玩，不以他爲念，不耐煩清華的孤寂生活頗爲不滿。他愛竹隱，希望能與她廝守終生，因而對這件事看得很重，有時不免神經過敏，他曾在日記中傾吐過內心的痛苦：

每遇隱有欲離我之意，余即作種種夢，夢到將來種種惡果，到平以來，連此已第三次或第四次。此種幻想，足以擾亂神經，予心中感情，可以gloomy（注：意即陰鬱）一字表之。……嗟！我近來極反對「生的悶篤兒」（注：意即神經過敏），但因隱事，「生的悶篤兒」的厲害；我沒有全告訴隱，我不能全告訴她，……也許還未到時候？——但我自己因此更受苦。處此情形，我終覺得要哭出來。⑭

不過，朱自清畢竟是個三十多歲的成熟的人了，他沒有一味的責備竹隱，而是反省了自己的過失，願意爲調整夫婦關係作出努力，於是他儘量擠出時間，陪竹隱進城看畫展、花展，參加崑曲票友的活動等，以豐富竹隱的生活。竹隱也漸漸適應了清華園的生活，漸漸理解了朱自清對事業的追求以及對學生、對文學的摯愛，並決意爲他的事業作出犧牲。籠罩在夫婦間的感情薄霧很快便消散了。

是的，一個人事業成功的背後，往往凝聚著另一個人的汗水，我們在欣賞朱自清一篇篇美文的時候，卻不可忘記了站在他身後的妻子。

婚後的第二年夏，他們從揚州老家接來邁先和采芷兩個大孩子，平時讓他們在城裡寄宿學校讀書，星期天接回家共享天倫之樂，這樣既盡了父母責任，利於孩子健康成長，又免除了許多日常生活瑣事，保證佩弦有足夠的時間和精力從事他熱愛的工作。也是在這個夏天，竹隱的第一個孩子喬森出世了。家裡添丁進口，九號的房子不夠住了，於是，朱自清一家搬到了十六號，一幢更大的教授公寓。兩年後，竹隱在這裡有了第二個男孩思俞。

在竹隱的細心照料下，佩弦每日講課，讀書，寫作，生活緊湊、充實而有規律。工作之餘，朱自清偶爾也打橋牌、看電影、聽崑曲。竹隱是拍曲的行家，在她的耳濡目染下，佩弦也稍解音律，增強了興趣。春秋好天氣或暑假時，佩弦也偕妻子、友人外出踏青遠足，或訪花事，或登遠山，領略大自然的風光，領略生活的情趣，也調劑勞累的身心。這種生活，一直延續到抗戰爆發，是朱自清一生中最爲安定適意的時光。不過，朱自清爲此也付出代價，那就是他退出了文壇先進者的行列。

三十年代前葉，正是文學界思想鬥爭尖銳複雜的時期。在魯迅的領導下，左翼作家聯盟團結了一大批進步作家反對國民黨的文化圍剿，反對「自由人」、「第三種人」的自由主義文藝主張，文壇上顯得相當熱鬧。對此，朱自清的態度頗爲超脫冷靜，平和中正的性格，使他不願介入攻訐駁難、相互指責的論爭，不願超出以文會友的範圍，去組織各種「小圈子」，定型化的生活和中年人的閱歷，又使他不願「用很大的力量去寫出那種冒著熱氣或流著眼淚的話」。何況，眼下已不是五四時代，北平文壇既沒了當年那種發揚踔厲的新銳之氣，也不處在左翼文學與國民黨文化圍剿的鬥爭漩渦之中，而清華大學又以標榜自由主義教育聞名。他謹守著文學的小天地，謹守著認認眞眞、踏踏實實做人做文的準則，同進步作家、思想中立或偏右的作家都保持著良好的個人關係。他不參加左聯，也不參加各種政治的、文藝的小團體，對文藝界的思想鬥爭以局外人的身份作壁上觀。幾年來，朱自清已適應和習慣了那種平靜、淡泊、有規律的書齋生活。儘管心裡仍然有著無可奈何、「無話可說」的苦澀，但這些是蟄伏在心底的，一般狀況下並不刺激他那敏感的神經。當然，憑著一個嚴肅作家的正義感，他總是盡可能地支持左翼作家的活動。

一九三三年初夏，「左聯」北平支部主辦的《文學雜誌》，爲團結北平的文藝界，擴大雜誌的影響，以文學雜誌社的名義，在北海公園五龍亭舉辦了一次文藝茶話會，邀請朱自清、周作人等北平文化界知名人士數十人參加，大部分名流不願或不敢沾上「左聯」的色彩，拒絕出席，而朱自清、鄭振鐸、范文瀾等照樣出席。茶話會上，朱自清、鄭振鐸同左聯成員坦率地交換了許多開展文藝工作的意見，並表示願意同雜誌合作。事後，北平「左聯」負責人之一的王志之給魯迅寫信匯報此事，魯迅高興地回答說：「鄭朱皆合作，甚好。」⑮

朱自清依舊沉緬於他的書齋，依舊默默地寫作，但處在這種生活環境和思想狀態下，他已無法像二十年代那樣寫出引起廣泛社會反響的、蒸騰著血與淚的文字。這一時期的寫作，大致包括以下三方面的內容：表現家庭生活和個人情感的，即兒女情；表現對日常生活細觀默察的結果或一時感興的，即生活趣；表現對山川形勝文化古蹟的熱愛的，即旅遊記。

一九三六年三月，朱自清的第二本散文專集《你我》由商務印書館出版，收錄了一九二五年至一九三四年秋之間所作的二十九篇文章。其中除若干書評序跋外，主要便由上述三類文字組成。

於是，朱自清筆下便有了兒時父母為他擇偶的種種趣事，前妻鍾謙生前和他共嘗的酸甜苦辣，童年父子間的親情，往昔朋友間的摯誼……父子情、朋友誼、夫妻愛，絲絲縷縷，纏繞縈迴，織成了一條綿長悠遠、令人無限依戀的「憶之路」。這些散文以及收於散文集《背影》中的《背影》、《兒女》兩文，比較充分地展現了朱自清的家庭生活，展現了朱自清對家庭、對父母、對妻子兒女的細膩而深摯的情愫，抒發了朱自清心中難以明言的憤懣與鬱積。這類散文的意義在於，它們相對完整地勾勒了一個在風雨飄搖中苦苦掙扎的小家庭的困窘與辛酸，描繪出一個竭力想在生活的渦流中保持平衡卻又不免時時被沖得趔趔趄趄的小人物身影，從一個側面反映了時代的特徵。

那些表現生活情趣的文字，則展示了朱自清另一方面的生活和性格。朱自清的學余冠英說過：「佩弦先生於嚴肅地工作之外不乏閑情。」⑯生活情趣，本是人生的一部分，是一個生活健全、心理健康的人都免不掉的。朱自清愛吃、愛玩，對生活的興致頗濃。他曾經說過，生活中如果沒有笑，沒有淚，只有冷臉，只有「鬼臉」，豈不鬱鬱地悶煞人！」⑰正因為如此，朱自清從不作古正經，板著面孔作高頭講章，皺起眉頭作沉思狀，因而對日常生活中的閑情逸致，感受眞切，寫來有趣。《看花》便寫了他對花的情趣的領略。他從小愛梔子花，愛聽賣花姑娘清脆爽利的叫賣聲，少年時只知道吃桃子，卻不懂得看開在樹上的桃花。後來，與俞平伯在杭州的小孤山上看梅花，在白馬湖丏尊家裡看紫薇花，到北京後在清華園與孫福熙看菊花，逐漸領略了花的趣味。「我愛繁花老幹的杏，臨風婀娜的小紅桃，貼梗累累如珠的紫荊，但最戀戀的是西府海棠。海棠的花繁得好，也淡得好；艷極了，卻沒有一絲蕩意，疏疏的高枏子，英氣隱隱逼人。」⑱讓人們懂得賞花，給生活增添一點美，何嘗不是一件有益的事。

另一篇文章叫《談抽煙》，寫抽煙的樂趣。朱自清原來不抽煙，二十年代在江浙一帶教書時，開始抽煙。儘管煙癮不大，卻自認爲頗通抽煙之道。朋友相聚，談到抽煙，他也會掏出一包，大大吹噓一番，仔細說出買處，價格，以及有關此煙的一切好處。正因爲朱自清把抽煙當作「生活的藝術」來對待，悉心體驗，才使得他能夠從人們的漫不經心中領略到濃厚的趣味。他說：

好些人抽煙，爲的有個伴兒。譬如說一個人單身住在北平，和朋友在一塊兒，倒是有說有笑的，回家來，空屋子像水一樣。這時候他可以摸出一支煙抽起來，借點兒暖氣。黃昏來了，屋子裡的東西只剩些輪廓，暫時懶得開燈，也可以點上一支煙，看煙頭上的火一閃一閃的，像親密的低語，只有自己聽得出。要是生氣，也不妨遷怒一下，使勁兒吸他十來口。客來了，若你倦了說不得話，或者找不出可說的，乾坐著豈不著急？這時候最好拈起一支煙將嘴堵上等你對面的人。若是他也這麼辦，便盡時間在煙子裡爬過去。各人抓著一個新伴兒，大可以盤桓一會的。

這篇文章讀來非常輕鬆，但下筆並不容易，八百字的短文寫了兩個下午。儘管是寫生活中的細枝末節，朱自清的態度卻是非常認眞的。

朱自清愛旅遊，也愛讀旅行記，因此數量衆多的旅行記便成爲他散文內容的一大特色。這些旅行記除去單獨成冊的《歐遊雜記》和《倫敦雜記》，一部分寫他過去居住或玩過的地方，如《揚州的夏日》、《說揚州》、《南京》等，另一部分是來北京後的紀遊之作，如《潭柘寺·戒壇寺》、《松堂遊記》等。這些遊記不再像《槳聲燈影裡的秦淮河》那樣以情景交融勝，而以敘事見長，或寓莊於諧，或描摹精嚴，或隨意揮灑，款款道來，如數家珍，帶著一種從容悠閑的風度，自有一種質樸而甘醇的意趣。

在風格上，這一時期的散文同二十年代相比，有明顯的差異。二十年代，朱自清以青春的生命感受著時代的氣息，形成了縝密漂亮、清秀眞摯的藝術風格。進入三十年代後，絢爛之極歸於平淡，「豪華落盡見眞淳」，文字不如二十年代華瞻優美，但大巧若拙，舉重若輕，功力更深了一層。在章法結構上，不再刻意追求起承結合，卻主要依靠感情的眞意貫注，儘管再無玲瓏剔透的精巧之美，卻更加揮灑自如，起於當起之處，止於當止之處，在貌似漫不經心的敘述中，不知不覺地將人招了入內，有不可條分縷析、尋章摘句的渾樸圓潤之美。《給亡婦》、《兒女》全寫家庭瑣事，《冬天》擷取三個互相獨立的人生小鏡頭，寫出了父子情、夫妻愛、朋友誼，讓人讀後砰然心動。

在文字處理上，朱自清逐漸摒絕華美秀麗的辭藻而追求樸素平易的表達，走返樸歸眞的路。他以北京的口語爲基礎，同時兼採其它方言和文言文中有效的方式，加以熔鑄提煉，形成了質樸純潔、自然純厚的新的語言風格。讀他的文字，如會友人，如飲陳酒，如溫故書，娓娓動人，親切溫馨，具有一種「清水出芙蓉，天然去雕飾」的韻味。

由於年齡和閱歷的不斷增長，朱自清洗煉流暢駕馭自如的語言中，更有一種人情練達的睿智，一種從對人生的洞達超脫醞釀出的會心的微笑。儘管朱自清的性格嚴肅認眞，卻不乏風趣。二十年代的作品中，他便顯露過笑的才能。《旅行雜記》中對省長督軍之流的大人物的嘲笑，《航船中的文明》裡對中國固有傳統文明的譏諷，都是頗令人啓顏的。不過那是帶刺的，是投向醜陋事物的匕首。而到三十年代，作者的圭角內蘊，笑的才能更多地體現爲一種人生智慧。敘述自己童年相親擇偶經歷的《擇偶記》，通篇使用輕鬆調侃的文字，其中自然蘊含著一種對人生況味的領悟與超脫。掩卷之後，除了了解朱自清的童年生活，還能從中感受到人生的滋味。

總之，朱自清三十年代的散文，去掉了年輕人的銳氣與火氣，去掉了一切刻意爲文的痕跡，從容不迫，雍容灑脫，練達老到，揮灑自如，有著一種爐火純青的成熟之美。借用朱自清評孫福熙散文的一段話來移贈他自己，頗爲恰切：

乍看豈不是淡淡的？緩緩咀嚼一番，便會有濃密的滋味從口角流出！你若看過瀼瀼的朝露，皺皺的水波，茫茫的冷月，薄薄的女衫，你若吃過上好的皮絲，鮮嫩的毛筍，新制的龍井茶：你一定懂得我的話。

四

朱自清躲入書齋後，精神暫時得到解脫。他一門心思放在學問上，幾年間，幾乎以每年一門的速度推出新課。除了原來的大一國文、古今詩選，中國新文學研究、歌謠以及高級作文等課外，一九三三年開「陶詩」課，一九三四年開「李賀詩」課，一九三六年開「中國文學批評」課。在未開新課的三五年，他則編選了《中國新文學大系》的「詩集」，對五四至二七年十年間新詩的發生發展歷程進行了系統總結。此外還編著了《李賀年譜》，寫了《陶淵明年譜之問題》等學術論文，被人們稱道「所見良是」，「足解衆紛」，多次爲人所引用。授課研究之餘，他寫了大量書評，出版了《歐遊雜記》，發表了爲數可觀的散文。穩定的環境、穩定的生活和穩定的情緒，使朱自清勤奮著述，收穫甚豐。

朱自清習慣了寧靜的書齋生活，並從中得到許多益處。然而，戰爭的烏雲逐漸籠罩了中國，籠罩了華北，籠罩了北平，也籠罩了朱自清寧靜的書齋。

日本帝國主義自「九一八」事變占領東三省並成立僞滿洲國傀儡政權之後，侵略魔爪一步步向華北進逼。

十一月底至次月初，爲迎合日本侵略者的「華北自治」運動，國民黨撤消北平軍分會，準備於十六日成立冀察政務委員會，由宋哲元任委員長，日本推荐的著名漢奸王揖唐、王克敏、齊燮元、曹汝霖等十五人爲委員，土肥原爲顧問。

日本侵略者咄咄逼人的氣焰，攪得華北，攪得北平烏煙瘴氣。北平儘管名義上還在中國手中，卻早已呈現出一派淪陷區的景象，城門洞口和交通要道都布滿了日軍崗哨，插著膏藥旗的坦克在大街上橫行無忌，日本戰鬥機在空中呼嘯而過，城外不時傳來日軍進行軍事演習的槍炮聲，就連北平到天津的火車站牌都加上了日文的站名。北平的國民黨當局，正在倉惶撤退，黨國要人們帶著家眷箱籠爭相南逃，故宮博物館的文物也一批批裝箱南運，前門火車站整日熙熙攘攘，忙得不可開交。

地處北平西北角的清華，也是一副準備南遷的架勢。晚上化學館圖書館裡燈火通明，響起一片叮叮噹噹的釘錘敲擊聲，學校當局正把貴重的圖書和儀器裝箱南運。

華北危在旦夕，平津危在旦夕，「華北之大，已經安放不得一張平靜的書桌了！」⑲民族危機到了千鈞一髮之際。面對此情此景，一直呆在書齋中的朱自清也不禁憂心如焚。十二月六日，朱自清在給上海《立報》的《言林》副刊編輯謝六逸的信中，表達了他的憂思：

北平秋天本來最有意思，今年卻烏煙瘴氣。烏煙瘴氣還不如風聲鶴唳的好；今年和前年五月那一回簡直不同，固然可以說一般人「見慣不驚」，但怕的還是「心死」吧。這回知識分子最爲苦悶。他們眼看著這座中國文化的重鎮，就要沉淪下去，卻沒有充足的力量挽救它。他們更氣憤的，滿城都讓些魑魅魍魎白晝搗鬼，幾乎不存一分人氣。他們願意玉碎，不願意瓦全。但書呆子的話，怕只有書呆子來理會吧。⑳

信中所說的「前年五月那一回」，指的是馮玉祥、吉鴻昌、方振武等愛國將領組織察哈爾民衆抗日同盟軍奮起抗擊日寇的事跡。

當時，抗日同盟軍經過浴血奮戰，收復了被日寇占據的塞外重鎮多倫。此舉極大地振奮了全國人民的愛國熱情，因而得到了北平和全國民衆的熱烈支持。可不久，抗日同盟軍在日寇和國民黨中央軍的兩面夾擊下，悲壯地失敗了。

從那時到現在，兩年過去了。兩年來，日本主義的狼子野心暴露無遺，整個華北、整個中國的形勢越來越危急，知識分子心急如焚。然而，現實的抗爭力量在哪裡？民衆的愛國熱情在哪裡？民族的前途在哪裡？朱自清憂心忡忡、疑慮不安。

三天以後，北平學生終於醒獅般地怒吼起來，以聲勢浩大的抗日愛國運動表達了中華民族不可侵犯不可戰勝的決心，也回答了朱自清的疑慮。

十二月九日，凜冽的寒風肆無忌憚地咆哮著，如刀子般地割著路人的臉，氣溫降到零下二十度。但學生們心裡翻騰著熱浪，他們高呼著「打倒日本帝國主義」、「反對華北防共自治」、「爭取愛國自由」、「停止內戰，一致對外」等口號，匯合在新華門廣場，舉行抗議示威。結果遭到鎮壓，萬餘名學生與軍警的水龍、木棍、大刀搏鬥了整整一天，百餘人受傷，三十多人被捕。

當局的高壓政策，激起了學生的更大憤怒。北平市學聯決定在十二月十六日冀察委員會成立之日，召集學生舉行更大的示威遊行。

十六日拂曉，清華和燕京學生組成了一千多人的城外大隊浩浩蕩蕩向城裡進發。北風呼嘯，捲起的沙子打在臉上如針扎一般，寒風穿透了棉袍，直到肌膚。但同學們爲愛國熱情所鼓舞，早已忘卻寒冷。於是隊伍分成兩股，一股六百餘人向永定門進發，另一股四百餘人留下。

留下的學生同軍警交涉甚久，毫無結果。他們再也按捺不住心頭的怒火，決定用血肉之軀去撞擊鐵的城門。幾百條臂膀結成一股鋼鐵的巨流，「一、二、三、衝！」「一、二、三、衝！」滾滾的人流衝擊著鐵門，如洶湧的怒濤撞擊著岩石。城頭上的軍警見勢不妙，從上面砸下大塊的卵石和磚瓦，學生則撿起石頭，回敬軍警，一時間磚石橫飛。

這時，朱自清匆匆趕到了。九號那天，朱自清聽說學生遊行有多人受傷被捕，深爲憂慮，他深恐學生遭到更大的傷亡。於是這天一早便和外語系主任陳福田、物理系教授吳有訓趕到西便門，準備勸學生回校。可學生正在奮力衝城，城門上下，石如飛蝗，面對此情此景，朱自清心情頗爲複雜。作爲教師，作爲系主任，他必須對學生負責，必須和校方的立場保持一致，他不願看到更大的流血場面，但作爲一個正直的中國人，朱自清認爲學生的舉動是愛國的，是正義的，政府應該妥善處理此事。

十時許，鐵門終於被撞開了，學生們四人一排，臂挽著臂，帶著勝利的歡呼，衝進城內。看著純眞無畏、一腔熱血的青年，朱自清實在放心不下，深怕他們遭不測，於是隨著遊行隊伍進了城。

果然，晚上傳來消息，軍警對學生再次進行鎭壓，更多的學生流血、受傷、被捕了。朱自清感慨萬分，在當天的日記中寫道：「最近二次遊行中，地方政府對愛國學生之手段，殊過殘酷。」回想起當年「三．一八」慘案時的光景，朱自清慨嘆歷史太過相似了。

儘管平時朱自清不過問政治，對中國政壇的複雜局面也不甚了解；儘管由於身份和年齡的差別，朱自清的看法和思路同青年人不盡一致，但他是以父兄般的感情，以一種寬容、理解和保護的態度，來對待年輕人的，對自己的子女和非親非故甚至不相識的學生，都是如此。正在讀高中的大兒子邁先是「民先」隊員，在「一二．九」運動中極其活躍並加入了共產黨，朱自清並不干涉他的行動。大女兒采芷，原在教會學校讀初中，因參加「一二．九」運動被學校不掛牌除名。當校方把朱自清找去時，朱自清沒責備女兒一句便將她轉了學。運動風潮過去後，國民政府頒布了《維持治安緊急治罪法》，加緊鎮壓學生運動，鎮壓抗日活動。次年二月二十九日晨，四百多名軍警突入學校，搜捕學生運動骨幹，遭到學生反抗，奪回了被抓的學生和工友。對此，政府惱羞成怒，以「清華有五百名共產黨暴動」爲藉口，派出二十九軍兩個團的兵力，於傍晚包圍清華園，殺氣騰騰地進行搜捕。爲了躲避軍警的搜捕，進步學生四散藏身，有六名女學生藏到了朱自清的家中。保護學生是教師的天職，朱自清深知學生愛國無罪，便把這六名學生安頓在客廳裡，直至第二天清晨軍警撤走。走前，竹隱給他們每人煎了兩個荷包蛋。

進入一九三六年以後，民族危機進一步加深。五月，日本與冀察政務委員會訂立秘密的《華北防共協定》，規定日軍可在華北鐵路沿線駐紮協助國民黨軍「剿共」，可在華北設立特務機構等。夏季，日軍在天津組成了控制華北和進攻全中國的最高指揮機關「華北駐屯軍司令部」。

與此同時，抗日救亡運動也一浪高過一浪，由「一二·九」時的學生運動發展成社會各階層的全面愛國運動。

十月，燕京、清華、北大、北師大等平津高校和文化界的一百零四名學者、教授聯名簽署了《平津文化界對時局的宣言》。對中國政府的軟弱表示了強烈的不滿，說：「去秋以來，情勢更急，冀東叛變，津門倡亂，察北失陷，綏東危急，豐台撤兵，禍患連駢而至，未聞我政府抗議一辭，增援一卒，大懼全國領土，無在不可斷送於日人一聲威嚇之中。」「我中華民族，數千年來，雖時或淪於不才不肖，從未有盡舉祖宗所貽，國命所繫，廣土衆民，甘作敝屣之棄者。此有史以來前所未聞之奇恥大辱，萬不能創見於今日。」最後，《宣言》向政府提出八項要求，要求公開對日邦交，反對日本人干涉中國內政及在中國領土上非法行動，出兵綏東，協助原駐軍隊，剿伐藉日本勢力以作亂的傀儡軍等。徐炳昶、顧頡剛、錢玄同、黎錦熙、馮友蘭、張奚若、容庚、錢穆、葉公超、唐蘭、張蔭麟、朱光潛、陸侃如、郭紹虞、沈從文、梁思成、林徽音、金岳霖、李繼侗、雷潔瓊、楊秀峰、馮沅君等一百零四名平津文化界知名人士簽了名，朱自清也簽了名。

在全國人民一致聲討日本帝國主義戰爭陰謀的聲浪中，十一月日軍又悍然策動僞蒙軍向中國政府管轄的綏遠省發動進攻。中國軍隊在綏遠省主席傅作義將軍的率領下奮起反擊，取得了紅格爾圖戰鬥的勝利，並一舉收復僞蒙軍占據的百靈廟。百靈廟的收復，是中國軍隊自一九三三年抗日同盟軍長城抗戰以來的第一次勝利，全國廣大軍民爲此歡欣鼓舞，各階層自動掀起援助綏遠抗戰，慰勞抗日將士的群衆運動。在這一運動中，清華師生捐獻薪水，節衣縮食，上街募捐，爲前線趕製棉大衣和防毒面具，短時間內，籌集了捐款兩千元和大批衣物藥品。

在這一運動中，朱自清格外興奮。他義不容辭地擔任了清華教員代表，和校學生自治會主席王達仁，燕京大學教職員代表梅貽寶及該校學生會代表等五人組成「清華燕京師生代表赴綏慰問團」，奔走綏東前線慰勞抗日將士。

十一月十八日晚，他們帶著兩千元捐款和大批衣物藥品，乘火車前往綏遠（即今呼和浩特）。第二天中午抵達後，他們立即投入了緊張的慰問勞軍活動中。

下午，他們聽省政府秘書長介紹了前線情況，然後接待了英國記者的採訪，晚上又同當地新聞記者和中學校長進行了座談。

第二天上午，朱自清先去歸綏中學演講，鼓勵學生切實接受訓練，鍛煉提高自己的組織力和戰鬥力，然後又參觀了自衛團常備隊，面對三千六百多名壯丁，再次演講。下午，他們受到綏遠省主席傅作義的接見，朱自清和王達仁代表清華將兩千元捐款匯票交給傅作義。晚上，他們乘車離開綏遠，前往平地泉戰場，半夜一點方才抵達。

二十一日晨，他們來到第二師範，參加了平地泉各界自衛大會，中午又參加了二師學生自治會會議，並作講演。然後他們又趕往野戰醫院慰問傷兵。離開醫院後，便趕往城外會見騎兵司令趙承綬將軍，還參觀了防禦工事。

下午五時許，他們匆匆登上火車，第二天早晨回到北平。

短短三天半時間，他們馬不停蹄地到處奔波，會見了當地軍政首腦及各界人士，轉達了後方人民的殷殷心意。儘管疲憊不堪，但他們了解了前線戰況，爲前線官兵一致、軍民同心抗擊亂寇的英勇事蹟而興奮不已。返校後，朱自清立即寫下了《綏行記略》，向社會介紹了綏遠前線抗敵將士們的英勇事蹟。

在平地泉，朱自清遇到了《大公報》的綏遠特派記者范長江。范長江年僅二十來歲，但他思想敏銳，文筆犀利，在全國率先報導了陝北紅軍和陝北根據地的眞實情況，打破了國民黨政府的新聞封鎖，在內地引起了巨大反響。綏遠抗戰爆發後，他又奔赴前線，寫下了一系列的戰地報導。朱自清同他談論之下，對他非常佩服，回來後對竹隱說：「看來，這個青年人可能是共產黨。他很有見解，中國要強起來，還要依靠這樣的青年；要這樣，才是眞有作爲的青年。」㉑

不過，朱自清對共產黨有好感，並不意味著他對共產黨的性質宗旨、政策主張有多深的了解，他的立足點仍然是站在居正統地位的國民黨政府一邊的。不久，西安事變爆發，張學良、楊虎城發動「兵諫」，逼蔣抗日。對此，朱自清覺得無法接受，於是他同意清華教授會的「通電中央請明令討伐張學良」的決議，並擔任了通電起草委員會的召集人。在同一個左

翼青年談論西安事變時，他也坦率地說：「余之立場與政府相同。」㉒

朱自清主張抗日，敦促政府拿出切實的救國措施。但他的抗日救亡，依然是依靠中央政府，指望蔣委員長體察民心，明瞭時局，正如他所簽名的《平津文化界對時局的宣言》所說：「我全國人民，至於今日，深知非信仰政府不足以禦外侮，精誠團結，正在此時，深不願我政府輕棄其對國民『最後關頭』之諾言，而自失其存在之領導地位。」正因為如此，朱自清覺得可以苦口婆心地勸導說服，卻不可厲言疾色地斥罵指責，至於刀擱脖子般地逼蔣，更是大逆不道的犯上作亂。這種對正統的盲目尊崇，出自一個善良者的善良願望，在錯綜複雜的現實面前，不免顯得天眞。不過，這也是不問政治的朱自清的必然思路。

西安事變和平解決，國民政府終於拿出抗戰姿態。不過此時，日本帝國主義侵華之勢已成，戰爭終不可避免。朱自清也清楚地看到這一點，一九三七年春，在為清華第九級學生所寫的級歌中，他喊出了全民動員，戮力同心，拯救民族危亡的響亮呼聲：

莽莽平原，漠漠長天，
舉眼破碎河山。
同學少年，同學少年，
來挽既倒狂瀾。
去向民間，去向民間，
國家元氣在民間。

莫怕艱難，莫怕熬煎，
戮力同心全在咱。

【附　註】

① 朱自清：《一封信》。
② 朱自清：《兒女》。
③ 朱自清：《給亡婦》。
④ 朱自清：《中秋月》。
⑤ 朱自清：《頡剛欲爲作伐，賦此報之》。
⑥ 在外文系能接觸到許多世界著名作家的作品，這對創作非常有利。而中文系當時的課程則偏重於中國古典文學。
⑦ 見一九三三年一月七日《朱自清日記》。
⑧ 見一九三二年一月廿六日《朱自清日記》。
⑨ 朱自清：《總還値一文半文》。
⑩ 馮至：《朱自清先生》，《中建》（北京版）第一卷第三期，一九四八年八月二十日。
⑪ 葉聖陶：《朱佩弦先生》，《中學生》第二〇三期，一九四八年九月。
⑫ 朱自清：《歸航即景》（與朱偰聯句）。

⑬ 朱自清訪學歐洲期間，系主任一職由本系教授劉文典暫代。
⑭ 見：一九三三年一月二十八日《朱自清日記》。
⑮ 魯迅：《一九三三年五月十日致王志之》。
⑯ 俞冠英：《佩弦先生的性格嗜好和他的病》，《文學雜誌》第三卷第五期，一九四八年十月。
⑰ 朱自清：《懷魏握青君》。
⑱ 朱自清：《看花》。
⑲ 《清華大學救國會告全國民衆書》，《怒吼吧》第一期，一九三五年十二月十日。
⑳ 朱自清：《北平消息》。
㉑ 見陳竹隱《憶佩弦》，《新文學史料》第一輯，人民文學出版社一九七八年版。
㉒ 見一九三六年十二月二十日《朱自清日記》。

第七章　流亡大學（上）

——蝸居報恩寺

一

一九三七年七月八日，北平西南郊的宛平一帶傳來激烈的炮聲，清華園在炮聲中不停地顫動。此時，清華正值暑假，學生或在外實習，或在西郊夏令營作軍事演習，留校的學生不多，但教職員大都在校內。在槍砲聲的包圍中，清華師生一面搶運尚未搬走的儀器圖書，一面收拾家當，準備逃難。一時間，箱籠堆積。車輛穿梭，雞飛狗走，人聲鼎沸，清華園失去了往日的寧靜和安謐。

局勢越來越嚴重。七月二十七日下午，朱自清帶著家人匆匆離校進城，住到了西單牌樓附近弓弦胡同的陳之邁家裡。他們剛進城，城門便關閉了。二十八日一大早，日軍轟炸西苑兵營的炮聲便清晰可聞。朱自清急忙爬起身趕到街上，只見諾大一條長安街只有零星幾個路人、幾輛洋車，顯得空空蕩蕩，兩條電車鐵軌在日光下發著冷寂的光。胡同口上默默站著一些人，似乎在等待著什麼。從報紙的「號外」上看，消息是頗令人振奮的，中國軍隊搶回了豐台，又搶回了天津老站、廊坊，甚至說打進通州了。整個下午，屋裡電話聲不斷，朋友們不時打來電話詢問消息或通報消息，話音中都透著興奮。到了傍晚，日軍飛機在北平上空灑下許多傳單，勸誘北平軍民投降。天黑以後，隆隆的炮聲更密了，警察又挨家通知，關好門窗，以防敵人放毒氣。這些事與前方傳來的捷報頗不相稱，叫人納悶惶惑，卻很難叫人相信噩運即將臨頭。

第二天一大早，天剛亮，一個朋友打來電話，說昨天夜裡，北平守軍全部撤退，城外已飄起了日本人的膏藥旗。這消息使人好像一下從天上摔了下來。

七月二十八日，北平淪陷。

得悉這一消息，朱自清匆匆趕到清華組織學生向城內撤退。天上，日本飛機轉來轉去，不時投下炸彈，腳下，土地在痛苦地顫抖，眼前，逃難的人群呼兒告娘，空氣中充塞著家國之仇、民族之恨。

八月五日，朱自清和竹隱返回清華搬家，在日軍崗哨的監視下進出城門，那滋味，眞是難以形容。收拾好衣物書籍，回望身後的清華園，朱自清感慨萬千。在這山青水秀、草木蔥籠的地方生活了十二年，這裡的一山一水，一草一木，都那麼熟悉，那月光籠罩下的荷塘，那海棠環繞的古月堂，那古色古香的工字廳，那留下自己無數身影和回憶的西院、南院、北院……如今，這一切都要告別了，何年何月才能重返？

北平淪陷後，國民政府命清華大學、北京大學和天津南開大學在湖南長沙合組臨時大學。

九月中旬，先期去長沙籌備臨大的梅貽琦校長來電要朱自清赴校。作為清華的重要幹部，作為清華大學草創階段即已加入的老清華人，朱自清已把自己的命運與學校緊緊相聯，他不願在此危難之際掉頭他去，更不願像老友俞平伯那樣蟄居北平，在膏藥旗下苦捱歲月。他決意跟著學校走，哪怕到天涯海角。接到梅校長的電報，朱自清決定立刻動身。

九月二十二日，朱自清戴副眼鏡，身穿舊長衫，拎著平時上課用的舊皮包，打扮得像個小學教員一樣，混過了日本人的注意，順利登上了火車。從此，朱自清隻身一人，開始了千里奔波的路途。

朱自清先到天津，然後從塘沽上船奔青島，接著坐膠濟線火車至濟南，轉津浦線南下抵徐州，又轉平漢、粵漢線經漢口，於十月四日抵達長沙。

長沙小吳門外韮菜園，有一座美國人辦的教會學校——聖經書院。學校因戰爭爆發而停辦，校園正好被臨大租用。臨大的校本部和理、工、法三院便設在這裡，文學院因為校舍不夠，被安排在南岳白龍潭的聖經書院分部。

朱自清抵達長沙時間頗早，學校尚未開學，許多教授亦未到校，臨大一切都還紛亂無章。不過朱自清也無法閑著，他一到，便同文學院長馮友蘭商量文學院搬往南岳事項，去車站迎接陸續報到的同仁。接來聞一多全家後，朱自清便立刻同一多籌劃中文系的課程安排。當時許多學生輾轉路途來到長沙，身外一切喪失殆盡，生活無著。學校為解決這些學生的困難，特地撥出一部分經費用作貸金，為此專門成立了臨大貸金委員會，由朱自清負責召集。由於僧多粥少，學生與校方不免時有摩擦。朱自清作爲具體負責人，爲此事花費了不少精力。

十一月一日，臨時大學正式開學。三日，朱自清和文學院同仁馮友蘭、聞一多、陳夢家、葉公超、羅皚嵐、金岳霖、吳俊升、浦江清、柳無忌和英籍教師燕卜蓀等近二十人前往南岳。這天上細雨菲菲，客車在公路上顛簸了三、四個小時，渡湘江、過衡山，終於到達南岳市。這時，雨已停了，但山路泥濘，頗不好走，先生們一人一根拐杖，開始進山。步行一個多小時，轉過兩個山頭，經南岳寺、圖書館、黃庭觀等地，來到白龍潭，聖經書院分院就在這裡。

剛到學校時，大家的情緒非常興奮。教授們每天吃過晚飯，便聚在一間房子裡，一邊抽著煙，喝著茶，一邊看看報紙，研究著地圖，談論著戰事和時局。如果有人剛從北方到來，大家更是興奮地聽他講述逃難經過和路途見聞。對於戰爭以後會如何發展，能否勝利，大家一時也顧不上，只是覺得既然爆了戰爭，當然應該全民投入抗戰，或上前線，或在後方從事戰時的生產，至少也應該在士兵和民衆教育上盡些力。但國民政府始終未向他們下達這樣的指令。相反，校舍放在世外桃源般的南岳，便使他們意識到，他們還得準備教書——教他們過去的所教的書。

在山中，人們最感苦惱的是交通很不方便，報紙要遲兩三天才能看到，外界的消息知道很少，即使知道了也早已明日黃花。在這種情況下，家書眞是「抵萬金」了。朱自清隻身南下，把妻子和幾個孩子留在淪陷的北平，他們的情況如何，心裡著實擔憂。有時見到不相識的婦女兒童，心裡便會立刻飛到北平。然而山水阻隔，鞭長莫及，朱自清除了盼竹隱常來信而外，卻也無法可想。還有老家的父親和孩子，也使朱自清牽腸掛肚。為支持抗戰，學校同仁主動要求減薪，薪水按七折支取，此外加上各種各樣的捐款，對家累重的教授來講，少收入百分之五十並不是件小事。前不久，朱自清便向學校借錢寄給揚州老家八十元。當然，錢是次要的，只要家人在烽火連天的歲月裡平平安安，那就是上上大吉了。

由於校舍搬遷的緣故，文學院直到十一月十八日才正式開學上課。此時，未來報到的學生很多，他們大多上了前線，但留下來的人對於學習還是非常專心的。特別是此時，國內最負聲望的三所學校合併，三校的精英薈萃一堂，在學術上開出了新的天地。三所學校校風、傳統不同，三校教授的背景、淵源、學派、觀點也不相同，但皆為好學深思之士。大家撇開各自的門戶差異聚在一起，朝夕相處，互相切磋，取長補短，重現了歷史上百家雜陳的局面。因而，儘管時當戰亂，地處一隅，圖書資料損失慘重，但學術空氣相當濃厚。朱自清的重要學術論文《文選序「事出於沈思義歸乎翰藻」說》便寫於此時，馮友蘭的《新理學》和金岳霖的《論道》兩部著作，也形成於此時。馮友蘭曾感慨地說：「我們在南岳的時間，雖不過三個多月，但是我覺得在這個短時期，中國的大學教育，有了最高的表現。那個文學院的學術空氣，我敢說比三校的任何時期都濃厚。教授學生，眞是打成一片。有個北大同學說，在南岳一個月所學底比在北京一個學期還多。」①

山居生活，單調而有規律。除上課而外，剩下可幹之事，便是遊山。湖南秋冬之季多陰雨，難得有晴天麗日，因而一旦天好，便成了出遊的好日子。朱自清向來遊興甚濃，只要沒課或其他急需辦理之事，逢到此時，他總要約上三、兩同事，信馬由韁，隨意而行。

衡山爲天下名山，五岳之一，七十二峰，層巒疊嶂，雄偉奇秀，其中以祝融、紫蓋、雲密、石廩、天柱五峰最爲著名，又以祝融爲最高，峰頂有青玉壇、觀日台、觀月台等勝蹟。從書院出發登山，要走四十里才到祝融峰。一路上水田竹樹，白雲繞路，山有多高，水有多高，爬到峰頂，還可見一脈清泉從上封寺中流出。三八年元旦，學校放假，又適逢久陰放晴，於是朱自清偕浦江清等五、六同事，清晨即出發登山。

曉霧迷濛，群山彷彿島嶼一般出沒無定，腳下的石板路，彎彎曲曲地伸入雲中。遠遠望去，半山亭在煙霞縈繞之中。經過紫竹林、鐵佛寺，一行人來到鄴侯書院。這鄴侯書院爲唐宰相李泌避難讀書之處。李泌藏書極富，韓愈詩曰：「鄴侯多藏書，架插三萬軸」。從鄴侯書院出來，行不多遠，便是河林。站在崖邊，俯望眼底，只見「水田開阡陌，照影明鏡比。分脈散清泉，涓涓隨杖履」，白雲繚繞，薄霧浮沉，危蹬曲折，鳴澗蜿蜒，朱果懸枝，野花吐蕊，大自然的美景確實令人心曠神怡。可是，想到不久又將奔波於途，朱自清和朋友們都神色黯然，感慨不已。

儘管避居山中，消息不便，但外界傳來的消息卻無一不壞：南京失陷，長沙挨炸，就連有世外桃源之稱的南岳，也遭受了兩次空襲警報的騷擾。刺耳的鑼聲打破了小城的寧靜。大家紛紛爲飄搖的時局和學校渺茫的前途而擔憂。不久，日寇進逼長沙，臨大被迫再度遷徙。這次，政府決定「一勞永逸」，將臨大遷往大後方的昆明，作長期抗戰打算。二月間，學校開始遷移，朱自清又踏上了萬里奔波的路途。

正是：「萬里長征，辭卻了五朝宮闕。暫駐足衡山湘水，又成離別。」②

決定遷滇後，臨大教師自由行動，學生則分兩路於二月中旬出發。女學生和體弱男生約八百人從長沙由粵漢、廣九鐵路到香港，復乘船到海防，從海防經滇越鐵路到昆明。另一批健壯男生共二百四十四人組成湘黔滇旅行團，翻山涉水，徒步前往。聞一多、李繼侗、曾昭倫、黃子堅、袁復禮等教授隨學生一道步行。清華中文系年輕教師許維遹、李嘉言也報名參加了旅行團。他們一路風餐露宿，歷經艱難，行程三千五百里路，於兩個多月後抵達昆明。

朱自清則和馮友蘭、陳岱蓀十餘人結伴乘汽車從南岳出發經桂林、柳州、南寧、龍州，出鎮南關，再坐法國人的火車到河內，轉滇越路到昆明，歷時近一個月。因教師單獨行動，又不必急忙趕到學校上課，因而他們從從容容，一路走一路玩。在桂林，他們見到了冠絕天下的漓江山水，只是反顧自身的滿面征塵和鬢邊雜絲，遙想在戰亂中匆匆奔走的莘莘學子，未免要生出些別樣的感受。正是：

> 招攜南渡亂烽催，碌碌湘衡小住才。
> 誰分漓江清淺水，征人又照鬢絲來。③

一路無事，只是走到鎮南關的時候，馮友蘭不愼折斷了胳膊，朱自清和陳岱蓀急忙把他送進河內醫院，忙乎了幾天。三月十四日，朱自清等人終於抵達昆明。

四月初，臨時大學奉命改爲「國立西南聯合大學」，聯大內部繼續保留三校原先的建制。

朱自清擔任了聯大文學院中文系主任兼清華中文系主任，秋天，聯大建立師範學院，朱自清又兼任了師院國文學系主任。

由於秋天校舍尚未全部建好，學校決定將文、法學院暫遷蒙自。四月四日，朱自清征塵甫卸，又登上滇越路火車，反向向南至碧色寨，再轉小火車向西，來到蒙自。

蒙自是滇南的一座小城，處在群山密林之中，靠近越南，有小火車與錫都個舊相通。清末法國人看中這塊地方，要求闢這裡爲通商口岸。後來滇越鐵路通車，這裡的重要性下降，小城逐漸敗落。

蒙自有一座方城，低矮的城垣，圍著里把路的見方，在北平來的學生眼中，簡直像個玩具似的，城內僅一條大街，狹小而寂靜，走在路上，有時不見一個人。只有到趕街子的時候，才顯得有點活氣。街上幾家雜貨鋪，門面矮小，生意也不興旺。比較而言，城外倒顯得較有活氣，原法國人的海關、領事署、醫院、洋行等現代化建築都在那裡。

蒙自分校的校址便設在海關和領事署等地，全體男生和教授住在離海關兩百米的歌臚士洋行和東方匯理銀行，女生則住在城裡一周姓士紳的公館。

在洋行和海關之間，有一個方圓二十來畝的南湖。枯水季節，這裡是崎嶇雜亂的爛洼子，但一到夏季，則溶溶灩灩，一片汪洋。沿湖遍植由加利樹，挺拔的軀幹，疏落細長的枝葉，頗似楊柳。長堤上一條石板路，蜿蜒曲折，通向湖中菘島、軍山、三山公園。菘島一帶，樹木掩映，亭閣翼然，荷葉田田，荷香陣陣，總令人想起北平的什刹海。這裡是師生們最愛留連的地方。

夕陽西下時分，學生們三個一群，五個一伙，嘻嘻哈哈，邊走邊玩。教授們也常閑步湖邊，立談柳下。經常是這邊走來西裝筆挺戴著禮帽的朱自清，那邊踱過一襲長衫、長髯飄拂的馮友蘭，慢慢而行的是夾著布包的陳寅恪，併肩徘徊的是風度翩翩的陳夢家和趙夢蕤夫婦。只有聞一多端坐樓上，埋頭著述，不爲外界景色所動，同事們勸他「何妨一下樓」，他卻依然如故，因而得了個「何妨一下樓主人」的雅號。

在蒙自，向長清、劉兆吉、趙瑞蕻、查良錚（穆旦）等十幾個愛好詩歌的學生組織了一個南湖詩社，請朱自清、聞一多擔任詩社的導師。朱自清經常給他們看詩稿，提出修改意見，同他們討論詩歌創作和研究的問題，倒給戰時的艱難生活增添了一點詩情畫意。

儘管是戰時，可學校開了學，生活便暫時安定了下來。然而朱自清的心並不安定，牽掛在他心頭的，是留在北平的竹隱和三個孩子。他深知在日本人的鐵蹄下做亡國奴的滋味，也知道竹隱沒有工作，坐吃山空，決非長久之計。因此朱自清一安頓好，便立刻寫信叫竹隱南下。而此時，竹隱也確實到了山窮水盡的地步，自清臨走時給他們的點錢，至多只能維持到五月初。

對竹隱和孩子們來說，這眞是一次不尋常的旅行。那時，北平城裡日本人的吉普車橫衝直撞，臨行前竹隱差一點喪身輪下，結果她坐的三輪車翻了，車夫受了傷，她的腳也受傷。竹隱是一瘸一拐地啓程的。她們一行人先乘車去天津，然後從塘沽上船。在登船時，日本兵把全船的乘客統統趕到甲板上，排成一隊，挨個檢查，把他們認爲可疑的人用蒲包往頭上一套，拉了就走，絲毫不由分說。

船行海上，海浪顛簸，並不如詩人描繪的那麼愜意。風平浪靜時尚可對付，一遇風浪，婦女和孩子們遭的罪就大了。船在從香港到海防的途中遇上了颱風，狂風挾著巨浪呼嘯著撲向甲板，彷彿要把這一片樹葉似的小船一口吞掉。船在風浪中左傾右覆，劇烈顛簸，隨時都有傾覆的危險。放在格子裡的暖瓶摔碎了，桌子、凳子、網籃、箱子，游魚似地在船艙裡滾來滾去。人無法站立，也無法躺在鋪上。竹隱一邊翻腸倒肚地吐著，一邊死死抓住艙裡的欄杆，用腳抵緊艙壁，護著五歲的喬森和三歲的思俞，不讓他們摔下來。大女兒采芷在隔壁的艙裡邊吐邊哭喊著：「娘啊！我冷啊，冷啊！」聽著女兒的哭聲，竹隱心如刀絞，可她卻毫無辦法。風浪折騰了整整一夜，第二天，颱風過去了，可廚房裡的餐具全打碎了，他們只能餓肚皮。

六月二日，船終於到了海防，朱自清早已焦急地等在那裡。見到母子四人平安無恙，朱自清不禁長舒了一口氣。在日本人的刺刀下苦捱了大半年，又經過一場生與死的搏鬥，朱自清一家終於團聚了。在多少人拋屍街頭、骨肉分離的戰火年代，實在是一件值得慶幸的事。

偏安一隅的生活沒過多久，昆明的校舍已蓋好，於是文、法學院撤回昆明。八月份，朱自清一家來到昆明。

由於擔任聯大中文系主任，同時兼任清華中文系主任和師院國文系主任，行政事務頗多，加上戰時環境不穩定，圖書資料缺乏，一段時間內，朱自清除教學外，較少坐下來進行學術研究，常寫不輟的散文和書評也擱筆許久。這對於一貫惜時如金的朱自清來說確是少見。朱自清對此非常不安，他在日記中自我反省道：「自南遷以來，皆未能集注精力於研究工作，此乃極嚴重之現象。每日習於上午去學校辦公，下午訪友或買物，晚則參加宴會茶會；日日如此，如何是好！」④不久，朱自清因談論學生的一些做法而受到學生著文批評。朱自清意識到，「浪費精力於漫談閑事，將損害余之研究工作。」⑤於是他以成語「埋名隱姓，憂讒畏譏」集成一聯作爲自己的座右銘，決意以後少管身外之事，一心埋頭學問。到三九年秋季開學時，他更辭去了聯大所任各職。

在給吳組緗的信中，朱自清訴說了自己的苦惱：

> 我這些年擔任系務，越來越膩味。去年因胃病擺脫了聯大一部分系務，但還有清華的纏著。行政不論範圍大小，都有些麻煩瑣碎，耽誤自己的工作很大。我又是個不願馬虎的人，因此就更苦了自己。況且清華國文系從去年下半年起，就只剩了一個學生。雖不一定是我的責任，但我總覺得乏味。今年請求休假，一半爲的擺脫系務，一半爲的補讀基本書籍。一向事忙，許多早該讀的書都還沒有細心讀過；我是四十多了，再遲怕眞的來不及了。⑥

到一九四〇年夏，朱自清又辭去了清華中文系主任的職務。

決心既下，朱自清立刻振作精神，繼續就他一直縈繫於懷的詩論、漢語言文字等問題開展研究，短時間內就寫了《論「以文為詩」》、《論句子的主詞及表句》、《中國散文的發展》等論文，還抽空寫了散文《蒙自雜記》、《北平淪陷那一天》、劇評《〈原野〉與〈黑字二十八〉的演出》等。

自一九三九年起，在中國人民的頑強抵抗面前，日本侵略者被迫停止戰略進攻，抗戰進入相持階段。日寇採取了以政治誘降為主、軍事打擊為輔的新方針，對國統區的地面進攻減弱而帶有威懾性的空襲則大大加強，昆明也成為敵機經常光顧的目標。頻繁的空襲，使住在城裡的人很不安全，老是跑警報，給生活也帶來很大麻煩。於是，九月初，朱自清移居昆明北郊的梨園村。

一九四〇年六月，在朱自清的大力推動和支持下，聯大中文系的一批同仁創辦了《國文月刊》，朱自清擔任了編委。

語文教育，是朱自清一直非常關注的一個研究方向，早在二十年代初，朱自清便開始探討語文教育問題。長期的教師生活，使他熟悉大、中學國文教學的情形，並積累了許多經驗體會。作為一個始終為下一代著想、願把文化的接力棒傳給青年的教育家，朱自清願意也力求在這個領域進行探索，因而他希望通過創辦這個刊物，為研究語文教育的人開闢一個陣地，也鼓勵更多的人來關注這個問題。當然，在這方面他自己首先身體力行，寫下了《論中學生的國文程度》、《再論中學生的國文程度》等多篇論文。

從雜誌創刊起，語文教育研究成為朱自清用力甚多的一個重要方面。

二

抗日戰爭進入相持階段以後，日寇對國統區加緊進行政治誘降和經濟封鎖，大後方的物資供應越來越緊。一九四〇年五月，日本壓迫英國封鎖了滇越路和滇緬路，切斷了中國從海外輸入戰時物資的唯一通道。昆明首當其衝，物價如乘了火箭一樣暴漲，儘管從這年一月起，教授薪水皆按十足發給，但這區區之數，遠抵不上飛速上昂的物價，戰前每月三百五十元錢的薪水，按生活指數折算，此時只值十三元六角了。偏巧這時竹隱又懷有身孕，一家人靠這點收入實難維持，沒奈何，朱自清只能讓竹隱帶著孩子回到物價稍微低廉一些的老家成都，自己一人留在昆明。爲了籌措竹隱和孩子們回成都的路費，朱自清以三百元的代價賣掉了他最喜愛的，由倫敦帶到北平，又由北平帶到昆明的留聲機和兩本音樂唱片。

妻子在時，衣食住行都不用自己操心，妻子一走，生活無人照料，朱自清的日子就更加難過了。儘管他努力將生活起居安排得井井有條，但畢竟物價飛騰，何況除了妻子兒女之外他還要負擔揚州的老父親，巧婦難爲無米之炊，飽一頓飢一頓的事是再也難免了。本來，他的身體相當好，適應環境的能力也很強，除了偶爾胃病發作外，無甚毛病。可在這種情況下，他的胃病頻繁發作，人變得非常消瘦，大腦袋架在瘦削的肩膀上，越發顯得大了。鬢邊生出了灰色的華髮，臉上布滿了細碎的皺紋，人一下蒼老了許多。

四〇年暑假，朱自清按例休假一年。三一年朱自清第一次休假時，因爲局勢穩定，清華也正欣欣向榮，可以資助他去歐洲訪學。而這時，學校所能做的，只是一年內不安排朱自清的課務而已。

藉此機會，朱自清來到成都和家人團聚。成都東門外的宋公橋，離望江樓不遠，有一座尼庵叫報恩寺。穿過住滿貧苦百姓的前院，可見一片橘林和林邊新搭的三間茅屋。這茅屋泥土地，竹籬泥巴牆，茅草頂，冬冷夏熱，而且潮濕，陰天下雨，牆角便會長毛。朱自清一家便住在這裡。這茅屋和清華園北院的獨門小院、窗明几淨的西式洋房相比，有宵壤之別，但闔家團聚，畢竟令人高興。在竹隱的細心照料下，朱自清的胃病犯得少多了，身體也漸有起色，不過虧損過甚，短時間內要想完全恢復是很困難的。

一次，朱自清的朋友李長之路過成都去看望他，給李長之印象極深的是：「他的頭髮像多了一層霜，簡直是個老人了，沒想幾年的折磨，叫人變了樣！」「看看朱先生，我連說他蒼老也不敢了。——怕傷他的心！」⑦

李長之看他時，見桌上放著《十三經注疏》，知他正在爲寫作《經典常談》而緊張地工作著。很久以來，朱自清心中就醞釀著一個想法，即如何爲國文教育、爲年輕的一代做點事情。在當時的學校裡，許多教授只顧自己搞研究，很少爲青年著想。朱自清認爲：「文化是繼續的，總應給下一代著想，如果都不肯替下一代人服務，下一代怎麼辦？」⑧因此，他除了在課堂上抓學生的功課、倡導創辦《國文雜誌》而外，也想盡力利用一年休假的難得時間，對中國的傳統文化進行一次系統地梳理，給年輕人切實地留下一些東西。於是他確定了《經典常談》這個題目。

這本書的目的，在於向青年普及傳統經典。這一點，朱自清在序中說得很清楚：

在中等以上的教育裡，經典訓練應該是一個必要的項目。經典訓練的價值不在實用，而在文化。有一位外國教授說過，閱讀經典的用處，就在教人見識經典一番。這是很明達的議論。

「文化」二字，確實準確地道出了經典的意義和價值。這些經典，作為千百年古人思想的結晶，不僅是中國文化的組成部分，而且曾經對中國歷史的發展，對中國文化學術思想的發展起過重要的作用。不論這些作用是消極還是積極的，它們都是歷史的存在，都是中國傳統文化長鏈中重要環節。為延續繼承自己的傳統，熟悉它，了解它是中國人的份內之事。所以，朱自清認為「中學生應該誦讀相當份量的文言文，特別是所謂古文，乃至古書。這是古典的訓練，文化的教育。一個受教育的中國人，至少必得經過這種古典的訓練，才成其為一個受教育的中國人。」⑨可見，朱自清的強調經典的訓練，目的有二，一是文人教育，使受教育的中國人真正認識中國歷史；二是「培養欣賞力」，同時也「培養批判力」，即「知己知彼」，「批判的接受」。⑩

於是，朱自清選擇了古代典籍中有代表性的作品若干種，從《說文解字》，到《易經》、《尚書》、《詩經》、《三孔》、《春秋》、四書、《戰國策》、《史記》、《漢書》、諸子、辭賦和詩文等，分別進行了精要而又淺顯的分析講解。朱自清希望青年讀了之後，「能啓發他們的興趣，引他們到經典的大路上去」，所以他說：「如果讀者能把它當作一隻船，航到經典的海裡去，編撰者將自己慶幸，在經典訓練上，盡了他作尖兵的一份兒。」這本書寫成後，好友葉聖陶專門寫了兩文予以稱讚，說它「是一些古書的『切實而又淺明的白話文導言』」，並且由於它「盡是采擇近人的新說」，所以「使學生在入門的當兒，便清除了狹陋跟迂腐的弊病，是大可稱美的一點」。⑪

在成都，朱自清和葉聖陶又相見了。抗戰前，朱自清在北平，葉聖陶在上海開明書店，兩人一南一北，魚雁往還，音書不斷，但見面的機會很少。抗戰爆發後，葉聖陶舉家內遷，來到成都。於是兩位老友在烽火連天的歲月，在經歷了多少艱難險阻之後，又相見了。

離宋公橋不遠的濯錦江畔，一片茂密蒼翠的竹林中，掩映著望江樓、吟詩樓、濯錦樓、浣箋亭和薛濤井等名勝古蹟。江風習習，竹影婆娑，即使是盛夏，也會讓人感到一絲清涼的氣息。朱自清和葉聖陶登樓遠眺，徘徊林間，望著對方憔悴的面容和鬢邊雜絲，回想當年吳淞訂交、杭城相聚的情景，談起四年離亂的生活，兩人都感慨萬千，唏噓成涕。葉聖陶帶著全家，從上海逃往武漢，不久武漢失守，又逃往重慶，然後又舉家遷往樂山。原指望樂山地偏城小，可以安身立命，誰料想日本飛機空襲，炸彈正好擊中他家，劫後僅存的家當焚燒一盡不算，人還差點被炸死。朱自清也是飽受離亂之苦，他在《近懷示聖陶》中寫出了他所經歷的苦難人生：

少小嬰憂患，老成到肝腑。

歡娛非我分，顧影行踽踽。
所期竭駑駘，黽勉自建樹。
人一己十百，遑計犬與虎。
涉世二十年，僅僅支門户。

……

累還來錦城，蕭然始環堵。
索米米如珠，敝衣餘幾縷。
老父淪陷中，殘燭風前舞。
兒女七八輩，東西不相睹。
衆口爭嗷嗷，嬌嬰猶在乳。
百物價如狂，距躟孰能主？
不憂食無肉，亦有菜園肚。
不憂出無車，亦有健步武。
只恐無米炊，萬念日傍午。
況復三間屋，蹙如口鼻聚。
有聲豈能聾，有影豈能瞽？
婦稚逐雞狗，攫人如網罟。

況復地有毛，卑濕叢病蠱。
終歲聞呻吟，心裂腦爲鹽！
……………

不過，眼下整個民族尚且在血與火中搏鬥掙扎，個人和家庭的生死榮辱、窮通蹇達又算得了什麼呢？葉聖陶在一闋《采桑子》中說：

廿年幾得清遊共，尊酒江樓？
尊酒江樓，淡日疏煙春似秋。
天心人意逾難問，我欲言愁。
我欲言愁，懷抱徒傷還是休。⑫

朱葉二人相交二十年，卻是聚日時短別日長，共居一室，朝夕相處的時間不過兩個月，倒是這次，兩人同處成都達一年之久。只是朱自清住城東，葉聖陶住城西，兩地相隔十多里地，你來我往都頗不方便。於是他們經常事先約好時間，同至少城公園，在茶館裡作半日暢談。

不過，他們所談的話題，已遠遠超出了聊天話舊的範圍，而是在商量如何爲中學語文教學做些工作。葉聖陶此時在四川省教育廳教育科學館擔任專門委員，對全省的中學教育負有督察指導的責任。鑒於中學語文教學的現狀，他深感有必要編一套《國文教育叢刊》，爲中學語文教師提供一些教學上的參考。他提議由他和佩弦兩人合作編寫其中的兩本：《精讀指導舉隅》和《略讀指導舉隅》，朱自清欣然同意。這兩本書的目的，與朱自清的《經典常談》一樣，都是爲了中學國文教育的普及和提高。所不同者，一個偏重於普及中國傳統文化，一個偏重於國文閱讀技能技巧的訓練方法，二者正好相輔相成。

爲了達到提高閱讀水平的目的，二人在選目與寫法上頗下了一番功夫。一是古今兼備。《精讀》一書中六篇選文，一篇記敘文，一篇短篇小說，一篇抒情文，一篇說明文，兩篇議論文。《略讀》一書，經籍一種，名著節本一種，詩歌選本一種，專集兩種，小說兩種。二是詳略兼備。有精讀有略讀。「精讀」時就要求反覆推敲，細嚼慢咽，以期弄通文義，「略讀」時則提綱挈領，不必纖屑不遺。「精讀時候出於努力鑽研，從困勉達到解悟，略讀時候卻已熟能生巧，不需多用心力，自會隨機肆應。」⑬由於「精讀」「略讀」要求不同，因而各自的寫法也詳略不同。「精讀」時對原文細細琢磨過濾，撿出文中的要點、難點、疑點，詳細剖析：「略讀」時則提綱挈領地介紹該書的來龍去脈，梳理主要內容，基本要義以及閱讀時應該注意的問題等。在語氣上「前言」以編者的身份向中學教師講述教學活動中的若干環節和注意事項，「指導大概」則以教師講課的口吻，以便學生理解。但無論何時，行文語氣始終保持平易親切，娓娓動人，決無一點居高臨下，盛氣凌人之態。

在寫作上，兩人各承擔一半，稿子寫好後，互相交換審閱，提出修改意見，改好後再交換看。由於兩人住處相隔較遠，會面不易，主要靠通信，三四天總得總得通一回信。兩人齊心合力，寫作進展得非常順利。四一年二月，《精讀指導舉隅》即由四川省教育廳印行，第二年三月，復由商務印書館出版。《略讀指導舉隅》也於四三年一月由商務印書館出版。兩位作者都是教育界的「識途老馬」，所寫又切實精當，切中肯綮，決非泛泛而論，因而受到中學教師的普遍歡迎。此後，他們兩人繼續就大、中學國文教學的基本知識和技能訓練發表了許多看法，並於一九四五年合作出版了《國文教學》。這可以看作爲《精讀》、《略讀》的續篇。

除了編叢書而外，一九四一年四月底，朱、葉等又創辦了《文史教學》月刊，爲國文教學研究開闢了一個陣地，朱自清、葉聖陶、顧頡剛、錢穆等人擔任了雜誌的編委。朱自清在創刊號即發表了論文《剪裁一例》，從名家名篇的修改潤飾，猜度作者的用意，指導學生提高閱讀欣賞的能力。從這些地方，不難看出朱自清對中學語文教育所投注的精力。

作爲大學教授，朱自清原來生活在高牆大院之中，整日與教鞭書籍爲伍，較少接觸社會。抗戰爆發，把朱自清從書齋中趕了出來，使他飽嘗了顛沛流離之苦，也使他見識了許多過去從未見過的景象。一方面達官貴人，富商巨賈，營私舞弊，中飽私囊，大發國難財，一方面，廣大底層勞動者卻始終在死亡線上掙扎。一九四一年春夏之交，四川久旱成災，糧食大漲價，窮苦的老百姓被逼得鋌而走險，紛紛搶米倉，「吃大戶」。現實的種種刺激和自己生活的艱難，使他這一時期的心情非常鬱悶，於是形諸筆墨，發而爲詩。

當時寓居成都的，除葉聖陶，還有友人原清華政治系教授蕭公權、浦薛鳳以及潘伯鷹、孫小孟等人，他們翰墨相將，唱酬應和，寫下了爲數不少的歸舊體詩。

在這些詩中，朱自清怒斥日本強盜的罪惡行徑，同情勞苦大衆的悲慘命運，讚頌抗敵將士的英勇奮戰，相信抗日戰爭終將取得勝利。但由於自身貧病交加、勞碌風塵的坎坷經歷，這些詩的總體基調是淒苦、沉鬱、憤懣的。「東西衣食驢推磨，朝夜丹鉛鼠飲河」⑭，「貧病相尋意興慳，棲棲倦翮未飛還」⑮，「荊榛塞眼不知路，風雨打頭寧顧身。安得巨靈開世界，再摶黃土再爲人。」⑯這些詩句，眞切道出了朱自清身心兩面所遭受的磨難。在《夜坐》一詩中，朱自清這樣吐露他的心境：

吾生爲事畜，廿載骨皮存。圭角磨看盡，襟懷慘不溫。

追歡慚少壯，守道枉朝昏。剩學痴聾老，隨緣寐莫喧。

襟懷慘切，埋憂無計，瘦骨伶仃，涸鮒莫救，一片危苦之詞，淒愴之音。不過，儘管「襟懷慘不溫」，但「道」依然要「守」，對自己的工作，對自己熱愛的事業，他依然毫不放鬆，每天總要工作到夜裡十二點以後。青燈黃卷，焚膏繼晷，吃的是草，擠的是奶，生命不息，工作不止，中國知識分子的命運大抵如此。

一年時間，悠忽即過。一年中，朱自清寫了《經典常談》、《精讀指導舉隅》等書和《古詩十九首釋》等若干篇論文、散文，並開始了一些新的研究課題。一年中，在竹隱的細心照料下，朱自清的身體大有起色，又顯得年輕了。

一九四一年十月初，朱自清休假結束，告別了竹隱和孩子們，返回昆明。

【附註】

①馮友蘭：《回念朱佩弦先生與聞一多先生》，《文學雜誌》第一卷第五期，一九四八年十月。
②羅庸：《西南聯大校歌》。
③朱自清：《滴江絕句》。
④見一九三九年一月十二日《朱自清日記》。
⑤見一九三九年一月二十日《朱自清日記》。
⑥見吳組緗：《敬悼佩弦先生》，《文訊》第九卷第三期，一九四八年九月十五日。
⑦李長之：《雜記佩弦先生》，《文訊》第九卷第三期，一九四八年十月。
⑧尙土：《味如橄欖的朱自清教授》，《人物雜誌》第三卷第一期，一九四八年一月十五日。
⑨朱自清：《再論中學生的國文程度》。
⑩朱自清：《古文學的欣賞》。
⑪葉聖陶：《讀〈經典常談〉》。
⑫葉聖陶：《偕佩弦登望江樓》。
⑬葉聖陶：《略讀指導舉隅·前言》。
⑭朱自清：《公權四十三歲初度，有詩見示。忝屬同庚，余懷悵觸，依韻奉酬》。
⑮朱自清：《寄小盂，次公權韻》。
⑯朱自清：《公權四十三歲初度，有詩見示。忝屬同庚，余懷悵觸，依韻奉酬》。

第八章　流亡大學（下）

——燈火司家營

一

聯大十一月一日開學，但由於路上不好走，所以朱自清十月八日便離家啓程，搭木船順岷江而下。

這是朱自清第一次乘木船。這樣走，一是因公路局汽車少，買票不易，且乘長途汽車，太過勞累；二是可節省路費。爲了籌措路費，上個月朱自清托朋友李小緣賣掉了保存多年的六十美元；三是沿途可以遊山玩水，順路探望一些老朋友，一舉數得。

第一站到樂山。朱自清的老友朱光潛，還有原清華的老同事葉石蓀、楊人楩等人因在武漢大學教書，都住在樂山。抗戰五年來，他們還是第一次見面，劫後相逢，彼此都非常高興。在樂山，朱光潛陪佩弦玩了烏龍寺、大佛寺、蠻洞和龍泓寺，見到了神往已久的樂山大佛。

盤桓一天後，朱自清乘船繼續南下。木船平安地通過匪窠干柏樹，從宜賓進入長江。這裡是長江的上游，河床狹窄，水流湍急，險灘密布。其中干碓窩是個很出名的險灘，江中礁石嶙峋，水流打著漩子，咆哮而過，稍有不愼，便會船碎人亡。船行至此，船夫齊聲打著號子與漩渦搏鬥，全船的人心都拎到了嗓子眼。三八年經過桂林時，朱自清見過漓江上船夫與水流搏鬥的情形，寫過「上灘哀聲動山谷，不是猿聲也斷腸」①的詩句，不過，那是在岸邊靜觀，這次身歷其境，感受更加驚心動魄。好在十幾分鐘後，木船便順利通過險灘。在兵荒馬亂的年代，走水路最擔心的是遭劫和翻船，所幸朱自清都沒有碰上。

到達瀘州那溪縣，朱自清棄船登岸，改坐汽車前往敘永。由於公路局車子少，一些發國難財的人乘機壟斷車票，買不到票的人，只好出高價讓司機搭載，這種人被稱爲「黃魚」。朱自清也這樣當了一回「黃魚」。可車在離敘永還很遠的地方便沒油了，朱自清只好冒雨步行，走了十多里泥濘的石子路，頗爲狼狽，待趕到敘永的時候天已全黑了。好在朋友李鐵夫熱情好客，一頓美餐，一夜酣眠，洗去了他旅途的疲勞。

敘永倚山傍水，景色秀麗，永寧河蜿蜒穿城而過，把全城分爲兩半。聯大在敘永沒有分校，住著六百名新生，分校主任是朱自清的老友楊振聲。在敘永，朱自清結識了在中文系任教的李廣田。

以前朱自清雖不認識李廣田，但他的詩名、文名早已熟悉，因而這次敘永見面，兩人都很高興。幾次交談，話題圍繞著新詩的歷史與現狀、發展與變化、詩與抗戰等問題，談得頗爲投機。

十天後，終於有車前往昆明，朱自清離開敘永，回到聯大。

這時，清華大學文科研究所剛剛恢復，地址設在昆明北郊龍泉鎮南的司家營。龍泉鎮背靠金汁河，鎮西有公路南通著名的古刹金殿，北通山水名勝黑龍潭，環境清靜，沒有空襲，是個專心做學問的好地方。也許正因爲如此，昆明的各研究機構紛紛看中這塊寶地，北大文科研究所設在龍泉鎮外的寶台山響應寺，北平研究院歷史所設在落索坡，三地相距不遠，往來方便。一時，這裡群賢畢至，學人雲集，馮友蘭、陳夢家、王力、錢端升、鄭天挺、向達、湯用彤、徐炳昶等人都住在這一帶。朱自清也看中了這裡，把家從梨園村搬到了所裡。

清華文科研究所分中國文學部、外國文學部、哲學部和歷史學部，但實際駐所的只有中國文學部的教師。一個不大的院子裡，立著一座「回」形的土坯樓房。中間的主樓是圖書室，也是大家共同的書房，研究所從北平帶來的所有書籍全在這裡。主樓的兩側各連一座耳房，一邊住著中國文學部主任聞一多全家，另一邊住著朱自清、浦江清、許維遹、何善周等人。

這時，朱自清已不擔任任何行政職務，因而生活比較安定，但他還有「中國文學批評」等課要上，每個星期都得進城。爲了兼顧教學研究，朱自清把課程集中起來，每星期二下午進城，星期五下午再返回。

在城內，朱自清住在北門街七十一號清華宿舍內，與陳岱孫、李繼侗、沈從文、陳省身、邵循正等人爲伴。這是一幢破舊的兩層樓房，朱自清住在樓上西北角。站在窗口，可以看見故雲南總督唐繼堯的私家花園。在這裡，朱自清一直住到抗戰勝利返回北平。

司家營距昆明有二十里地，雖有公路相通，卻沒有直達汽車，朱自清只得步行往返，儘管來回奔波頗爲勞累，但畢竟贏得了三天完整的時間。

利用這個時間，朱自清開始了《新詩雜話》的寫作。抗戰爆發後，由於萍蹤不定，環境閉塞，新文學的刊物見到較少，不大有機會讀到新詩。這次在成都休假，他遇見「文協」成都分會理事厲歌天。厲歌天搜集了許多新文藝雜誌、詩刊和詩集，從他那裡，朱自清又讀到艾青、臧克家、卞子琳、柯仲年、老舍等許多新老詩人的作品。在敘永，朱自清與李廣田的幾次交談，又總圍繞著新詩問題。這些都重新引起他對新詩的興味，啓發他爲新詩的發展作進一步探討。

在兩年內，朱自清寫了十三篇「詩話」，加上抗戰前寫的兩篇，共計十五篇。這十五篇詩話，內容設計面很寬，但大致可以分爲兩類。一類是「解詩」。朱自清認爲，「文藝的欣賞和了解是分不開的，了解幾分，也就欣賞幾分，或不欣賞幾分，而了解得從分析意義下手。」②圍繞這個主旨，朱自清寫了《解詩》、《詩與感覺》、《詩與哲理》、《詩與幽默》、《詩的形式》、《詩韻》等。二是時代與詩的發展。圍繞著時代的嬗遞變遷來探討總結新詩發展成長的衍變軌跡，闡釋其內涵和意義，這對於新詩健康發展，有著極爲重要的意義。朱自清傾注了大量精力，寫下了《新詩的進步》、《抗戰與詩》、《詩與建國》、《詩的趨勢》等。從整體上看，朱自清所持的，主要是一種「藝術的立場」，所以他以較大的篇幅來探討詩的要素與構成。但同時，朱自清開始注意到詩的表現內容。在三六年所寫的「詩話」中，他就頗重視「社會主義傾向的詩」，指出其特點在於「不是從上層往下看，是與勞苦的人站在一層而代他們說話」③。在抗戰的大熔爐中，一切都在變，包括現實和詩人的思想。朱自清進一步注意到，「我們已經漸漸不注重個人英雄而注重群體了」，「現代的英雄是制度而不是人」④。從切身的生活體驗中，從對表現現實的詩歌的密切關注中，也從對國外進步詩歌理論的評介中，朱自清發現了詩歌新的境界，新的趨勢，於是他以更加新銳的眼光走近詩篇，也走近了現實。

一九四四年十月，朱自清編定《新詩雜話》，將書稿交給了作家書屋，此後便石沉大海，中間一度傳說稿子被書店遺失了。不料事隔三年多，此書終於在四七年底出版，朱自清喜出望外，在目錄後的空頁上題道：

盼望了三年多，擔心了三年多，今天總算見到了這本書！辛辛苦苦寫出的這些隨筆，總算沒有丟向東海大洋！眞是高興！一天裡翻了足有十來遍，改了一些錯字。我不諱言我「愛不釋手」。「邂逅相遇，適我願兮！」說是「敝帚自珍」也罷，「舐犢情深」也罷，我認了。⑤

短短的題詞一連用了四個驚嘆號，而且高興得手忙腳亂，竟把「佩弦藏書之鈐」的印蓋顚倒了。

對詩歌的興趣幾乎貫穿在朱自清所有的教學和研究活動中。《新詩雜話》是對詩歌最新動態的分析，而《詩言志辨》則是對中國傳統詩論的整理闡釋。本時期朱自清的另一項重要研究便是寫作《詩言志辨》。該書動筆於三十年代中期，因抗戰而被迫中斷，只完成前兩篇。趁司家營生活較爲安定之機，朱自清抓緊時間修改前兩篇，並補寫後兩篇。爲敘述的方便，這裡一道來介紹它們。

《詩言志辨》的寫作，對朱自清來說，是順理成章的事。對詩歌特有的悟性、特別的偏愛和長期的鑽研，使他對中國詩歌從古到今的歷史有相當深刻全面的理解，而三六年即已開設並連續講授多年的「中國文學批評」課，又使他在批評領域造詣頗深，而這恰恰是文學研究中的落弱環節。正如朱自清所說：「我們的詩文評斷片的多，成形的少，不容易下手」，同時，「我們的現代文學批評一類也還沒有發展，在各類文學中它是最落後的」。⑥對詩歌的愛好和對文學批評落後現狀的不安構成朱自清鑽研詩論的動力。

但朱自清特有的頂眞勁兒使他不願意一上來就寫洋洋灑灑同時也許空空洞洞、不著邊際的批評史，而寧願先去清理基礎，儘管這是更爲艱難吃苦的事情。朱自清說：「現在我們固然願意有些人去試寫中國文學批評史，但更願意有許多人分頭來搜集材料，尋出各個批評的意念如何發生，如何演變——尋出它們的史跡。這個得認眞的仔細的考辨，一個字不放鬆，像漢學家考辨經史子書。」⑦用漢學家作考辨的方法去考察文學批評中的每一個概念，用歷史的眼光爬梳其發展演變的軌跡，然後將其貫穿起來，才能眞正建立科學的文學批評史的間架。這裡，朱自清啓示人們的，不僅是嚴謹的治學態度，而且也在於科學的治學方法。

中國文學批評的歷史始於論詩，所以朱自清選擇了「言志」、「比興」、「詩教」、「

正變」四個最初的也是最基本的概念一一加以闡釋。朱自清說：「這四條詩論，四個批評的意念，二千年來都曾經過多多少少的演變」，該書的目的，便在於「研究那四條詩論的史的發展」，其「本義跟變義，源頭和流派」⑧。

中國文學批評也是詩歌批評的開山綱領是「詩言志」說，它是這四條詩論的核心，因而也是本書的核心。對此，作者詳加考辨，把它分成「獻詩陳志」、「賦詩言志」、「教詩明志」、「作詩言志」四個層次，每一個層次代表一個發展階段，每個階段前後承遞，通過解釋每一階段「志」的不同含義，逐出引出「緣情」、「載道」、「詩教」等概念，從而揭示了詩論的最初的歷史發展。

這本書是純粹的學術論著，內容相當深湛，所用材料從先秦的《左傳》、《國語》、《尚書》、《論語》等典籍到歷代子書，非有相當學養者看不懂。但難能的是，朱自清把這樣艱深的學術論著寫得清新樸實，不枝不蔓，態度沖謙雍容，在行雲流水般的敘述中見出層次井然，法度謹嚴，既有傳統的治學方法的特點，又符合現代科學論文的要求，顯出了非凡的學術功力。

除研究工作以外，朱自清在四二年和四三年又相繼推出兩門新課：「文辭研究」和「謝靈運詩」。多年來朱自清一直在詩歌研究領域孜孜矻矻地跋涉，並開出了「李杜詩」、「陶淵明詩」、「李賀詩」、「宋詩」等多門詩歌研究課程，因此，「謝詩」顯然可以看作是朱自清系列詩課的一門，是朱自清完整地研究中國詩歌的一個組成部分。

一九四一年十二月八日，日本飛機向珍珠港美國太平洋艦隊發起攻擊，太平洋戰爭爆發。美國的參戰，成爲世界反法西斯戰爭的重要力量，對促進德、日法西斯的早日滅亡無疑起到重要作用。消息傳來，昆明各界大受鼓舞，朱自清和研究所的同事們飲酒祝賀，結果導致胃病發作，一夜無法入眠。

朱自清喜愛飲食，又不善節制，早在三十年代初，便得了胃病，只是當時生活安定，條件優裕，身邊有竹隱的細心照料，胃病不常發作。抗戰爆發後，朱自清獨身一人顛沛奔波，飲食變得馬虎多了，加上這時生活待遇早已江河日下，和戰前已不可同日而語了。

一九四〇年五月，昆明物價暴漲，教授們的薪金僅相當於戰前一個普通校役的收入，生活水平急速下降。這一年十一月，聯大五十四名教授簽名呼籲改善待遇，指出在物價暴漲、教師待遇微薄的情況下，教師「始以積蓄貼補，繼以典質接濟。今典質已盡，而物價仍有加無已。……若不積極設法，則前途何堪設想。……」隨即，全體教授聚會商議對策，由校方呈報教育部要求救濟，但政府置若罔聞，不予理睬。到四三年下半年，每月三百五十元的薪金，只值戰前的九元七角，不久，甚至連一盒捲煙都買不到了。教師眞正賴以爲生的是政府發的平價米貸金，即俗稱「米貼」。這個「米貼」，按米價的實際價格浮動，以保證教師的最低生活水準。一個教授，每月可領到相當於買一石二米的「米貼」。但教師拿到這筆錢，實際並不能買到政府供應的「公米」，而黑市米則比「公米」貴得多，所以這「一石二」的「米貼」要大大打一個折扣。這期間，政府也發一點生活補助費，如學術研究補助費、久任教師獎金、教員獎助金等，但這些津貼，不過是種點綴品，杯水車薪，於事無補。比如學術研究補助費，一九四三年教授每人發五百元，只合戰前十二元左右。而這些津貼每領一次，物價又早已暴漲在先。因而教師把薪金與物價比作龜兔賽跑，而物價這隻兔子卻跑得正歡。

如此低的收入，按一個家庭的最低生活標準，也只能維持半個月。教授普遍吃不飽飯，有的每天只能一乾二稀。多數人不得不靠兼差謀生，開飯館，開茶館，種花卉，做家庭教師，聞一多也不得不掛牌賣印。一個著名學府的著名教授，靠自己的薪金，無法使全家人過上像樣的生活，甚至連起碼的溫飽都無法保證，這實在是對人類文明的一大嘲諷。

這樣的生活，對朱自清這樣上有老父、下有幼兒、而自己身體不好、亟需營養的人來說，該是一種什麼樣的情形，大概是不難想像的了。

在研究所，除聞一多外，同事們合組一個伙食團，雇了一個農民當伙夫。這人粗手笨腳，不是把飯燒糊，就是菜沒有煮熟，有次異想天開，去田裡捉了一大堆蚱蜢，炸了捧上飯桌，弄得每個人搖頭苦笑，他還笑嘻嘻地說：「滋味好吶好！」儘管如此，少了他還眞不行。有時謠傳抓壯丁，他立刻越牆而去，數日甚至半月不歸。他一走，研究所便亂成一團，一大早起來，一群秀才們手忙腳亂地生火、淘米、挑水、買菜忙得不亦樂乎，最後都大搖其頭，相視苦笑。

那時，政府供應的「公米」是陳年古董，粗糙雜質又多，令人難以下咽，聯大的師生們謔稱為「八寶飯」。學生對此有一段生動的描寫：「八寶者何？曰：穀、糠、秕、稗、石、砂、鼠屎及霉味是也。其色紅，其味沖，距膳堂五十步外即可嗅到，對牙和耐心是最大的考驗。謹將享用秘方留下，盛飯半滿，舀湯或水一勺，以筷猛力攪之，使現旋渦狀，八寶中即有七寶沉於碗底，可將米飯純淨度提高到九成左右。」⑨這樣的東西，實在是需要雞肫一般的胃才能受用。然而不吃就得餓肚皮，吃歸吃，怨聲則始終不絕於耳。

喜愛飲食的朱自清，對此也實感難以下咽，但他覺得全民族正在艱苦的抗戰，個人吃些苦倒也不算什麼，因而他倒能安然處之，並不抱怨。只是他本人胃就不好，吃了這樣的東西，胃病犯得就更勤了。同事們夜裡一覺醒來，常常聽見他趴在床沿上嘔吐，一聲聲嘔吐，聽得叫人心裡發酸。胃病發作時，這樣的「公米」便不能吃，他只吃一點從城裡帶回的麵包或燒餅。那麵包是用又黑又粗的配給麵粉做的，論滋味決不比公米強，只不過易於消化罷了。沒有麵包或燒餅的時候，他只得整天吃稀飯，最嚴重的時候，蔬菜也不能吃，只能放到嘴裡嚼嚼再吐掉。為了營養，他每天早上添個雞蛋，於是打碎煮好，還是帶殼煮好？煮三分鐘好，還是煮五分鐘好？便成為早飯桌上的經常話題了。後來雞蛋價格漲得厲害，這點小小的奢侈品朱自清也無力消受，只得望蛋興嘆了。因為錢不夠用，朱自清將一張帆布行軍床送到拍賣行去寄售。朱自清打算賣一百二十元，其實這僅值戰前的三元多，已是非常可憐的了，但刁滑的伙計，舌如利劍，拼命壓價，最後只以半價成交。朱自清在文壇上享有盛名，在課堂上可以口若懸河，但畢竟是個書呆子，如何鬥得過在爾虞我詐的商場上滾了多少年的人呢，他徒然憤慨了老半天。

爲了增加點收入，朱自清在昆明五華中學兼作國文教師，這樣一個月可拿到一石米的「米貼」，聊補無米之炊，一個名教授去教中學，朱自清並不覺得「掉價」而馬馬虎虎，他的住處離學校很遠，但從沒因爲天氣或事故誤過課。有一次聯大臨時開會無法分身，學校又沒有電話或工友可以利用，他便一大早老遠地趕到學校請假。這種事情在一般中學教員中也是很少見的。

儘管條件很艱苦，朱自清仍然盡力保持著有規律的生活。每天早晨七點左右他第一個起床，先到大門外的打穀場上做幾節柔軟體操，然後回來收拾床鋪，先將被子鋪得平平整整並蓋上罩子，接著用雞毛撣打掃床鋪周圍的牆壁，床頭箱子、窗台、書桌和書架。這些事幹完後，朱自清便漱口、洗臉、用冷水擦身，然後坐下來工作。一天三頓飯和午飯後的小憩而外很少離開書桌，總要工作到晚上十二點以後。睡前則照例用冷水擦身，冬天也不例外。

每天晚飯後是一天中最輕鬆的時刻。那時天色還沒暗下去，大家剛吃過飯也不急於回到書桌前，於是常常到田野小河邊散步，或聚在門前打穀場上聊天。

有一次談起清朝的漢學大師，說他們一個個都活到七、八十歲，聞一多說：「做漢學家可以長壽。」朱自清笑道：「是因爲他們長壽，才做到漢學大師。我身體壞，不敢有這妄想，你卻行。」聞一多哈哈大笑：「能不能做漢學大師，不敢說，但活七八十歲，我絕對有把握。我的父母都是八十多歲才死的。」朱自清說：「我不成，我只希望七十歲。」過了一會兒，朱自清又自言自語地說：「七十還太多，六十也夠了。」誰也沒有想到，他們兩人這願望都沒能夠實現。

朱自清愛整潔，平日出門或進城上課都穿西裝。這些都是戰前的舊衣服，只是平時穿得愛惜，刷得勤，看起來還滿像樣子。一回到所裡，朱自清便脫下西裝，換上破長衫或夾袍，冬天則穿上弟弟物華送的皮袍。這件皮袍穿了多年，早已破舊不堪，皮袍的紐扣掉了，他自己便綴上些破布條，布條長短不一，顏色五彩紛呈，他也毫不在意。

昆明這地方，號稱「春城」，有人說，「雲南最爲善地，六月如中秋，不用挾扇衣葛。嚴冬雖雪滿山原，而寒不侵膚，不用圍爐服裘。」⑩「圍爐服裘」固是不必，但如沒有一件較厚的毛衣或棉袍，別說朱自清這樣體弱多病的人受不了，就連一些年輕力壯的小伙子也抗不過去。

一九四二年冬天，昆明氣候格外寒冷，據當地人說是近十年來最冷的一個冬天。破布袍穿不出門，朱自清又無力購置新棉袍，他便趁龍泉鎮街子天買了一件雲南馬幫趕馬人披的氈披風。這種披風有兩種，一種毛細，柔軟而式樣好，價錢比較貴，朱自清買不起，便買了便宜的那一種，顏色像水牛皮，質地也如牛皮那樣又粗又硬，樣子像蓑衣，又像斗蓬。這種披風，昆明城裡沒人穿，在聯大教授中也是絕無僅有的，它同潘光旦的鹿皮背心、馮友蘭的八卦圖案的黃布包袱皮（用來包書和講義），被稱爲聯大三絕。睡覺時朱自清把它當褥子舖在身下，出門時便披在身上。穿西裝、戴眼鏡、風度儒雅的教授與趕馬人穿的披風怎麼也協調不一塊兒，走在昆明的大街上頗爲側目，常惹起路人的注目，但朱自清不管不顧，昂然而行，倒也別有風味。

一九四四年以後，朱自清基本住在城裡，較少回研究所。這倒不是司家營對他已不再有吸引力，而是他的身體越來越糟，步行二十里路對他來說已是無法承受的了。以往，他腰板挺得筆直，走起路來快捷如風，常把同行的馮友蘭、聞一多等人拖得氣喘吁吁。可如今，他的背漸漸彎了，步子也放慢了，腳下開始也發飄了。不得已，他拄起了手杖，從背後望去，儼然是一副老人的模樣了。而這時，他的年齡不過才四十五歲、六歲。一九四五年夏天，吳組緗見到他時實實在在吃了一驚：「等到朱先生從屋裡走了出來，霎時間我可愣住了。他忽然變得那等憔悴和萎弱，皮膚蒼白鬆弛，眼睛也失了光采，穿著白色的西褲和襯衫，格外顯出了瘦削勞倦之態。……他的眼睛可憐地眨動著，黑珠作晦暗色，白珠黃黝黝的，眼角的紅肉球球凸露了出來；他在凳上正襟危坐著，一言一動都使人覺得他很吃力。」⑪

朱自清是個務實的人，不大愛作哲學玄想，但在胃病發作得厲害的時候，他不由得想到了生死之事。一九四二年，清華生物系教授吳韞珍因胃潰瘍在昆明開刀不治，此事對他刺激很深，使他的情緒變得非常抑鬱。余冠英回憶說：有一次我陪他在黑龍潭公園黑水祠前小坐，他談到吳先生，也談到死，他說人生上壽百年也還嫌短，百年之內做不出多少事來。這也許是他抑鬱的原因，不過他這種話不常說，他的詩也不大給人看，所以別人也就不覺得他的憂鬱。」⑫一九四四年春，他接到弟弟國華的來信，得知一位朋友胃病的症狀，與他相同，經醫生檢查爲胃穿孔，幸虧手術及時方得保全性命，結果花了十萬法幣。此事使朱自清非常震驚，想到自己數周來胃病反覆發作，他又一次感到了死神的威脅。他告誡自己一定要多加注意，決不能步這位朋友的後塵。但在缺乏營養，飽一頓飢一頓的日子裡，要想讓身體好轉，也實在太難了。

自四一年休假結束後，朱自清一直沒有回過家，他知道竹隱帶著幾個孩子日子過得非常艱難，很想念他們，卻也無可奈何。四二年夏天，他因出席部頒大學中文系課程會議去過重慶，離成都只有一步之遙，卻沒錢再跨出這最後一步。竹隱和孩子們生活得怎麼樣？朱自清念茲在茲。

自從和朱自清結婚以後，竹隱便沒再工作過。但自四〇年帶孩子回成都以後，迫於生計，竹隱在四川大學圖書館找了份工作。她非常要強，知道佩弦身體不好，又需要贍養揚州家中的老人與孩子，因此總不讓佩弦往家裡寄錢，硬是靠自己單薄的雙肩去承受生活的重負。然而，一個圖書館普通工作人員的五斗米收入又怎能養得起數口之家包括吃奶的孩子呢！她經常不吃午飯，省一頓是一頓，有時餵著孩子時虛汗直冒。平常的日子就夠難熬的了，可天災人禍偏偏經常光顧。四三年四川麻疹流行，三個孩子全部染上，連日的高燒使上學的喬森和思俞轉成肺炎，三歲的小女兒蓉雋轉成了腥紅熱。幼小的生命危在旦夕，可肚皮吃不飽，哪有錢看醫生呢。幸虧竹隱的老同學劉雲波把小女兒接進她開設的醫院，用上最好的藥，盡心竭力地治療看護，總算把她從死神手中奪回。但竹隱每天往返奔波於醫院和家之間，終於不堪重負，在三個孩子身體好轉時，她卻病倒了。

得悉家中的這些事，朱自清在昆明急得六神無主，卻又無法可想。四四年暑假到了，朱自清托他大學的同窗好友徐紹谷賣掉了收藏多年的一塊硯石和一部碑帖，又由朋友湊了點錢，回到成都。

二

在長期的學者生涯中，朱自清養成了不關心政治、不願意涉足黨派之爭的習慣。他以讀書、靜靜心心地、不受任何干擾地讀書爲最大樂趣，他最羡慕的便是有一個安心讀書的環境，常說讀書是人的享受，能安心讀書的人幸福。但在戰亂年代，這一點小小的願望也很難滿足。遷徙、空襲、缺少書籍、物價暴漲、吃不飽肚子……，這些客觀條件非朱自清之力所能改變。對此，他只能應時順變，以損害自己的健康爲代價換取小環境的自由、安定。但如果遇到那些來自政治的、黨派的干擾，朱自清則固執地毫不客氣地予以拒絕排斥，他不能容許也無法忍受純眞的學術天地受到污染。然而，比起前者，這種抗爭也許更爲艱難。

教育，向來是獨立的，大學，向來是由學術而不是由政治統治的地方。清華大學，又一直以自由主義教育著稱於世。然而，政府對聯大採取了一系列控制干涉措施，一是建立國民黨直屬聯大區黨部和三青團直屬聯大分團部，設立專管學生思想訓育的訓導處，規定聯大院長以上幹部都必須加入國民黨，從而達到「以黨治校」的目的。二是在「集中」、「劃一」的名義下，通過學校行政系統，強行貫徹一整套所謂「部訂」規章制度，諸如部頒大學課程表，部訂教科書，部頒學籍規則，部頒教師資格審查、教師聘任待遇、休假進修等規定，對學校進行全面控制。經過多次軟硬兼施的推行，聯大處長以上行政幹部都成爲國民黨員，一部分院長、系主任也加入了國民黨。其中不少都是朱自清的好友。在與他們的交往中朱自清恪守潔身自好的原則，絕不涉及黨派問題，不去指責他們的黨派宣傳，但也決不介入。只是如果事情牽涉到自己，他則毫不猶豫地將之拒於門外。

一天上午，聞一多拿著一張國民黨黨表來找朱自清，商量是否加入國民黨。原來學術界名流同時也是國民黨要員的傅斯年從重慶來聯大，帶來一大疊國民黨黨表，要在教授中發展黨員。中文系主任羅常培與傅斯年是北大同班同學，傅氏便托他代爲在教授中散發，於是聞一多便收到一份。傅斯年在五四時代是北大的風流人物，是新潮社的幹將，朱自清與他可說是老相識。但自那以後，兩人各奔東西，很少往來，早已成爲點頭朋友，朱自清自然不會爲他捧場，何況對黨派政治朱自清一直抱有戒懼之心。朱自清以未接到邀請爲由拒絕了聞一多，並勸聞一多不要加入，而且不出席梅貽琦爲歡迎傅斯年而設的午宴。聞一多聽從了佩弦的勸告，留在佩弦處吃了午飯，一杯淡酒，幾碟小菜，兩支煙斗噴雲吐霧，兩個夫子海闊天空，別有一番風味。

抗戰後期，國民黨在昆明的黨國要人，爲了拉攏收買昆明的文化界名流，多次提出要來拜訪朱自清，許以高官厚祿，均被他拒絕。他寧願在貧病中艱難地度日，也不願委屈了自己。書生與官僚政客本是冰炭不容的兩回事，豈能讓銅臭和官僚來玷污書生本色呢。

一九四三年至一九四四年間，國際國內形勢發生巨大變化。國際反法西斯戰爭取得重大勝利，德國法西斯滅亡在即，而國內的正面戰場卻一潰千里，國民黨軍隊在日寇發動的豫湘桂戰役中不堪一擊，短短幾個月，損失軍隊六、七十萬，喪失國土二十多萬平方公里。日軍前鋒挺進貴州獨山，直逼四川，重慶爲之震動，「大後方」岌岌可危。生活在大後方的人民飽嘗了國民黨統治的黑暗腐化之苦：貪污成風，特務橫行，物價暴漲，民生凋敝。人民實在無法忍受這一切，紛紛起來反抗國民黨的統治，大後方的民主運動再度高漲。

此時，聯大師生也早已陷入赤貧之中，且不說一貧如洗的學生，即使是教授也早已揭不開鍋。政治系教授張奚若因付不出房租而遭房東的侮辱，聞一多全家吃不起豆腐只能吃豆腐渣。面對嚴酷的現實，聯大教授急遽分化，一部分日益投靠國民黨政權，一部分則拍案而起。政治系教授張奚若、歷史系教授吳晗等率先投入民主運動，這其中，變化最大的當推聞一多。

聞一多早年是個「新月」詩人，信奉唯美主義、國家主義，後來一頭栽進古籍，整日與《楚辭》、《周易》、甲骨文、鐘鼎文打交道，不再過問身外的世界。但抗戰以來個人生活的巨大變化，在後方耳聞目睹親身經歷的一系列難以置信，然而又千眞萬確的殘酷現實，使他無法安坐書齋，他終於如醒獅般地怒吼了。他以詩人的熱情積極投身於各種座談會、報告會、講演會、詩歌朗誦會，撰寫大量的投槍匕首式的雜文，利用一切機會大聲疾呼，甚至在昆明國民黨軍部召開的座談會上喊出了「現在只有一條路：革命」這樣使滿座愕然的話。教授的覺醒和奮起，對聯大學生的民主運動是極大的支持和鼓舞，於是師生攜手，併肩戰鬥，迎來了聯大民主運動的新高潮。

一九四四年的「五四」，在聯大民主運動史上是個轉折點，是個值得紀念的日子。

五月四日，聯大照例放假一天。一大早，民主牆上雨後春筍般地貼滿了各種壁報，悠悠體育會在昆北操場上舉行了營火晚會，中文系的文藝壁報社在南區十號大教室組織了文藝晚會。會議的中心題是「五四運動與五四新文藝運動」，邀請朱自清、聞一多、楊振聲、羅常培、沈從文、馮至、李廣田七位教授進行講演，朱自清的講題是「新文藝中散文的收穫」。這一天來的人極多，南區十號坐不下，會議臨時決定改在圖書館進行。由於爭座位，同學間發生爭執，加上特務學生的搗亂，晚會未能開成。五月八日晚文藝晚會重新舉行，會前由聯大中文系主任羅常培和清華中文系主任聞一多聯名發出通知。這次除了原請七位教授外，又請了孫毓棠、卞之琳、聞家駟，一共十位教授。

聯大圖書館的大草坪上，電燈和汽燈交相輝映，聯大學生和聞訊趕來的雲南大學、昆明師範的學生共三千多人黑壓壓地坐滿了草坪。爲防止特務和三青團分子搗亂，學生組織了糾察隊在四周巡察。十位教授一個個登台講演，講的雖都是文學問題，但核心都不離民主自由的五四精神。三個多小時的大會，自始至終，會場安靜而氣氛熱烈。最後，聞一多跳上台去，指著剛從雲層中鑽出來的月亮，大聲地說：「朋友們，你們看，月亮升起來了，光明在望。但是烏雲還等在旁邊，隨時會把月亮蓋住！……『五四』的任務沒有完成，我們還要努力！我們還要科學，要民主，要衝破孔家店，要打倒封建勢力和帝國主義！」⑬

十教授的連袂登台，三千多人的聚集一堂，這樣的規模，這樣的氣勢，在聯大是前所未有的，在昆明以至整個大後方，都是聞所未聞的。它衝破了幾年來的沉悶壓抑的空氣，把聯大的民主運動推向一個新的階段。所以聯大學生都把四四年五月四日作爲「聯大學生精神復興的一天」⑭。

與熱情奔放、富於詩人氣質的聞一多相比，朱自清則溫文爾雅，穩重保守，富於學者氣質。他佩服聞一多的激情和大膽，欣賞他看問題的獨到而深刻的眼光、熱辣犀利的辭鋒，但在許多問題上他與聞一多的看法存在距離。畢竟，幾十年平穩的生活道路和遠離現實政治的學術環境，以及謹斂樸實的個性氣質所鑄就的思想方式和行爲習慣，不是一下子所能改變的。但無疑，學生們和同事朋友們的激烈行爲，道出了大後方一個不容置疑的基本事實，即中國必須通過一個廣泛深入的民主運動來改造獨裁專制的傳統和黑暗腐敗的社會。聞一多的跨出書齋，走向社會，開始引起了他的思考，他意識到，有必要對自己幾十年所走過的道路和思想行爲進行一番認眞清理。

這年夏天，朱自清回成都度暑假，他對竹隱道出了他思考的初步結論：「以後中間路線是沒有的，我們總是要路線看清楚，勇敢的向前走，這不是簡單容易的事。我們年紀稍大的人也許走得沒有年輕人那麼快。但是，就是走得慢，也得走，而且得趕著走。」⑮

他開始拖著病的身體參加學生舉辦的各種詩歌朗誦會、講演會、座談會、時事報告會，了解青年，了解現實。他對李廣田說，他要拋棄過去那種「溫柔敦厚」的作風而採取「愛憎分明」的立場，不僅要會「愛」，而且要學會「恨」。是的，在一個社會急遽分化、階級猛烈對抗的時代，僅知道愛，難免不成爲鄉愿，只有愛憎分明，該愛的就一腔熾熱，該恨的就金剛怒目，凜然相對，這樣才能踏上時代的節奏。

一九四五年八月十五日，成都東門外宋公橋報恩寺。

天色已晚，勞累了一天的人們這時已吃過飯，搬張凳子坐在門口納涼聊天。後院的橘林旁，朱自清坐在他的舊藤椅上，抽著煙斗，也在納涼。從六月底回家來度暑假，轉眼已一個半月了。剛到家時，那種衰弱蒼老的樣子，簡直叫竹隱和全家人大吃一驚。經過一個暑假的調養，眼下身體已略有好轉，蒼白的臉上透出一絲紅潤。只是體質依然很弱，不能吃硬的東西，不能多吃，不能像以前那樣天天熬夜。

滿天的繁星在一閃一閃，煙斗裡的火星也在一閃一閃，天地間都顯得那麼寧靜、安謐。

突然間，街上鞭炮齊鳴，鑼鼓喧天，人們爭先恐後地擁上街頭，歡呼雀躍。原來，日本侵略者宣布無條件投降，抗日戰爭勝利了。

今年以來，日寇節節敗退，抗戰勝利在即。但眞正等到這一天降臨，還是令舉國上下一片歡騰。朱自清不顧衰弱的身體，興奮地走上街頭，同老百姓一道狂歡了一夜。八年了，不管是大後方還是淪陷區，人民經受了八年的屈辱，八年的動蕩離亂，多少人離鄉背景，妻離子散，多少人拋屍街頭，溝死路埋，多少人飽受凌辱，苟且偷生，他們所盼望所期待的，不就是這一天嗎！「王師北定中原日，家祭無忘告乃翁」，如今這一天終於來臨了！他們有權利狂歡，有權利直起頭來長長地舒一口氣。

八年來，朱自清也飽嘗離亂的滋味，自己由北到南幾千里的流亡奔波，老父妻兒的身陷淪陷區，全家的食不果腹、淪於赤貧，長子在軍隊中為國捐軀的傳聞，特別是去年和今年愛女逖先和老父在揚州先後病卒，自己都未能盡到為父為子的責任……這一切今天想來是那麼的令人感慨，不能自已。

如今終於把日本鬼子趕下了東洋，人們的苦難日子應該到頭了，人們有權利要求獲得一個安定幸福的生活。然而放眼國內，各種社會問題、社會矛盾有如山積，國民黨政府能處理好這些問題嗎？隨著民族矛盾的解決，階級矛盾凸現了出來，國民黨和共產黨能攜手併肩、和平共處嗎？上個月和聖陶兄閑談，聖陶問他在眼下是否有自由，這頗令他難以回答。按說自由是人與生俱來的願望與追求，在現代社會，一個人想什麼說什麼該由自己決定，然而在現實條件下，能做到這一點嗎？透過狂歡的人群朱自清遙望著滿天繁星，心情不禁沉重起來。凌晨，他拖著疲憊的身體回到家，對竹隱道出了內心的隱憂：「勝利了，可是千萬不能起內戰。不起內戰，國家的經濟可以恢復得快點，老百姓可以少受些罪。」⑯但朱自清的願望，也是全國人民的願望能否實現呢？他心裡可一點也沒有底。

八月底，朱自清回到昆明。這時，全國人民正在為實現民主和平團結統一的政治局面而努力奮鬥著。毛澤東、周恩來代表中國共產黨赴重慶與蔣介石談判，商訂和平民主的建國方略。而國民黨政府則一面談判，一面抓緊「劫收」，調集百萬大軍準備進攻解放區，同時在國統區內加緊獨裁統治，加緊破壞民主運動。政治局勢明波暗湧、瞬息萬變。聯大的教授們，密切關注著國共談判的進展，殷切期望和談能早日成功，使國家早日統一，人民早日脫離苦海，新中國的建設早獲開始。然而，會談進行了二十多天，至使談判陷於停頓。與此同時，蔣介石調集綏遠傅作義部隊和山西閻錫山部隊，進攻解放區。

眼看抗戰硝煙未散，內戰烽火又起，教授們憂心如焚，議決由國民參政會參政員、政治系主任張奚若領銜致電蔣介石、毛澤東，敦促和談早得結果。

此電寫於十月一日，由張奚若、周炳琳、朱自清、李繼侗、吳之椿、陳序經、陳岱孫、湯用彤、聞一多、錢端升十位教授簽名。電文態度誠懇，言詞愷切，措語雖婉轉而內容尖銳，代表了國共兩黨以外的一大批渴求和平、民主、團結的知識分子的願望。十月十日，國共雙方即簽訂了「雙十協定」。

聯大十教授的「致蔣介石、毛澤東電」在昆明《民主周刊》發表後，進一步推動了昆明的反內戰反獨裁的民主運動。然而，蔣介石鐵了心要消滅共產黨和一切異己勢力，實行獨裁統治。就在這一年所剩無幾的日子裡，昆明接連暴發了兩件事情。

一是「昆明事變」。

地方實力派「雲南王」龍雲，對蔣介石深懷戒心，對中央政府的命令向來採取爲我所用的方針，昆明的民主運動之所以在大後方格外紅火，便是巧妙地利用了龍雲與中央政府的矛盾。蔣介石對龍雲早就處心積慮，必欲除之而後快，決心乘抗戰勝利的有利時機解決龍雲。

十月三日淩晨，沉睡中的昆明被劇烈的槍炮聲所驚醒，國民黨嫡系軍隊對龍雲發動突然襲擊，經過三晝夜的激戰，龍雲身邊的警衛部隊被消滅，中央軍控制了昆明。槍炮聲中，雲南省政府改組，李宗黃擔任了代省主席，關麟徵任省警備司令。從此，龍雲時代雲南有限的獨立和自由被更爲嚴厲的法西斯統治所取代。在這場國民黨派系爭權奪利的內哄中，昆明人民死傷甚重，飽受池魚之殃。歡慶抗戰勝利的炮聲剛剛停歇，萬民塗炭、百業凋零的殘破局面尚未改變，昆明人民又開始流血了。

二是「一二·一」血案。

「昆明事變」後，一個嚴峻的問題擺在人們面前：在國家再次面臨腥風血雨的戰亂危險之際，昆明人民應該怎麼辦？聞一多的話說出了人民的心聲：「是的，暴風雨是要來的，昆明再不能等了。」十一月二十五日晚，西南聯大、雲南大學、中法大學和英語專科學校四校師生及市民五千餘人齊集聯大圖書館前「民主廣場」，舉行了反內戰要和平的時事座談會。國民黨軍警特務聞訊趕來搗亂破壞，會議開到一半時，電源被掐斷，緊接著，被阻於聯大校門外的國民黨第五軍邱清泉部一聲令下，小鋼炮、重機槍、衝鋒槍、步槍一齊開火，子彈在會場上空布成一道密集的火網，五千餘人鎭定如常，在火網下通過了制止內戰和籲請愛國青年反對美軍參與中國內戰的通電。

第二天，全市學生舉行罷課，抗議軍警暴行，而雲南省警備司令關麟徵則聲稱：「學生們有在校內開會的自由，我也有在牆外開槍的自由」。雲南省代主席、國民黨雲南省黨部主任委員李宗黃緊急召集各校校長和警憲開會，決定強迫學生無條件復課，如不執行則大規模捕人。

二十九日、三十日，國民黨特務四處出動，用手槍、刺刀、棍棒、石頭毆打追捕遊行示威的學生和市民。

十二月一日，軍警特務對學生更展開了大規模的鎮壓，聞一多如實地記下了那一天的情形：

從上午九時到下午四時，大批特務和身著制服，佩帶符號的軍人，攜帶武器，分批闖入雲南大學，中法大學，聯大工學院，師範學院，聯大附中等五處，搗毀校具，劫掠財物，毆打師生。同時在聯大新校舍門前，暴徒們於攻打校門之際，投擲手榴彈一枚，結果南菁中學教員于再先生中彈重傷，當晚十時二十分，在雲大醫院逝世。同時在聯大師範學院，正當鐵棍、石頭飛舞之中，大批學生已經負傷倒地，又飛來三顆手榴彈，中彈負傷的聯大學生李魯連君，僅只奄奄一息了，又在送往醫院的途中，被暴徒攔住，慘遭毒打，遂至登時氣絕。奮勇救護負傷同學的聯大學生潘琰小姐已經胸部被手榴彈炸傷，手指被彈片削掉，倒地後，胸部又被猛戳三刀，並於當日下午五時半在雲大醫院的病榻上，喊著「同學們團結呀！」與世長辭了。昆華工校學生張華昌君，聞變趕來援救聯大同學，頭部被彈片炸破，左耳滿盛著血液，血色的鮮血上浮著白色的腦漿，這個僅只十七歲的生命，綿延到當日下午五時在甘美醫院也結束了。此外聯大學生繆祥烈君，左腿骨炸斷，後來醫治無效，只好割去，變成殘廢。總計各校學生重傷者十一人，輕傷者十四人，聯大教授也有多人痛遭毆辱。⑰

這就是「一二·一」血案。

慘案發生後，全國人民同聲聲討殺人凶手李宗黃、關麟徵，譴責國民政府，掀起了聲勢浩大的反內戰運動。十二月二日下午，四烈士入斂儀式在聯大圖書館舉行，上萬人佩帶黑紗肅穆站立。聯大圖書館開闢了靈堂，前來弔唁的人絡繹不絕，總計達十五萬人以上。

「一二·一」血案發生後，朱自清悲憤不已。作爲校務委員，作爲師長，未能保護好學生，未免感到問心有愧。二號下午，朱自清沒有參加四烈士的裝殮儀式，「但肅穆靜坐二小時餘，譴責自我之錯誤不良習慣，悲憤不已。」⑱

是該對自己的生活道路作些清理了。獨往獨來，狷介不群的處世之道，謹斂保守、潔身自好的性格氣質，埋頭書齋、遠離政治的生活方式，與這個時代已顯得不合拍了。爲爭取國家和人民的光明前途，學生已付出了鮮血和生命，自己如何還能固守著個人的小天地呢。朱自清決心爲學生們盡自己的一份力量。他四處奔走，找同事商量對策和善後事宜。這一夜，朱自清睡得很遲。

四日，在聯大教授會上，朱自清與聞一多、張奚若、馮友蘭、周炳琳等人一道，同少數具有國民黨背景的教授激辯六小時，終於促成學校通過三項決議：㈠爲悼念死傷同學，由學校布告停課一周；㈡慰問被侮辱同人；㈢向有關負責當局抗議。九日上午，朱自清來到圖書館，向四烈士致敬。

朱自清開始注意對政治、對社會負起更多的責任，對一些重大的社會問題表明自己的立場。他對校教授會的《爲此次昆明學生死傷事件致報界的公開聲明》和向法院控告「一二·一」慘案主謀凶犯李宗黃、關麟徵、邱清泉等人的《告訴狀》等都持積極支持態度。一九四六年一月，昆明教育界發表「致政治協商會議代電」，提出立即停止軍事衝突，開放言論、出版、通訊、集會結社及其他基本自由，取消一切特務組織，立即釋放政治犯，組織聯合政府，縮編全國軍隊等主張。儘管老朋友楊振聲等人不同意這個宣言，但朱自清毫不遲疑地在宣言上簽了名。

一九四六年三月十七日，昆明上萬人民衝破國民黨政府的重重限制，爲四烈士舉行了隆重悲壯的出殯安葬儀式。

烈士墓設在聯大東北角，石砌的墓台，後面襯著石壁，上刻象徵追求光明的自由女神，女神像下刻著馮至寫的悼詩《招魂》，墓前矗立著兩根雄偉的石柱，上面刻著聞一多寫的《「一二·一」運動始末記》，四周松柏環繞，一片肅穆。同學們在這裡向四烈士作最後告別：

「崇高敬愛的烈士們，你們殉難在民主堡壘的門前，如今你們又要長眠在這塊地方，讓這片我們曾經一同學習一同工作的校園，由於你們而成爲民主的聖地，你們安眠罷，滇池的浪花，西山的白雪，將永遠庇護著你們，墓邊的青松，將永遠象徵著你們對民主事業的忠貞，墳上的蕙蘭，就要開出自由的鮮花，你們的赤血，已經培養了民主中國的新芽，看吧，新中國就要來到了！」

暮春的一天，細雨菲菲，校園裡格外清靜。朱自清打著一把傘，獨自在四烈士墓前徘徊。兩絲靜靜地下，把墓前的松柏洗得格外蒼翠，朱自清在石柱前停住腳，蹲下身子，仔細地觀看著柱上銘刻著的《「一二・一」運動始末記》。良久，朱自清站起身，慢慢地離開了墓地，消失在雨幕中。從朱自清那緩緩而沉重的步履中，分明可以感受到靈魂所承受的思考的重負。

四個青年的生命不在了，但他們給這個世界留下些什麼？昭示些什麼？每一個活著的人都不能不認眞地思考。經歷了八年的煎熬、八年的期待，到頭來卻發現，現實的景象和人們的願望截然相反。朱自清不禁感慨百端：「勝利突然而來，時代卻越見沉重」⑲。在一首詩中，他這樣寫道：

凱歌旋踵仍據亂，極目升平杳無畔。
幾番雨橫復風狂，破碎山河天四暗。
同室操戈血飄杵，奔走驚呼交喘汗。
流離瑣尾歷九秋，災星到頭還貫串。
異鄉久客如蟻旋，敝服飢腸何日瞻？⑳

沉鬱悲涼的詩句，反映了朱自清對政府的幻滅，對現實的失望。

一九四六年五月，國立西南聯合大學完成了歷史使命，結束校務，復員北上。

此前，聞一多因忙於民主運動，辭去了清華大學中文系主任的職務，復由朱自清接任。

六月十四日，朱自清告別了尚未離校的一多，離開昆明，返回成都。留在昆明的一多，繼續爲民主運動奔走呼號。六月底，昆明各界人民組織「爭取和平聯合會」，發起萬人簽名運動，聞一多和民盟昆明支部的同仁積極參與推動了這一運動，聞一多還親筆修改了致電蔣介石毛澤東呼籲和平宣言。昆明的民主運動，在聞一多等民主鬥士的努力下，並未因聯大復員而停滯，依然是轟轟烈烈，充滿活力。怯於民主運動的巨大聲勢和聞一多等人的號召力，國民黨特務終於舉起了屠刀。

七月十一日，民盟中央委員、民盟昆明支部負責人、著名的愛國民主人士李公樸被暗殺。七月十五日，民盟中央委員、民盟昆明支部另一負責人、西南聯大中文系教授聞一多又被暗殺，同時被刺的還有其長子聞立鶴。

消息傳出，舉國震驚。十七日，朱自清得知此事，五內俱焚，悲憤莫名，他立刻給學校去信，要求學校妥善處理此事，然後又給聞一多夫人高孝貞女士發去慰問函：

聞太太大鑒：

今天見報，一多兄竟遭暴徒暗殺，立鶴也受重傷！深爲悲憤！這種卑鄙凶狠的手段，這世界還成什麼世界！一多的喪事想來已經辦了，立鶴的傷勢如何？極念。盼望他能夠漸漸好起來！

您一定極傷心。但還有五個弟妹要靠您教養，盼望您在無可奈何中竭力鎮靜。您身體也不好，更盼望您注意自己！

學校方面我已有信去，請厚加撫恤。朋友方面，也總該盡力幫忙，對於您的生活和諸侄的教育費，我們都願盡力幫忙。

一多兄的稿子書籍，已經裝箱。將來由我負責，設法整理。家中若還有遺稿，請交何善周先生。如何先生已走，請交葉兢耕先生。我已有信給葉先生了。

立鵰立鵬想還在重慶，他們一定也極傷心。他們的行止如何？也極繫念。

專此，敬請

節哀！

朱自清　七月十七日㉑

發出信，朱自清悲憤難消，他提筆在日記中寫道：「報載一多於十五日下午五時遇刺，身中七彈。其子在旁，亦中五彈。一多當時斃命，其子仍在極危險情況中。此誠慘絕人寰之事。自李公樸被刺後，余即時時爲一多之安全擔心，但未想到發生如此之突然與手段如此之卑鄙！此成何世界！」㉒那次閑談時，聞一多說自己能活八十歲時那種得意、豪爽的笑聲彷彿還在耳邊回響，但誰知才四十七歲，他便倒在了國民黨特務的槍口下。

夜深人靜，燈下獨坐，往事一幕幕浮上心頭……

一九三二年秋，聞一多來到清華，是朱自清去城裡迎接他們一家的，三七年清華遷徙長沙，也是朱自清去車站迎接他們一家的。在司家營的兩年多，他們朝夕相處，暢言無忌。聞一多快人快語，寫文章在落筆之前，總愛先說出來。他常銜著個煙斗，眉飛色舞地嚷道：「

佩弦，我有個很好的：idea（想法），……」然後大家就熱烈地討論起來。而朱自清則每次默默地脫了稿，送到一多桌前，微微一笑：「一多，請你看看，看有問題沒有？」抗戰後期，大家看聞一多全家生活困窘，難以維生，都慫恿他掛牌賣印，並由浦江清起草了駢文的推荐書，朱自清、梅貽琦、蔣夢麟、楊振聲、馮友蘭、羅常培、潘光旦、熊慶來、唐蘭、沈從文等人都具了名，聞一多對推荐書中「文壇先進，經學名家，辨文字於毫芒，幾人知己；談風雅之原始，海內推崇」的話，頗爲開心。

朱自清對聞一多，向來很欽佩。在一多詩人時期，朱自清推崇他的《死水》和《紅燭》，稱他爲唯一的愛國詩人，並在《中國新文學大系・詩集》中選改了他的詩多首。在一多轉向古典文學後，朱自清又常爲他許多新穎獨特的見解而贊嘆，儘管在學術觀點上兩人常不一致，甚至相反，但朱自清常對學生說：論學問，國內沒人能及上聞先生，他是由西洋文學而轉治中國文學的唯一的成功者。學生向朱自清請教問題，朱自清解答後，常叫他們再去請教聞先生。有時爲研究需要，朱自清便去翻閱一多的手稿，從中汲取用有的思想。

朱自清和聞一多都是詩人。步入中年後，兩人雖都不再寫詩，但仍然關注著新詩的成長進步。四三年秋天，朱自清向一多推荐了田間的一本詩集，一多乍讀之下，不禁疑惑：這是詩嗎？再讀，豁然猛醒，詩裡洋溢著一種過去的詩中從未有過的情緒和節奏，一多把這稱之爲戰鼓的聲音，並在他所講授的「唐詩」課上，拍著節奏，朗誦田間的新詩。一多說：「這是戰鬥的聲音。這十年的進步太快了。現在已經到了新的時代——戰鬥的鼓的時代。詩歌是鼓，今天的中國是戰鬥的年代，需要鼓。詩人就是鼓手。」㉓此後，一多又把講課的內容寫成文章《時代的鼓手——讀田間的詩》。朱自清特別指出：「這一篇短小的批評激起了不小的波動，也發生了不小的影響。」㉔艾青的《大堰河》，朱自清早就讀過，但當時並未給予特別的重視。四五年五月二日，在聯大五四周朗誦晚會上，朱自清聽到一多朗誦這首詩。從一多抑揚頓挫、富於戲劇化的朗誦中，朱自清突然領悟該詩有一種「深刻的情調，一種對於母性的不幸的人的愛」㉕。

在學術上，兩人心有靈犀，在政治上，兩人也互相信任和理解。抗戰後期，聞一多投身民主運動，戰鬥在時代前列，朱自清則依然埋首書齋，不問世事，兩人在對許多事情上的認識和態度都存在差距。不過，這並不影響兩人的關係，聞一多說，佩弦思想保守而不頑固，是個好人，朱自清則很看重一多的意見，每當政治鬥爭風雲變幻或有什麼宣言文件徵求簽名時，朱自清首先就會問：「聞先生簽名了沒有？」

當然，就私交而言，朱自清和聞一多很難說有多深的交誼。聞一多才高氣傲，自視甚高，豪爽熱情，剛烈如火，常出驚世之語，極富詩人氣質；朱自清質樸謹斂，謙沖退攖，溫文爾雅，寧靜似水，思不出其位，純然學者本色。二人性格反差極大，生活上的興趣愛好也不相同。除了在司家營的兩年多二人幾乎朝夕相處外，其他時間兩人私下的交往不算太密切。他們之間，更多的是一種君子之交，道義之交。但惟其如此，他們的友誼更顯出眞誠和脫俗。

蒼天失色，大地嗚咽，山川無語，江河憤怒！此刻，聯大四烈士墓前石柱上銘刻的聞一多的話又在眼前浮現：「讓未死的戰士們踏著四烈士的血跡，再繼續前進，並且不惜匯成更巨大的血流，直至在它面前，每一個糊塗的人都清醒起來，每一個怯懦的人都勇敢起來，而每一個反動者戰慄的倒下去！」㉖如今，一多獻出了它的生命，難道未死的人不應該像他那樣振臂而起，繼續前進嗎？不能再沉默了，不能再猶豫了！抗爭，只有抗爭，才能對得起老友的在天之靈，才是對老友的最好紀念！一向謹斂謙和、溫文爾雅的朱自清憤怒了，發出了獅子般的吼聲。

八月十八日，成都各界人士舉行追悼大會，請朱自清報告聞一多生平事蹟。會前，風傳特務要搗亂會場，有的人因而卻步，但朱自清毅然前往。他的報告，眞切感人，說到精彩處，會場掌聲雷動，說到動情處，台下唏噓一片。

朱自清已有近二十年沒有寫新詩了，一多的死，使朱自清悲憤難遏，詩思如湧，他奮筆寫下了《挽一多先生》：

你是一團火，
照徹了深淵；
指示著青年，
失望中抓住自我。
你是一團火，
照明了古代；

歌舞和競賽，
有力猛如虎。
　你是一團火，
照見了魔鬼；
燒毀了自己！
遺燼裡爆出個新中國！

聞一多「一團火」的精神，激勵著朱自清奮勇前進，去努力攀登生命的最高峰。

【附註】

① 朱自清：《漓江絕句》。
② 朱自清：《〈新詩雜話〉序》。
③ 朱自清：《新詩的進步》。
④ 朱自清：《詩與建國》。
⑤ 見李廣田：《最完整的人格——哀念朱自清先生》，《觀察》第五卷第二期，一九四八年九月四日。
⑥⑦⑧ 朱自清：《〈詩言志辨〉序》。
⑨ 周明道：《聯大生活拾零》，《學府紀聞．國立西南聯合大學》，臺北南京出版有限公司一九八一年十月版。

⑩ 馮時可：《滇行紀略》。
⑪ 吳組緗：《敬悼佩弦先生》，《文訊》第九卷第三期，一九四八年九月十五日。
⑫ 余冠英：《佩弦先生的性情嗜好和他的病》，《文學雜誌》第三卷第五期，一九四八年十月。
⑬ 見馬識途《時代的鼓手——聞一多》。
⑭ 《聯大八年·三十三年五四在聯大》。
⑮ 陳竹隱：《佩弦逝世二周年作》。
⑯ 陳竹隱《憶佩弦》，《新文學史料》第一輯，人民文學出版社一九七八年版。
⑰ 聞一多：《「一二·一」運動始末記》。
⑱ 見一九四五年十二月二日《朱自清日記》。
⑲ 朱自清：《論嚴肅》。
⑳ 朱自清：《勝利已復半載，對此茫茫，百端交集，次公權去夏見答韻》。
㉑ 見聞黎明《光芒耀人的雙子星座——記朱自清與聞一多》。
㉒ 見一九四六年七月十七日《朱自清日記》。
㉓ 王一：《聞一多是怎樣在黨的領導下成爲民主戰士的》，《光明日報》一九八五年七月十五日。
㉔ 朱自清：《聞一多先生怎樣走著中國文學的道路——〈聞一多全集〉序》。
㉕ 朱自清：《論朗誦詩》。
㉖ 聞一多：《「一二·一」運動始末記》。

第九章　重返清華

——走出象牙塔

一

八月十八日，出席過李公樸、聞一多追悼大會以後，朱自清立刻返家收拾行裝，準備離開成都。

就要返回北平了，朱自清對眼前的三間破草房忽生一絲留戀之情，儘管它潮濕陰暗，冬不蔽寒，夏不蔽暑，但畢竟像一個小小的港灣給被狂風暴雨折騰得精疲力盡的朱自清一家提供了保護。再見了，宋公橋，再見了，報恩寺，它們將永遠留在這一家人的心中，只是但願別再一次回到這裡。

第二天，朱自清攜全家前往重慶。

十月七日，朱自清一家登上飛機直飛北平。飛機平穩地飛著，想到馬上可以回家了，孩子們都非常興奮。小女兒蓉雋出生在成都，還沒去過北平，喬森和思俞離家也已八年，對清華園的家是什麼樣子，也早已記不清楚了。不知是否機艙太冷的緣故，朱自清卻缺乏孩子們的那種興致。抗戰剛勝利的時候，他曾經激動過一陣，但一年來國內的局勢卻叫人大失所望，熱切盼望回北平的心淡了許多。政府要員們忙著「五子登科」，發接收財，普通老百姓生活則愈加艱難，內戰的硝煙彌漫，而反內戰要和平的青年和摯友卻流了血，送了命。面對這些，作爲還活著的人，有什麼値得開心的呢？

飛機飛臨了北平的上空，從飛機上往下看，那棋盤似的房屋，那點綴著的綠樹，那紫禁城的一片黃琉璃瓦，在晚秋的夕陽裡，展現出古都北平特有的迷人的魅力。久違了，北平！在歷了九年的顚波流離、生死磨難之後，還能回到你的身邊，畢竟是値得慶幸的，只是這些許的喜悅摻進了太多的甜酸苦辣，未免有點沉甸甸的。

因清華園正在修繕房屋，剛回北平，朱自清一家住在國會街北大四院宿舍。卸下行裝，朱自清便和家人走上街頭，四處轉悠。他像個返鄉的遊子一樣，要好好看看這劫後餘生的古城，是否還是他記憶中的模樣。

轉悠之下，朱自清發現，北平還是那個北平，然而，就像發酵過的東西一樣，全變了味。

北平還是那樣的富有。舊貨攤、舊書攤還是那麼多，舊家俱、舊衣物、帶點古色古香的小玩意兒比比皆是，價錢也還便宜，然而，生活必需品的糧食卻是那麼少，以至貴得嚇人。北平還是那麼閑。公共汽車、電車漫悠悠的，行人也慢悠悠的，各種報刊上的衆多副刊，學術味那麼重，也帶有一種悠閑的風度。可是，公園茶座裡的客人卻寥若晨星，中產階級手頭不寬心頭也不寬，早失去了悠閑的心境。北平比以前亂多了，美國吉普車在街上橫衝直撞，不到兩三天，朱自清就看到美國軍車在天安門撞倒一名中國婦女後揚長而去。警察對此熟視無睹，卻動不動逮著三輪車夫一頓拳打腳踢。一次，朱自清看到警察毆打搶生意的三輪車夫，他忍不住高聲喊道：「你打他做什麼！他是爲了生活，爲了生活！」因爲生活無著而鋌而走險的人也多了，報紙上經常出現攔路搶劫的消息，竹隱和孩子便親身經歷過一次。一天晚上九點來鐘，竹隱帶著兩個孩子走進宣武門裡的一個小胡同，剛進去不遠，就聽見一聲「站住！」向前一看，十步外站著一個人，正從黑色的上裝裡掏什麼，說時遲，那時快，順著燈光一瞥，掏出來的乃是一把明晃晃的尖刀。竹隱大叫一聲，趕緊轉身朝胡同口跑，孩子們也一邊大叫一邊跟著跑，沒跑幾步，絆著石頭，母子三人一齊摔倒。爬起來回頭一看，那人也轉身向胡同深處跑去。此人白白的臉，年輕輕的，穿的似乎還不寒傖，看來是剛走上此道的，還缺乏「經驗」。

凡此種種，都讓朱自清感到，整個北平像在潮水裡晃蕩著，整個中國也像在潮水裡晃蕩著，動亂時代已經到來。

對這種動亂的局面和個人所承擔的責任，朱自清看得很清楚，他說：動亂時代來自人們對抗戰勝利後三五年內進入小康時代的幻想的破滅，幻滅之餘，有的人走向墜落，「煙，賭，酒，女人，盡情的享樂自己。一面獻身於投機事業，不顧一切原則，只要於自己有利就幹。反正一切原則都在動搖，誰還怕誰？只要抓住現在，抓住自己，管什麼社會國家！」有的人則走向抗爭，「他們不怕幻滅，卻在幻滅的遺跡上建立起一個新的理想。他們要改造這個國家，要改造這個世界。這些人大概是青年多」。而一般中年人則在認識著、適應著這個時代，「他們的精力和膽量只夠守著自己的崗位，進行自己的工作。這些人不甘頹廢，可也不能擔負改造的任務，只是大時代一些小人物。」①無疑，朱自清讚賞青年人的勇氣和熱情，但對他們能否抓住現實並開創一個新世界沒有把握。他的思想和情緒，他所能做的和認爲該做的，都屬於那些穩健、老成、富於人生閱歷而貧於精力勇氣的中年人。

還在昆明時，一次，學生問他關於中國的前途，他說：「三十年內中國不會太平靜，但既生爲中國人，有什麼辦法？該幹什麼還幹什麼，守住自己的崗位，並且得加倍努力幹。」②回北平後，「守住崗位，並且加倍努力幹」的念頭愈益強烈。他認爲，「社會是聯貫的，歷史是聯貫的。一個新社會不能憑空從天上掉下，它得從歷來的土壤裡長出。」③他要做的工作，便是謹愼地調整著種種傳統和原則，爲將來的社會，留下一些東西，但同時，這種「調整」，又是站在現代的立場、用現代人的眼光來進行的。因此一回北平，他便與北平《新生報》聯繫好，在該報開闢並主持一個副刊——「語言與文學」，每周出一期。作爲主編，朱自清爲副刊每周寫一篇「周話」，內容圍繞著文學、語言、國文教學等方面。朱自清在「發刊詞」中說：「一國的語言和文學反映著民族的過去和現在，這是文化的一部分，也是所謂社會的上層機構之一。這又是我們的自我的一部分」，本刊的宗旨「就是要恢復一般人對於語言和文學的興趣，讓他們覺得這是生活的必需，如水與水似的。」正因爲如此，周刊重視現代甚於古代，重視「解釋與批判」甚於「精細的考證」。在朱自清的主持下，這個副刊一直堅持了下去，發表了許多有質量的論文，成爲北平學術界一個頗爲重要的陣地。

在城裡住了半個月，十月二十二日，朱自清一家重返清華園，住進抗戰前的舊居北院十六號。望著匆匆修繕的房子，朱自清感慨繫之，書房、臥室、客廳、餐廳，一切依舊那麼熟悉，一切依舊那麼寬敞明亮，只是過去那個身體結實、精力充沛的自己已經變得衰弱蒼老了，過去那種寧靜、怡然的生活優雅、舒適的環境也蕩然無存了。環顧室內，到處都顯出一種窮湊乎的樣子，書房裡放著從舊貨攤上買來的滿是蛀蟲眼的舊書桌，旁邊放著在昆明時代發明的用包裝箱改造的土沙發，廚房裡連一張切菜的桌子都沒有。不過這些身外之物損失了倒無所謂，最叫朱自清心疼的，是他的藏書幾乎損失殆盡。抗戰爆發時，他曾把比較重要的書裝進大書箱，寄放在平伯家。但後來揚州老家急需錢用，他只好忍痛請平伯代賣了。在昆明搜集了一點書，因無法帶回來，也只好賣的賣，送的送。回到北平後，他不得不從頭搜集起。他買不起成套的書，只有在舊書攤上零零星星地配，可他哪有那麼多時間和精力泡書攤呢？

回到清華園以後，除了主持每周一次的「語言與文學」副刊而外，朱自清以大量精力投入了一項重要工作——主編《聞一多全集》。

十一月，聞一多的遺稿由昆明運抵北平，學校迅速成立了由朱自清、雷海宗、潘光旦、吳晗、浦江清、許維遹、俞冠英組成的「整理聞一多先生遺著委員會」，由朱自清擔任召集人。月底，朱自清召集委員會開會，確定了「全集」的擬目、編輯方針、實施方法、整理分工等。朱自清對「全集」總負責，同時承擔了書信部的編輯整理工作。從此時起到去世前的一年多內，編輯《聞一多全集》成爲朱自清生活中的一件大事。吳晗曾深有感慨地說：「一多全集的出版，我曾經說過，沒有你是出不了版的，兩年來你用大部分的時間整理一多遺著。我記得，在這兩年內，爲了一篇文章，一句話，一封信，爲了書名的題署，爲了編纂的列名，以及一切細微末節，你總是寫信來同我商量。只有我才能完全知道你對亡友著作所費的勞力，心血。」④

除了編《全集》，朱自清對自己的研究工作也抓得極緊。一次，他去校圖書館書庫，見到一架架圖書，非常興奮。他在日記中說：「入圖書館書庫，見藏書仍極豐富，此甚鼓勵與刺激余研究工作之進行。」⑤只是爲一多編《全集》，耗去了他大量精力，要給學生上課，要處理系裡的行政事務，也分去他相當多的時間，再加上時局動蕩，物價暴漲，亦很難使他定下心來。他已沒有像在成都休假時的那樣整塊的時間可以利用。也很難像在成都那樣進行獨立完整的著述。惟其如此，他對時間抓得格外緊，見縫插針，爭分奪秒。由於時間零碎，很難寫大塊文章，他便化整爲零，確定同一的準則、思路和範圍，然後從各個方面就一個個具體對象展開論述。

他每天不停地伏案工作，即使胃病發作，只要能堅持，也從不躺下。他在書桌旁放上一只痰盂，要嘔吐時便吐在痰盂內，吐完了漱漱口接著工作。多年前，葉聖陶便把朱自清的慌張急遽、「彷彿有無量的事務在前頭」的神色，稱爲「永遠的旅人的顏色」，並且斷定，在人生的旅路上，朱自清永遠無法改變這種旅人的顏色。在另一篇文章中，葉聖陶又爲這句話作了注腳：「他近年來很有顧影亟亟的心情，在幾次來信中都曾經提到，我想他恐怕他自己的成績太少，對於人群的貢獻不太夠的緣故。加上他的病，自己心中有數，就只盼成績多一點好一點，能夠工作就盡量工作。」⑥「折肱盡瘁光家國，但問耕耘莫問年」，就是他心情的寫照。

除寫作外，朱自清又與葉聖陶、呂叔湘合作編了兩套教材：《開明文言讀本》（開明新編國文讀本甲種）和《開明新編高級國文讀本》。爲了趕在四八年秋季開學前出版，整個上半年，他爲此工作得很緊張，結果使胃病大發作了三次。這兩種教材每種六冊，遺憾的是《文言讀本》出了兩冊，《高級國文讀本》只出了一冊，朱自清便已辭世。

在系裡，八個學分的「中國文學史」課程，朱自清已連續講了多年，從古到今的綱目材料和有關參考書籍，也早已安排就緒。他有一個宏願，希望用新的眼光去重新考察中國文學歷史，寫一部《中國文學史》和一部《中國文學批評史》，爲此，他已陸續配齊了有關書籍，然而，他終於未能寫出。他還打算開一門新課，專講韓愈詩文，終於也未能實現。朱自清似乎總是那麼匆匆忙忙地，上足了發條一般，拼命往前趕著，從來不知道放鬆，休息。

一九四八年初，朱自清在一首詩中，表達了他對人生的理解和感慨：

中年便易傷哀樂，老境何當計短長。
衰疾常防兒輩覺，童眞豈識我生忙。
室人相敬水同味，親友時看星墜光。

筆妙啓予宵不寐，羨君行健尚南強。⑦

物換星移，世事變遷，眼見親朋好友一個個如星墜光般地倒下了，作爲倖存者，對個人的名利地位還有什麼看不開呢。拼將衰病之身，爲社會，爲後人，多做出一點成績，才是一個步入老境的人所應當只爭朝夕、一較短長的呢。經歷了太多的人生憂患，朱自清的感觸帶著老年人的沉鬱蒼涼，同時也帶著知天命之人的使命感。正因爲如此，朱自清拼命工作，教課，指導學生，寫文章，編書，除了病倒無法動彈，簡直沒有休息的時候。所以，短短的時間內，他主編了《聞一多全集》，寫了大量的時評，書評，文藝論文和散文，出版了《標準與尺度》、《論雅俗共賞》以及《詩言志辨》、《新詩雜話》、《語文零拾》（後三種爲抗戰期間所寫）等書，已編定未及出版的還有《語文影及其他》。

二

重返清華園，並不意味著朱自清又可以躲入高牆大院，過那種與世隔絕的書齋生活。時代早已變了，高牆大院本身也在時代風雨之中晃蕩著，面對一場空前的歷史風暴，每一個人都必須認眞地思索、判斷，作出抉擇，朱自清也不例外。二十年前「那裡走」的問題又一次被提出，而且由於社會矛盾的急劇尖銳，這個問題帶著更加不容迴避、猶豫的氣勢。那一次，朱自清選擇了逃避，躲進「國學」的故紙堆，在「死路」上徘徊了近二十年。二十年來，社會發生了巨大的變化，朱自清也經歷了抗日戰爭的磨煉，經歷了學生和聞一多的鮮血的洗禮，政治上開始走向成熟。因而這一次立場、道路的抉擇，對朱自清來說，並不特別困難。困難在於，這一次的抉擇是對上一次抉擇的叛逆，是對近二十年生活道路的叛逆，由此而帶來的清理思想和改變生活方式的工作是艱鉅的。

在由書齋走向社會、由個人走向民衆、由「死路」走向生路的轉變中，朱自清著重解決了三個問題：在政治上認清國民黨政權的本質，在思想上擺正個人與人民大衆的關係，在行動上克服消極超脫而走向積極介入。

長期以來，朱自清對政治的態度比較淡漠。他曾兩次拒絕加入國民黨，但由於對共產黨所知不多，國民黨在他心目中自然而然的占據了正統地位。「西安事變」時，朱自清曾站在政府一邊對張楊「兵諫」感到憤怒。八年抗戰，朱自清在大後方，對國民黨政府領導抗戰寄托了很大希望。他甚至幻想抗戰勝利後的中國將會獲得新生，將會沿著工業化、民主化、集納化的道路迅速前進，幻想將有「賢明的領袖」和民衆面對面，手挽手，「爲了最大多數的最大幸福而努力」。終於朱自清逐漸認清了國民黨政權的本質。他一針見血地指出：古往今來造成社會動亂的原因就在於統治階級「不行仁政，不施德教，也就是賢者不在位，統治者不好。」⑧統治者憑藉特殊的權力，巧取豪奪，橫徵暴斂，大發國難財、接收財、勝利財，「於是富的富到三十三天之上。貧的貧到十八層地獄之下。」對此，朱自清憤怒地質問道：難道「大多數在飢餓線上掙扎的人能以眼睜睜白供養著這班驕奢淫逸的人盡情的自在的享樂嗎？」⑨不！朱自清說：「到了現狀壞到怎麼吃苦還是活不下去的時候，人心浮動，也就是情緒高漲，老百姓本能的不顧一切的起來了，他們要打破現狀」⑩要「造反」，要推翻統治者。

在思想上，朱自清早年無疑屬於民主個人主義者。他希望國家富強、民主，社會安定，人民幸福，他理想的社會是實行資產階級議會民主制度的社會。一旦他發現自己的理想無法實現時，便採取獨善其身的方法，躲進個人的小天地。他看重個人的價值，卻懷疑集體的力量，他同情廣大勞動人民的悲慘生活，富於深厚的人道博愛精神，但不理解也不相信他們在推動社會歷史發展進步方面的巨大力量。開始使他認識到民衆力量的是四一年夏天發生在成都的「吃大戶」事件。目睹了那一幕驚心動魄的景象，朱自清深受觸動：「這是一群人，群就是力量：誰怕誰！」⑪抗戰勝利後，人民群衆普遍覺醒，更加自覺地投入了聲勢浩大的民主運動，朱自清對人民的力量也有了更清晰的認識。他說：「現在這時代可改變了。不論叫『群衆』，『公衆』，『民衆』，『大衆』，這個『衆』的確已經表現一種力量……現在卻強大起來，漸漸足以和統治階級對抗了，而且還要一天比一天強大。」⑫

當朱自清認識到人民群衆的偉大力量之後，他對個人也就有了正確的認識。他嘲笑知識分子逗留在時代的夾縫中，鬧了個「四大金剛懸空八隻腳」，一副上不得下不得的尷尬相。他看出知識分子賴以躲避時代風雨的象牙之塔正在傾頹，痛感知識分子必須步出象牙塔，走到十字街，成爲人民中的一員。他說：「到了現在這年頭，象牙塔下已經變成了十字街，而且這塔已經開始在拆卸了。於是乎他們恐怕只有走出來，走到人群裡。」⑬這裡，朱自清論述的是整個知識分子階層的狀況，顯然，這中間包含著朱自清對自己思想歷程的清理解剖，包含著對舊我的批判否定和對新我的期待。

認清了國民黨政權的反動本質，認清了自己的歷史責任，朱自清在行動上便一改過去的消極超然的態度，而以勇敢的姿態積極投入了反飢餓，反內戰、反迫害的民主運動。

一九四七年二月十七日深夜零時，國民黨北平警備司令部、憲兵團、警察局、市黨部及有關機構共八千餘人，分設八百二十四個檢查小組在市警察局長的指揮下，闖入民宅，對全市突擊進行所謂戶口大檢查，逮捕工人、店員、學生、市民兩千多人，清華一名學生也被抓走，這種踐踏憲法、無視人權的行為激起了全市各界人士的憤怒。二十二日，朱自清和北大、清華教授向達、吳之椿、金岳霖、俞平伯、徐炳昶、陳達、陳寅恪、許德珩、張奚若、湯用彤、楊人楩、錢端升共十三人聯名簽署宣言，抗議國民黨午夜搜捕人民，呼籲保障人權。宣言指出：政府「以清查戶口之名，發動空前捕人事件，使經濟上已處水深火熱之市民，更增恐懼，同人等為保障人權計，……對此種搜捕提出抗議。並向政府及社會呼籲，將無辜被捕之人民從速釋放。並保證不再有此侵犯人權之舉。」十三教授人權宣言在平津各大報發表時，朱自清名字安排在第一位。

宣言對國民黨政府的倒行逆施是一當頭棒喝，國民黨對此惱怒不堪，發動他們所控制的報紙，攻擊誹謗朱自清和其他教授。國民黨特務三次登門，並監視他的住宅，以示威脅。竹隱回憶說：「一位好心的朋友告訴我：他在燕京大學看到國民黨的黑名單，其中第一個就是朱自清。我把這消息轉告給佩弦，他只是輕蔑地應道：『不用管他！』『怎麼，你準備坐牢嗎？』『坐就坐！』是的，他並沒有退卻，他在反動派的面前堅定地站起來了。」⑭

由於內戰，千萬人民被投進了戰火的深淵，民脂民膏被龐大的軍費開支搜刮得乾乾淨淨，億萬人民的生存發生嚴重危機。當時通貨膨脹、物價飛騰的狀況常令人膛目結舌。一九四六年十二月時，底薪爲六百元的教授，每月實領薪金八十三萬元，可買麵粉二十三袋有餘（一袋麵粉以四十四斤算），生活尚可維持。到四七年五月，一個教授實領薪金一百四十二萬元，卻已不夠買十袋麵粉。到四七年底，法幣十萬元大鈔出籠，物價更如脫繮的野馬一日千里扶搖直上，教授的實際收入，已不及抗戰前的三十元。到四八年三月，像朱自清這樣薪金最高的教授實領薪金一千餘萬元，卻已不夠買五袋麵粉，實際收入僅相當於抗戰前的區區十六、七元。教授尚且如此，那些靠助學金生活的窮學生，境況就可想而知了。四七年五月上旬短短的十幾天內，北平大米由九百元一斤，猛漲到兩千六百元一斤，清華學生米飯伙食團膳費，由四月份的七萬元，漲到五月份的十三萬元，而助學金一個月才十二萬四千元，且總要拖到下個月才能領到。學生們吃不起米飯，只好改吃絲糕（雜糧）。

這時，滬寧等地的學生開始了挽救教育危機的運動，喊出了「向炮口要飯吃」的口號。反飢餓的浪潮由南而北，迅速推向全國。清華、北大等京、津、唐各大高校，紛紛響應，掀起了罷課、遊行示威的浪潮。清華學生自治會的罷課宣言說：「今天，飢餓迫使我們不能沉默。今天，爲了千千萬萬在死亡邊緣掙扎的人民，爲了在內戰炮火下忍受飢餓的全國同胞，我們不得不放下了我們的書本。」「一切根源在於內戰，內戰不停，則飢餓將永遠追隨人民。」

面對學生的強烈呼聲，國民黨政府不思悔改，反而變本加厲地派出軍警憲特毆打逮捕學生，闖入學校開槍射擊，頒布「維持秩序臨時辦法」，宣布凡罷課示威者，立即予以解散。五月十八日，蔣介石發表談話，指責學生「行同暴徒」，恐嚇說：「國家何貴有如此之學校，亦何惜於此恣肆暴戾之青年。」宣稱要對學生「採取斷然處置」。次日，教育部又發布指示，飭令各校「嚴懲滋事分子，爲首一律開除學籍」。

壓迫愈深、反抗愈烈，這是亙古不變的眞理。國民黨政府的高壓政策激起了學生更大的義憤，激起了社會各界的同聲譴責，教授們也站出來說話了。教師受雇於學校，因而在行爲上常常受到身份的制約，對學生運動常常同情、理解多於支持鼓勵。但學生的呼聲，喊出了全國人民包括廣大教師的心裡話，學生的正義行動，也教育了廣大教師，因而許多教師挺身而出，與學生站在了一起。這其中，朱自清的態度是鮮明的。五月二十四日，他在平津八院校教職員的呼籲和平宣言上簽了名，並持宣言稿在校內到處奔走徵集簽名。二十九日，他又在北大、清華教授《爲反內戰運動告學生與政府書》上簽了名。

這兩份分別由三百八十五人和一百零二人簽名的宣言，如兩顆重磅炸彈，在社會上引起巨大反響。《和平宣言》指出：「今日一切紛擾現象，根源俱起於經濟危機，而經濟危機則又爲長期內戰之惡果。一切工潮、學潮均爲當前形勢下必然之產物。」在此政治、軍事、經濟、文化俱已臨於崩潰邊緣之時，政府如仍長此敷衍支吾，不停止內戰，則只有引起更大的困難，最終同歸於盡。針對政府對學生誣蔑，《告學生與政府書》對學生的正義行爲予以了高度評價：「青年們的情緒熱誠，精神勇敢，行動嚴整而有規律，至其動機天眞純正，……尤值得予以同情而不容稍加曲解。我們下一代的青年有這樣優秀進步的表現，堪爲國家民族的遠景欣慰。……要求溫飽是自然的人情，爭取和平乃今天的國是。民苦飢餓，幾瀕危亡，青年學子乃至各階層的廣大群衆於此緊急的時刻，作此迫切的呼籲，理屬當然，事有必要。」與此同時，《宣言》對政府的行徑表示了深深的不滿和嚴正的斥責，指出政府「今竟縱任暴徒凶毆，動員警憲逮捕，喋血於都市，逞威於青年，並進而禁止請願，封閉報館，自毀法綱，自毀道德？民主何有，憲法云何？」

回到清華園後，朱自清的寫作熱情空前高漲，他說：「復員以來，事情忘了，心情也變了，我得多寫些，隨便些，容易懂些。」⑮這其中，有生活窘迫要靠稿費來補助家用的要素，但是主要的，是朱自清受到時代精神的鼓舞，意識到自己的社會責任，而煥發出的戰鬥熱情。

由於心情變了，朱自清的文字風格也變了，他在《〈標準與尺度〉自序》中稱自己所寫「大部分也許可以算是雜文」。

二十年代中期，朱自清開始寫散文。那種散文，構思精巧，形象生動，結構縝密圓轉，語言優美漂亮，是一種「美文」。而四十年代後期，「時代的路向漸漸分明，集體的要求漸漸強大，現實的力量漸漸逼緊；於是雜文便成了春天第一隻燕子。雜文從尖銳的諷刺個別的事件起手，逐漸放開尺度，嚴肅的討論到人生的種種相，筆鋒所及越見深廣，影響也越見久遠了。」⑯由此可見，朱自清的改變風格，一方面深刻揭示了時代的變化對朱自清的影響，另一方面也反映了朱自清作文的新追求。

朱自清這時所寫的雜文，主要收在《標準與尺度》和《論雅俗共賞》兩本集子中。這些雜文，或談現實問題，或談文藝問題，或談知識分子問題，內容各有不同，但它們都有一個共同的目標指向，即緊密結合時代發展和現實鬥爭，用雜文這個武器，破舊立新，爲新時代呼風喚雨，吶喊助威。

在討論社會問題的雜文中，朱自清緊緊抓住現實生活中迫切需要解決的問題進行闡述。針對抗戰勝利後人們存在的幻滅和迷惘情緒，他接連寫了《動亂時代》、《論不滿現狀》、《論且顧眼前》等文。他分析社會中存在著三類人，一類驕奢淫逸，揮霍民脂，一類獨善其身，苟且偷安，一類奮起抗爭，勇往直前。這三類人中，前者是社會的敗類、蛀蟲；中者是歷史的悲觀論者，他們怨天尤人卻陷入了唯心的宿命論，他們無法改變令人不滿的世道，「結局是維持現狀，讓統治者坐穩江山」⑰；只有後者才是這個時代的動力和骨幹。當然抗爭並不是盲目的「民變」，眞正的出路在於民衆團結起來，和統治階級對抗。經過這樣的梳理，時代的眞面，社會變革的目標，時代前進的方向就一清二楚了。

爲了配合反內戰，反飢餓、反迫害的民主運動，朱自清寫了《論吃飯》一文，充分闡明了人民的基本權利，論證了爭吃飯權運動的合理性，並號召人民團結起來堅持鬥爭「直到大家有飯吃的那一天」。這樣的雜文，對反飢餓運動的鼓舞激勵作用，是毋庸置疑的。

對知識分子問題，朱自清集中在對其時代任務和命運的思考上。朱自清深刻地指出：知識分子不是一個獨立的階級，而是一個階層。他們可上可下，上則給統治者幫忙幫閑，但這種人是少數。大部分知識分子爬不上去，又下不到民衆中去，只好隱逸山林，以示清高。這些人，往往「知古不知今，知書不知人，食而不化」⑱，和現實脫了節，所以他們在現實生活中老是鬧笑話，成了嘲諷的對象。他們講究氣節，有所不爲，高節自持，但這種「節」，是個人的消極表現，往往「只能造就一些明哲保身的自了漢，甚至於一些虛無主義者」⑲。因此，在這個時代，知識分子必須用正義感和行動來代替那種消極的「節」，「丟了那空架子，腳踏實地向前走」，走到人民中間，這才是「洗盡書生氣味酸」。聯想到朱自清這一輩許多知識分子所走的道路，朱自清這些論述的現實針對性是不言而喻的。

對於文藝問題的考察，朱自清著力強調的是「現代的立場」。「所謂現代的立場，按我的了解，可以說就是『雅俗共賞』的立場，也可以說是偏重俗人或常人的立場，也可以說是近於人民的立場。」⑳從這樣的立場出發，朱自清在他的重要文章《論文學的標準與尺度》中，對中國文學從古至今標準與尺度的發展嬗遞進行了認眞梳理，仔細分析了時代和人民在推動標準與尺度的演變中所起的作用。他指出：中國封建社會正統的文學標準，是「儒雅風流」。「載道或言志的文學以『儒雅』爲標準，緣情與隱逸的文學以『風流』爲標準。」而在人民的參與下，從非正統的戲曲小說裡產生了「觀風」的尺度，「觀風就是寫實，就是反映社會，反映時代。這時社會的描寫，時代的記錄。」五四時代，在民主與科學的大旗下，文學的標準與尺度發生了更爲明顯而劇烈的變化，時代與人民文學的作用愈益強烈。文學的標準與尺度由「個人主義」、「人道主義」、「反帝」、「抗戰」，發展到今天的「民主」和「社會主義」。經過這樣的梳理，朱自清得出結論：「文學的標準和尺度的變換，都與生活配合著，採用外國的標準也如此。表面上好像只是求新，其實求新是爲了生活的高度深度或廣度。」㉑因而，今天文學的「民主」和「社會主義」尺度的出現，就是勢所必至、理有固然了。

古今中外文化的深厚學養，長期的教師生涯，溫文爾雅的個性，使朱自清的雜文在藝術上有別於魯迅的尖銳冷峻的「匕首與投槍」，而形成一種溫厚從容的獨特風貌，是一種典型的學者雜文，教授雜文。這種雜文內容上富於學術性，寫法上從容而不曼衍，凝煉而不局促，旁徵博引而不瑣碎蕪雜，海闊天空而不信馬由韁。說的是從生活和藝術中提煉出來的道理，說起來則循循善誘，侃侃而談，古今中外，涉筆成趣，不過激，不衝動，全憑智慧取勝。「在這些短小精壯的文字中，無處不放射智慧的光芒，心平氣和，平正通達，是嚴肅的，然而並不冷峻，是溫和的，但是絕不柔弱。」㉒

三

到了一九四七、四八年，清華園發生了很大的變化。以共產黨的地下組織爲核心，「新民主主義青年同盟」、「中國青年同盟」、「進步青年聯盟」等進步青年組織爲外圍的進步力量，已經控制了校園，各種進步活動在校園裡可以公開、半公開地進行。飯廳前的民主牆，被稱爲「預測清華園氣候的晴雨表和氣象台」，上面貼滿了各種進步壁報，遊行抗議的呼聲，行動的號召，罷課委員會的宣言等。大飯廳裡公開播放延安的廣播，「一二一」圖書館陳列著各種「禁書」，從馬克思的《共產黨宣言》、列寧的《國家與革命》到毛澤東的《新民主主義論》，以及香港出的各種進步報刊，新詩社、文藝社、陽光社等衆多文藝社團廣泛介紹解放區的新文藝，「大家唱」歌詠隊高唱革命歌曲，「民舞社」上演解放區的秧歌劇《白毛女》、《兄妹開荒》，「劇藝社」公演《升官圖》，男女學生排成隊列大扭解放區的秧歌舞。

時代在急遽地變化，清華園中人也在急遽地變化。

熟悉朱自清的人都強烈地感到：他變了，變得活躍開朗，更富朝氣了，儘管他的身體在朝相反的方向變。

朱自清的變，突出的表現在他的愛憎分明，對於邪惡、黑暗、腐朽的勢力，奮起抗爭。

四七年初「十三教授人權宣言」發表後，儘管遭到國民黨的報紙攻擊誹謗、特務的騷擾、以及黑名單威脅，但朱自清不改其衷，該做的事照做，該簽的名照簽。這年十月底，國民黨政府宣布民主同盟爲「非法」，強迫解散了民盟總部。民盟一九四一年成立以來，始終致力於民主運動，在社會上具有相當大的影響，是國共兩黨之外最重要的政治力量，李公樸、聞一多、吳晗、潘光旦、費孝通等人都是民盟的重要幹部。國民黨的封閉民盟，表明其法西斯暴政已經到了容不下絲毫異己力量的地步。爲了抗議國民黨的這一暴政，朱自清等清華、北大、燕京的四十八名教授，聯名發表了《我們對於政府壓迫民盟的看法》的抗議宣言。宣言指出：「今政府壓迫民盟之舉，實難免於『順我者生，逆我者死』之詬病。充此而言，勢必至於惟依附政府之政黨始能活動，惟順從當局之人士始得自由。一不合作，遂謂之『叛』，稍有批評，遽謂之『亂』，又且從而『戡』之。試問人民的權利何在？人民的自由何在？我們即使不爲民盟不平，也不能不爲國家前途，爲人民安全，感到深切的憂慮。」㉓抗戰宣言義正辭嚴，句句擊中國民黨獨裁政權的要害，在社會上引起強烈反響。

抗戰勝利後，聯大的同事李廣田去天津南開大學任教。由於他參加反飢餓反內戰運動，慰問被軍警打傷的學生，發表指斥國民黨暴行的講話而受到通緝。在此情況下，朱自清不避嫌疑，邀請李廣田來清華中文系任教。

一九四八年初，吳晗寫了篇論文《明初的學校》。該文採取以古諷今、指桑罵槐的方法，揭露國民黨對高校的特務控制。論文送到《清華學報》，一些有國民黨員身份的編委藉口說不是學術文章，拒絕發表。同爲編委的朱自清讀過該文後，認爲此文「內容爲學術性之研究，且頗富趣味，……應送《清華學報》刊載」㉔。他立即寫信給主編，極力推薦，終於使該文得以發表。

對於他所認爲該幹的事，即使冒風險，他照幹不誤，而對於他認爲不該幹的事，即使是多年的同事、朋友，他也不幹。

一九四八年春，國民黨不顧全國人民的反對，決意召開「國民大會」。清華某些教授熱衷此事，在校內外爭拉選票，競選立法委員。一次，法律系主任趙鳳喈來找朱自清拉票，朱自清一口回絕：「胡適是我的老師，我都不投他的票，別人我也不投。」

這年三月初，在美國駐華大使司徒雷登的支持和策劃下，北平的一些民主個人主義者建立了鼓吹「新第三條道路」的「中國社會經濟研究會」。他們在其會刊《新路》周刊中，鼓吹非暴力、議會政治等英國費邊社的理論，企圖在共產黨和國民黨之外，走西方式的資產階級民主政治的路。這在人民革命事業節節勝利，國民黨獨裁統治走向末日的時候，顯然是行不通的，其作用也是不利於廣大人民的。這個研究會和刊物的創辦人大多是朱自清的老朋友，《新路》主編吳景超是清華社會系教授，與朱自清共事近二十年，兩家且爲鄰居，交往頗爲密切。但當吳景超邀請朱自清加入《新路》、爲他們寫稿時，朱自清卻堅決拒絕了。因爲有美國洛克菲勒基金會撐腰，《新路》的稿費特別高，這對於陷入赤貧、生活難以爲濟的教授們來說，是頗具誘惑力的。朱自清家累重，生活格外困難，但即使如此，朱自清也不爲所動，堅決不走「中間路線」。

另一方面，對於正義的事，進步的力量，朱自清則盡力予以支持。這突出地表現在他對青年的態度上。以前，朱自清對青年人能否把握住現實，將動亂的社會引向穩定發展心存疑慮，認爲中年人的穩健和經驗可以調和青年人的急進。但在催促舊時代崩潰新時代降生的實際鬥爭中，朱自清逐漸爲青年人所表現的巨大能量和堅毅的精神所折服，他完全肯定了青年一代的行動和精神，認爲不僅「孺子可教」，而且「孺子可師」。正因爲如此，朱自清對學生組織的活動特別有興趣，學生舉行的座談會、詩歌朗誦會等等，都可見到他的身影。

朱自清支持、鼓勵青年進步，在學校是如此，在家也是如此。他的孩子喬森當時在念初中，他積極參加政治活動，在學校裡頗爲活躍。一個朋友對竹隱說：「這孩子在學校裡活躍得很，思想太左，你要注意管管他，現在太危險啊。」竹隱把此事告訴佩弦，朱自清卻說：「左？左才是中國的出路，是青年人的出路！這樣烏七八糟的政府，不叫孩子左，難道還叫孩子右嗎？」他們意識到，孩子已經覺悟了，我們應該讓孩子進步，不應干涉壓制他們的思想。一次，喬森在一篇作文裡，引用了魯迅的一段話：「如果還有眞要活下去的人們，就先該敢說，敢笑，敢哭，敢怒，敢罵，敢打，在這可詛咒的地方，擊退這可詛咒的時代！」朱自清讀到這篇習作，特別讚許了孩子。

一九四七年，解放區的秧歌舞傳到清華園，迅速被青年所接受和喜愛，校園裡經常傳出一陣陣秧歌舞的歡快樂聲。很快，朱自清被這股熱潮捲了進去。

十月下旬，在清華中國文學會的迎接新生大會上，朱自清被男女同學拖進了扭秧歌的隊伍中。儘管他已五十歲了，而且身體又不好，但他進三步退一步地跳得非常認眞。四八年元旦，中文系師生在余冠英家中開新年同樂晚會，那天，朱自清生著病，但還是興致勃勃地和同學們扭得滿頭大汗。同學們還給他穿了一件花花綠綠的演出服，頭上戴了一朵大紅花。旁觀者也許會覺得一貫整飭嚴肅、不苟言笑的朱自清變成這副樣子頗爲可笑，但朱自清卻毫無窘迫之感。他這種與學生打成一片的精神，這種向青年學習、緊跟上時代的誠摯的心，和對來自解放區的民間文藝形式的喜愛，使在場的師生都十分感動和敬佩。

朱自清理解、支持青年人的事業，也盡師長的力量去保護學生。

吳晗說過這樣一件事：「有一回他系裡兩個學生打架，一個是民主青年同盟的，一個是國民黨三青團的。打架的原因當然是政治性的，兩人都到老師面前告狀。自清先生怕民青這位同學吃虧，背地裡勸他讓一點。我在知道這件事情以後，便寫一封信提出意見，請他要考慮政治上誰對誰不對，大概措辭的口氣尖銳了一些。第二天他就到家裡來了，非常認眞嚴肅的說明他的用意，春秋責備賢者，他說進步的學生幾句，目的是爲了保護他，免遭三青團的報復。同時，他也同意我的意見是正確的。事後我把這情況告訴了民青的同學，這個同學也很感動。」㉕

朱自清思想感情的發展變化，與青年人的推動影響分不開，但最根本的，還是他從現實的鬥爭中，認清了時代，認清了社會發展的方向，認清了自己所該走的道路。正因爲如此，這種變化不是趨時，不是投機，不是盲從，而是理智的選擇，根本上也是生活的選擇，時代的選擇。朱自清曾說：一個人不應老「關閉在自己的丁點大的世界裡」，「所以非擴大自己不可。但擴大自己得一圈兒一圈兒的，得充實，得踏實。別像肥皀泡兒，一大就裂。……得寸是寸，得尺是尺。總之路是有的。看得遠，想得開，把得穩；自己是世界的時代的一環，別脫了節才眞算好。力量怎樣微弱，可是是自己的。相信自己，靠自己，隨時隨地盡自己的一份兒往最好裡做去」。㉖

追求進步卻不趨時，歡迎新事物而不盲從，腳踏實地地擴大自己，盡自己的力量去做，是朱自清立身處世的基本準則，也是飽經憂患，閱通人生的中年人同血氣方剛，熱情果敢、沒有包袱的青年人不一樣的地方。這種特點使得朱自清的進步雖無驚世駭俗之舉卻顯得格外堅實，一步一個腳印。經過不懈地努力和追求，朱自清終於從一個民主個人主義者，走向了青年，走向了集體，走向了人民，成爲一個站在時代前列的人民民主主義者。

【附註】

① 朱自清：《動亂時代》。
② 尙士：《味如橄欖的朱自清教授》，《人物雜誌》第三年第一期，一九四八年一月十五日。
③ 朱自清：《動亂時代》。
④ 吳晗：《悼朱佩弦先生》，《中建》《北平版》第一卷第三期，一九四八年八月二十日。
⑤ 見一九四七年一月十一日《朱自清日記》。
⑥ 聖陶：《佩弦的死訊》，《文藝春秋》第七卷第二期，一九四八年八月。
⑦ 朱自清：《夜不成寐，憶業雅〈老境〉一文，感而有作，即以示之》。
⑧ 朱自清：《論不滿現狀》。
⑨ 朱自清：《論且顧眼前》。
⑩ 朱自清：《論不滿現狀》。

⑪ 朱自清：《論吃飯》。
⑫ 朱自清：《論不滿現狀》。
⑬ 朱自清：《論不滿現狀》。
⑭ 陳竹隱：《憶佩弦》，《新文學史料》第一輯，人民文學出版社一九七八年版。
⑮ 陳自清：《〈標準與尺度〉自序》。
⑯ 陳自清：《歷史在戰鬥中——譯馮雪峰〈鄉風與市風〉》。
⑰ 朱自清：《論不滿現狀》。
⑱ 朱自清：《論書生的酸氣》。
⑲ 朱自清：《論氣節》。
⑳ 朱自清：《〈論雅俗共賞〉序》。
㉑ 朱自清：《文學的標準與尺度》。
㉒ 李廣田：《朱自清先生的道路》，《中建》（北平版）第一卷第十期，一九四八年十二月五日。
㉓ 載北平《新民晚報》一九四八年十一月四日。
㉔ 見一九四八年一月廿三日《朱自清日記》。
㉕ 吳唅：《關於朱自清不領美國「救濟糧」》，《人民日報》一九六〇年十一月二十日。
㉖ 朱自清：《論自己》。

第十章　魂歸荷塘

——不息的生命之火

一九四八年的夏天來到了。

清華園裡早已綠樹參天，芳草如茵了。小鳥在樹陰間穿梭，青蛙在池塘裡鳴唱，蓬葉田田，荷香陣陣，大自然的一切正在歡度它們生命中最熱鬧最輝煌的季節。

朱自清的身體卻像掛霜的古藤，盡顯秋意。胃病一次次犯得更勤了，一次次犯得更厲害了，每一發作，總要徹夜疼痛，通宵無眠，數日不得平復。酸水一口一口往外吐，什麼東西都不能吃，體重直線下降：四十五公斤，四十一公斤，最低時只剩下三十八點八公斤。花白的腦袋架在瘦削的雙肩上，顯得格外的大了，乳白色的舊西裝套在身上晃晃蕩蕩，隨風飄舞，白西裝短褲下露出細細的雙腿，才五十歲的人，已盡顯老態。不過，他的精神，卻顯得比任何時候都要振奮、開朗。

抗戰時期，朱自清深感國家命運的艱危和個人遭際的坎坷，發出了「圭角磨看盡，襟懷慘不溫」的喟嘆，痛苦壓抑的情緒，溢於言表。而現在生活儘管決不比抗戰時期好，身體更是每況愈下，可那種對社會對人生對自己的悲觀消沉的情緒，卻已煙消雲散。什麼「夕陽無限好，只是近黃昏」，那是古人對生命的一種無可奈何、力不從心的悲嘆。日夜經天，江河行地，大自然的一切始終循環往復、生生不息，只要一息尚存，便當不停努力，不息奮鬥，爲人類爲社會發出最後一縷光亮。他特別欣賞近人吳北江的一句詩，覺得它恰恰道出了自己的心結：

但得夕陽無限好，
何須惆悵近黃昏。

是啊，儘管老天爺留給自己的時間已經不多了，但也該抓緊生命旅程的最後一段時光，聚集起自己的全部能量，向生命的最高峰衝刺。他把這兩句詩用毛筆恭恭正正地抄下來，壓在書桌的玻璃板下，作爲自己的座右銘。

在這種精神的激勵下，他從容地、自信地走著人生最後的路程。

六月十八日，吳晗拿著一份抗議宣言的草稿來找朱自清，請他簽名。朱自清像往常一樣，接過來看了一遍，宣言寫道：

爲反對美國政府的扶日政策，爲抗議上海美國總領事卡寶德和美國駐華大使司徒雷登對中國人民的誣蔑和侮辱，爲表示中國人民的尊嚴和氣節，我們斷然拒絕美國具有收買靈魂性質的一切施捨物資，無論是購買的或給予的。下列同人同意拒絕購買美援平價麵粉，一致退還配購證，特此聲明。

朱自清看後，毫不遲疑地立即用他那顫抖的手，一筆不苟地簽上了自己的名字。

事情是這樣的：戰後美國政府給日本政府提供了大量的戰爭剩餘物資，並給予日本種種便利，企圖重新扶植日本。此舉極大地傷害了飽受日本侵略者荼毒的中國人民的感情，激起中國人民的強烈憤慨。五月間，上海學生展開了反美扶日的集會和遊行簽名運動。對此，美國駐上海總領事卡寶德連續發表演說，攻擊反美扶日運動是受了「奸人」的「迷惑」，說中國學生是受美國的「恩惠」才得到教育的，中國連日常所需的糧食也依賴美國的慷慨施捨，不應「忘恩負義」云云。六月四日，美國駐華大使司徒雷登又發表聲明，攻擊中國學生的行動是「陰謀」、「錯誤」和「歧途」，公然恐嚇說「鼓勵與參加反美扶日政策，……必須準備承受行動之結果」。司徒雷登的這些言論激起了中國人民的更大憤慨，六月九日，北平各校學生衝破國民黨軍警的重要封鎖阻撓舉行了示威遊行。在這個時刻，清華的教師奮然挺身，決心用拒買美國救濟糧的行動來聲援學生並表明自己的立場。

拒買美援麵粉，在此刻具有不尋常的意義。這時，國民黨政府的法幣如大江東去，一瀉千里，不停貶值，物價發了瘋似地拼命往上竄，買一包香煙都得幾萬元，高校教授也和廣大人民一樣陷於赤貧。爲了緩和人民的怨恨情緒，國民黨政府發了一種配給證，憑證每月可用平價購買兩袋美援麵粉。因此，退還配給證，拒買美國救濟糧，對一個家庭來說是個嚴重損失，即使像朱自清這樣薪水相當高的教授，也意味著減少近一半的收入。但朱自清依然義無反顧地簽上了自己的名。他在日記中寫道：「此事每月須損失六百萬法幣，影響家中甚大，但余仍決定簽名。因余等既反美扶日，自應直接由己身做起，此雖只為精神上之抗議，但決不應逃避個人責任。」①

捨身取義，士可殺不可辱，向來是中國知識分子所崇奉的理想的道德的規範，更是朱自清立身處世的準則。在朱自清的一生中，他堅持砥礪氣節，高尚情操，淡泊自守，渺視名利，決不為五斗米折腰，決不吃「嗟來之食」。由此，朱自清贏得了「狷」者的稱許。當然，這一行動決不僅僅是中國傳統文化中「君子有所不為」的「狷」，它更帶著朱自清投入民主運動之後的積極的抗爭的精神，顯示了中華民族寧為玉碎、不為瓦全的民族尊嚴和氣節。作出這一行動是需要有極大的勇氣的，因為它畢竟需要個人付出相當的代價，有的人就因此而進退趑趄，望而卻步。吳晗曾把這個宣言送請一個教授簽名，他只有三個孩子，但他卻一口拒絕，答覆得很乾脆：「不，我還要活。」他的行為可以理解，但與朱自清相比，其精神境界之高下是不言而喻的。

七月十五日，一天之內，朱自清連續開了四個會。上午，整理聞一多先生遺著委員會召開最後一次會議。作為召集人，朱自清報告了全集整理和出版的經過，說明委員會完成了自己的使命，宣布解散。第二個是中文系系務會，下學年朱自清休假，他將系裡的工作交代給代系主任浦江清。下午，參加清華教授會會議，審查應屆畢業生名單。晚上，朱自清又參加了清華學生自治會舉辦的聞一多先生被害兩周年紀念會。

這一天晚上，天氣異常悶熱，同方部禮堂擠滿了人。九點鐘，大會主席宣布會議開始，剎那間，電燈全部熄滅，只留下主席台上兩團幽幽的燭光，照著牆上栩栩如生、長髯飄拂、含著煙斗的聞一多畫像。朱自清穿著毛背心，緩緩地走上台去，用低沉的聲音向大家報告《聞一多全集》的編纂出版經過。聞一多遇害時，朱自清曾憤怒的說：一多尙不到四十八歲便身殉民主運動，他在學術上的宏大計劃都未及實現，這是一多不甘心的，也是我們不甘心的。經過一年多的艱苦努力，《聞一多全集》即將問世，一多的思想和精神將永世流傳，朱自清不禁感到輕鬆和欣慰。可是，又怎能想到，他竟未能等到全集出版的那一天。

七月二十三日，朱自清最後一次參加社會活動。

這天，北平《中建》半月刊邀請北平文化界進步人士在清華工字廳召開「知識分子今天的任務」的座談會。清晨，吳晗來到北院十六號，陪朱自清前往會場。

《中建》半月刊是吳晗等進步教授主持的一個進步刊物。當時國民黨統治已到末路，對進步雜誌的查封極其嚴厲，在中共地下黨的幫助下，吳晗等人採取偷天換日的方法，借上海王艮仲負責的《中國建設》的名義，出了個「北平航空版」，這其實是個新刊物。這天到會的人很多，有許德珩、費孝通、袁翰青、俞平伯、錢偉長、雷潔瓊、吳晗、容肇祖、聞家駟、費青、楊人楩、嚴濟慈等近五十人。會上，朱自清用衰弱而清晰的聲音作了發言，他說：

知識分子的道路有兩條：一條是幫閑幫凶，向上爬的，封建社會和資本主義社會都有這種人；一條是向下的。……知識分子們的既得利益雖然趕不上豪門，但生活到底比農人要高。……這種既得利益使他們改變很慢。……要許多知識分子每人都丟開既得利益不是容易的事，現在我們過群眾生活還過不來。這也不是理性上不願接受；理性上是知道該接受的，是習慣上變不過來。所以我對學生說，要教育我們得慢慢地來。②

認識到知識分子思想改造是一長期的過程，認識到自己前面還有許多路要走，決心向青年學習，緊跟上時代，確實體現了朱自清一輩子追求眞理、追求進步、至死不渝的精神。座談會會期一天，但朱自清中午沒吃飯便回去了，對他來說，這已是體力的極大支出了。

七月二十七日，朱自清開始寫作《論白話》，睡得很晚，但因體力原因，寫得很慢，至三十日寫成一小部分。

學校已經放暑假了，系裡的同事們正在工字廳批閱新生入學考試的試卷，朱自清因身體不好，沒有參加。再過幾天，待研究生考試試卷到齊後，他才參加閱卷。趁此空隙，他可以幹點自己的事情。八月二日，天氣晴朗，他掙扎著進城到琉璃廳書店去買書。也許，區區進一次城對他來說已是力不勝任的事了，第二天，他的胃病又發作了，他只得躺在書房的帆布床上休息。

六日清晨四時，朱自清胃部突然劇痛，大口嘔吐不止，其勢凶猛，超過以往任何一次。上午十點，在校醫院初診後，竹隱立即將他送入了北大醫院，診斷結果是胃潰瘍引起穿孔，須立即進行手術。醫院要求先交一億法幣的保證金，竹隱東挪西借，好不容易借到五千萬。下午兩點鐘朱自清做了手術，歷時四十分鐘，經過正常。

兩天後，醫生說他脫離了險境，大家不禁長舒了一口氣。朱自清精神也顯得不錯，儘管很虛弱，講話也不方便，但他還是向前來看他的同事朋友問長問短，囑托浦江清代爲批閱研究生考試試卷。他相信自己能挺過去，八月一日在給繆鉞的信中，他說「半年來連發胃疾三次，骨如柴立，下半年休假！須小心靜養，冀可復原。……稍暇擬草考證與批評一文，介紹美國近年歷史的批評的方法，說明治學不當以冷靜瑣屑之考證自限。」③他還有那麼多事要幹，怎麼能輕言死亡呢。唯一使他擔心的是他的十二指腸也有潰瘍，這次手術如不能徹底治好，以後還要麻煩。

十日，病情突變，由於身體極度衰弱，抵抗力急遽下降，體溫過低，手術引起並發腎炎，出現輕微尿中毒症狀。此時，朱自清的神志依然很清醒，只是無力說話。他那雙眼睛已深深陷了下去，時而閉上，時而硬撐著張開，顫抖的嘴唇一掀一掀，想說什麼，但又很吃力，最後他斷斷續續地對守在身邊的竹隱說：「我……已……拒絕……美援，不要……去……買……配售……的……美國……麵粉。」

此時，朱自清意識到這次他恐怕是難逃死神的魔爪了。但在生命的最後時刻，朱自清沒有交待自己的身後事，沒有給十九年患難與共的妻子和孩子留下什麼話，他心中所想的依然是他的社會責任和義務。

望著眼前瘦得脫了形的丈夫，竹隱心如刀絞。幾天來，她一直守在床邊，沒合過一下眼，她多麼希望能用自己的雙手把丈夫從死神手中奪回啊！孩子們需要他，需要他們最親愛的父親；學生們需要他，需要這位可敬可愛的老師；民主運動需要他，需要這位堅定勇敢的戰士。他還有那麼多事要做，書桌攤著未寫完的《論白話》，書架上堆著爲寫文學史和編《新編開明高級國文讀本》準備的資料，難道老天爺竟然不肯再讓他多活幾年了嗎？在司家營時，他曾對聞一多說過，他只要活六十歲就滿足了，可現在他才五十歲呀！系裡的同事們打算邀集北平文藝界開一茶話會，慶祝他五十誕辰並從事文藝工作三十年，可現在他五十歲生日還沒到呀！是誰把他害到這地步的？三十年代初他便患有胃病，但那時並不常犯，不足爲患。眞正厲害起來的是在昆明時期，抗戰的艱苦環境損害了他的健康，大後方的「八寶飯」摧殘了他的胃。對這個病朱自清內心非常苦惱，他不願讓胃病拖垮自己。然而，動手術治療得花十萬法幣，這在當時可是一筆天文數字般的巨款，朱自清一年不吃不喝，也掙不下這筆錢。四五年在昆明，朱自清胃病曾大發作一次，原打算回成都根治，但抗戰勝利，要做的事很多，朱自清便把此事擱了下來，他說，「勝利既臨，俟到北平再爲根治。」④可誰能料到，回北平以後，生活條件決不比抗戰時期好呢。十年的顚沛動蕩，朱自清一次又一次地耽擱了自己的病，直到胃穿孔了才借錢入醫院，可這已經太遲了……。

八月十一日，腎臟機能略有恢復，但胃裡又開始出血，肺部出現炎症，病情愈益嚴重。

八月十二日中午十一時四十分，朱自清心臟停止了跳動。一個傑出的詩人、散文家，學生愛戴的師長，勇敢的民主戰士，就這樣走完了他的人生之路，逝世前沒有留下一句遺言。

四八年的秋天來得特別早，十三日，天空灰濛濛的，下著淅瀝的小雨，讓人感到秋天的蕭瑟淒清。一位一輩子不肯休息的人，被放進了一具薄棺，從此天人永隔。梅貽琦、周炳琳、楊振聲、鄭天挺、馮友蘭、余冠英、李廣田、王瑤等一百多位朱自清生前的知交、同事、學生圍在靈柩旁，向朱自清作最後的告別。

靈車緩緩地向阜城門外的廣濟寺下院駛去，送殯的隊伍分乘四輛汽車跟在後面。來到這座荒涼的古寺，棺木被放進了嵌著「五蘊皆空」的匾額的磚龕。馮友蘭主祭後，由家屬舉火，火舌伸進去，龕頂的煙囪裡冒出了縷縷青煙，一個傑出的生命就與這個世界永遠告別了。

朱自清逝世的消息，震驚了清華園，震驚了北平，震驚了全國。

平津各報以最快的速度向社會發布了這一消息，清華園破天荒地爲本校一位教授的去世降了半旗，同學們拿著報紙奔走相告，含淚述說著這一噩耗，爲自己失去一位可敬的師長和朋友哀傷不已。

在校長梅貽琦的主持下，學校迅速成立了由教務長兼人類學系主任吳澤霖、訓導長兼生物學系主任李繼侗、文學院長兼哲學系主任馮友蘭、外文系主任陳福田、中文系代主任浦江清、中文系教授余冠英、許維通、以及王正宣等八人組成的治喪委員會，負責處理朱自清逝世的有關事宜。

八月二十六日，清華大學在同方部禮堂舉行追悼大會。同方部門上紮著蒼翠的柏枝和花朵，大門左右，豎著兩塊木牌，一邊是學生自治會編輯的紀念專頁，一邊貼著全國各地發來的弔唁電文。禮堂正中，用柏枝搭成一座翠棚，一架架花圈拱繞著朱自清的巨幅墨畫遺像，遺像兩側的牆上，掛滿了朱自清生前親友和同學們送的輓聯。緊挨著遺像的是竹隱的輓聯：

十七年患難夫妻，何期中道崩殞，撒手人寰成永訣；

八九歲可憐兒女，豈意髫齡失恃，傷心此日恨長流。

清華教師聯合會的輓聯寫道：

使頑夫廉懦夫立；

求經師易人師難。

哲學系教授鄧以蟄對教師的悲慘遭遇發出了沉痛的呼聲：

舉目傷心，此去焉知非幸事；

一寒澈骨，再來不作教書人。

北大教授許德珩對老同學的一生作了高度評價：

教書三十年，一面教，一面學，向時代學，向青年學，生能如斯，君誠健者；

生存五十載，愈艱苦，愈奮鬥，與醜惡鬥，與暴力鬥，死而後已，我哭斯人。

上午八時半，竹隱率子女開始家祭。長女采芷和三女效武均在上海，次子閏生則在南京，他們都無法趕到北平向父親作最後的告別。竹隱旁邊的只有喬森、思俞、蓉雋，和自蚌埠奔喪回北平的長子邁先，這三子一女，最大的邁先三十歲，最小的蓉雋只有七歲。她那天眞的目光，時時對著遺像發楞，她能懂得失去父親對她對家庭意味著什麼嗎？竹隱用顫抖著的手點上香燭，捧著祭文，泣不成聲：

嗚呼佩弦，中道慘殂，生者何堪，死者何苦。兒女天涯，散而難聚，稚子無知，依依索父。嗚呼佩弦，相從迄今，一十七年，甘苦患難，歷久彌堅。方期白首，共證前緣，如何撒手，永別人天。憶君平生，肝膽相照，忠恕廉直，熱腸古道，哀哉斯人，天胡不弔，摧我琴瑟，喪我先導。値君之幼，奔走四方，及君既長，諸苦備嘗。家道艱虞，銳身獨當，盡瘁學術，竟以病殤。嗚呼佩弦，秋風泱泱，愁思茫茫，楚些有恨，韭露無常，東西南北，魂兮何往，誠其可通，來格來嘗。嗚呼哀哉！尚饗！

竹隱素來性格剛強，無論生活多麼艱難，她都有勇氣用自己瘦弱的雙肩去承當。她包攬了全部家務，她盡心盡力照顧佩弦，給佩弦做可口又易消化的飯菜，在佩弦的病床前守護幾日幾夜，然而死神最終還是奪走了佩弦。望著眼前的一幀遺像，一杯骨灰，怎能不叫人詛咒蒼天無眼、世道不公呢！縱使千言萬語，又怎能渲洩盡心中的悲憤呢！

九時起，各團體公祭。本校的教授、學生、工友、校外的文化教育界人士、朱自清的生前好友梅貽琦、馮友蘭、湯用彤、俞平伯、朱光潛、沈從文、俞冠英、吳澤霖等五六百人紛紛前來致祭。

十點五十五分，追悼會開始。清華「大家唱」合唱團齊唱哀歌：「偉大的靈魂安息吧，你死了還有我們。」輓歌聲中，二百多名師生潸然淚下，默默地向朱自清作最後的告別。工字廳旁聞亭裡的一多鐘響起了深沉悠遠的鐘聲，不停地撞擊著人們的耳鼓，撞擊著人們的心靈。三鞠躬後，追悼會主席馮友蘭致詞，他說：

數十年來，朱先生對於中國文藝的貢獻和學術上的貢獻極大。他的病，他的死，都是由於生活的清苦和不能獲得休息。下學期本該是他休息，不料未及休養，即已逝世，使人悲痛何似！本校中文系，在聞一多先生和朱先生領導下，發現了自己正確的道路，兩位先生都不幸相繼逝世，但中文系今後仍將循著這條道路爲發展中國新文學而努力。……

浦江清教授介紹過朱自清生平後，梅貽琦校長講話，他哽咽著說：「朱先生對人謙和而虛心，但大原則卻能堅持到底，所以是一位好導師，同事和友人。廿年來，爲了責任，虧了身體，……」說著說著，梅校長泣不成聲。

學生代表這樣朗誦悼詞：

我們天天都在追隨著您的教育，正想更進一步的跟著您的蹤跡，像一群無知的孩子追隨著仁藹的父親。唉，聞一多先生的死已經是我們不能承受的損失，如今——我們又如何擔當得起！我們眞是愛你，眞是需要你，一直到您積病不起，我們更少不得您啊！但是勞苦的教育決不白費，您親手的栽培必有成果。你看，我們的腳步不正踏上你所指示的新方向，靠近了人民。

近十二點，追悼會結束，大家擁到清華一院一百號教室，這裡陳列著同方部掛不下的輓聯，陳列著朱自清的遺作和遺物。有《蹤跡》、《歐遊雜記》、《語文零拾》等多種，桌上陳列著那寫了一半的《論白話》，以及身份證、煙盒、煙缸、煙斗、錢包等，錢包裡整齊地放著連塊小燒餅都買不到的六萬元法幣。朱自清病重曾說：「赤條條的來，赤條條的去了！」眼前的這一切，都在形象地爲朱自清這句話做注腳。

朱自清治喪委員會決定整理出版《朱自清全集》，並成立了由葉聖陶、鄭振鐸、吳晗、俞平伯、浦江清、李廣田、王瑤、余冠英、徐調孚、季鎮淮和陳竹隱組成的全集編委會。朱自清一生獻身文教，留下了大量著述，這些著述，反映了一個孜孜不倦的園丁三十年辛勤耕耘的收穫，反映了一個清貧正直的知識分子一生艱難坎坷的生活道路，也反映了一代知識分子的心路歷程和人生命運。編輯出版《朱自清全集》，既是對朱自清一生事業的總結和肯定，是對死者的最大安慰，也是對活著的人的鞭策和勉勵。兩年前，聞一多遇難時，朱自清挑起了負責爲老友出全集的重擔，爲此耗費了大量心血。如今，《聞一多全集》尚未問世，朱自清便遽爾作古，又輪到別人來給他編全集了。這是怎樣的一種無常世道。

接在北平之後，上海全國文協和清華同學會，成都北大，清華兩校同學會和南京的朱自清的同事、朋友也分別在上海、成都和南京召開追悼會，悼念這位老友的逝世。

本來，北平學生打算在清華的追悼會之外，於二十一日在沙灘北京大學「民主廣場」舉行有廣大青年學生參加的大規模追悼大會。但就在此前兩天，華北國民黨當局在報紙上發表了數百人的「黑名單」，同時派軍警包圍各大學，按名單搜捕進步學生，發動了「八一九」大逮捕。由於政治形勢的空前險惡，追悼大會被迫取消。但人們對朱自清心中的懷念，是無法被取消的，一時間，全國各地的報紙雜誌紛紛闢出紀念專號專版，發表紀念文章，向這位狷介清正的讀書人、這位青年人的朋友和導師獻上一瓣心香。

吳晗等進步教授主持的《中建》（北平版）剛在一卷二期上刊登朱自清在「知識分子在今天的任務」座談會上的發言，便傳來了朱自清不幸逝世的消息。他們把滿腔悲憤化作筆底波瀾，在八月二十日出版的一卷三期上，便刊登了馮至、聞家駟、林庚等人的紀念文章，隨後在第四期、第五期上，又連續發表了李廣田、王瑤、馮雪峰、俞平伯、楊振聲、鄭昕、游國恩、聞家駟等人的悼念詩文。上海的進步刊物《文訊》在主編臧克家的主持下，迅速組織了一大批稿件，在九月十五日出版的第九卷第三期上推出了「朱自清先生追念特輯」，刊出了葉聖陶、郭紹虞、鄭振鐸、許杰、王瑤、王統照、李長之、徐中玉、馮至、楊晦、吳組緗、穆木天、魏金枝、余冠英、朱喬森等二十二篇文章。朱自清的老友、北大外文系主任朱光潛在他主編的《文學雜誌》第三卷第五期，也推出了「紀念特輯」，收集了浦江清、朱光潛、馮友蘭、俞平伯、川島、余冠英、李廣田、楊振聲、王瑤、林庚等人的紀念文章。此外，在朱自清生活和工作過的地方，與朱自清有關係的刊物，如葉聖陶主持的《中學生》月刊、儲安平主持的《觀察》周刊、朱自清和浦江清等人在抗戰期間創辦的《國文月刊》、朱自清生前主持的《新生報・語言與文學》副刊、《小說》月刊、《文潮》月刊、《論語》半月刊、

《新路》周刊、《北大半月刊》、《文藝復興》、《世紀評論》、《人物雜誌》，以及天津《大公報》的《時代青年》副刊和《文藝》副刊、北平《平明日報・星期藝文》副刊、天津《民國日報・文藝》副刊、上海《大公報》、《申報》、《新民晚報》、南京《中央日報》、杭州《東南日報》、成都《西方日報》等等，都紛紛發表紀念文章和紀念專刊。據不完全統計，紀念文章多達一百五十篇以上。這些文章，或追憶逝者的音容笑貌，或品評逝者的詩文，或總結逝者的思想特徵、人生道路，或讚美逝者的鬥士精神和完美人格，相當全面而準確地展現了朱自清人生道路上的每一步足印，高度評價了他一生在文教工作中取得的成就和晚年的進步，對他的不幸逝世表示深切的痛惜之情。

爲什麼在朱自清逝世後的短短一兩個月間，會湧現出這麼多的悼念詩文呢？顯然，朱自清在文學和學術、教育領域內的傑出貢獻，使他擁有大量的知交好友；另一方面，朱自清貧賤不能移、餓死不吃嗟來之食的清貧氣節和強大的人格力量，確實展現了中國知識分子值得驕傲的優秀傳統，感動、激勵著仍在飢餓中掙扎的同類；再一方面，朱自清用生命控訴了國民黨政權的腐敗黑暗，教育人們更加認清了這罪惡的社會、瘋狂的時代。正如許多人在文章中所質問的：「是誰戕害了朱佩弦先生！這是一個什麼時代？什麼世界？」李廣田意味深長地說：

假設中國沒有內戰，也沒有所謂「戡亂」，假設中國已經民主，已經和平，假設朱先生生活很好，營養很好，心情也好，他何至於這樣地死去。……然而朱先生竟這樣地死去了！怎樣才能使朱先生瞑目休息，怎樣才能善用我們續存的生命來扭轉這個時代，這該是我們每個愛護朱先生的人所應該知道，並應爲互相勉勵的事。⑤

對朱自清逝世最感悲痛的是學生。無論是本校的還是外校的，無論是現在的還是過去的，只要他曾經聽過朱自清講課講演，讀過朱自清作品，無不爲朱自清逝世感到痛心疾首。李廣田說過這樣一件事：一位中學國文教師寫信給他說：「其初，傳言說朱先生去世了，簡直不敢相信，因爲在最近離平之前還看見朱先生，而且還聽了先生很多勉勵的話；及至跑到外邊，看見一群小學生，在爭著搶著地看一張當天的報紙，其中有一個並且驚嘆著對我說：『老師，作《背影》的朱自清先生死了！』我這才相信消息是眞的，而且，看了小孩們那種愴惶悲戚的神情，自己竟無言地落下淚來。」

正因爲朱自清把一生貢獻給了青年人，並且在晚年更和青年人同呼吸共命運，因而得到了青年人的由衷愛戴。朱自清逝世後，許多學生自發地跑到北大醫院去瞻仰他的遺容，在追悼會上痛哭流涕，泣不成聲。他們的感情正如一位青年詩人在詩歌中所說：

我們腳下踩著的是悲哀的國土
貧病專會糾纏清醒的戰士
當你背負著二十年的貧病
在前面移動著瘦弱的深影
當你越走越年青越與人民接近

你竟繼聞一多之後停止了戰士的呼吸
對灰燼悼念給予人間以光以熱的火
對飢渴的嬰兒悼念擠出了最後一滴乳汁的母親
對揚起的戰旗悼念倒下去的旗手
對踩出的大路悼念開路的人
對下兩點鐘的深夜悼念燒乾了血液的火炬
石頭也會流眼淚，哭出聲音……⑥

朱自清在悼念聞一多時說過：「你是一團火，照見了魔鬼；燒毀了自己！遺燼裡爆出個新中國！」如今，朱自清也以自己的生命之火照亮了青年，照亮了前進的道路。朱自清雖然倒下了，但在他倒下的地方，無數青年正高唱著戰歌，向晨光微曦的東方地平線奔去。

東方的天空，暗夜在慢慢退去，桔紅色的天幕越來越亮，朝霞不停地變幻著五色繽紛的光彩，一個通紅的大火球在地平線上跳躍著，翻滾著，燃燒著，終於，她奮力一躍，掙脫了黑暗的枷鎖，升上了天空。剎那間，萬道金光灑向群山，灑向大地，灑向古老的北平城，灑向寧靜的清華園，灑向縈繞著朱自清靈魂的荷塘……

工字廳後的聞亭又響起了悠揚的鐘聲。

清華園迎來了新的一天。

【附　註】

①見一九四八年六月十八日《朱自清日記》。
②朱自清：《知識分子今天的任務》。
③見繆鉞：《考證批評與創作——敬悼朱佩弦先生》，《西方日報》一九四八年九月廿六日。
④王瑤：《念朱自清先生》。
⑤李廣田：《哀念朱佩弦先生》，《文學雜誌》第三卷第五期，一九四八年十月。
⑥青勃：《悼朱自清先生》，《文訊》第九卷第三期，一九四八年九月十五日。